Mémoires d'un quartier

• TOME 12 •

Adrien

la suite

LOUISE TREMBLAY-D'ESSIAMBRE

Mémoires d'un quartier

• TOME 12 •

Adrien
la suite

1972 – 1973

www.quebecloisirs.com

UNE ÉDITION DU CLUB QUÉBEC LOISIRS INC.
Avec l'autorisation de Guy Saint-Jean Éditeur.

Dépôt Légal --- Bibliothèque et Archives nationales du Québec, 2012
ISBN Q.L. 978-2-89666-202-9
Publié précédemment sous ISBN 978-2-89455-596-5

Imprimé au Canada

À Suzanne G.,
amie de longue date mais perdue de vue
trop longtemps. La vie a eu la merveilleuse idée
de te remettre sur mon chemin.

NOTE DE L'AUTEUR

Ça y est, c'est ce matin que cela se passe…

J'écris ces quelques mots du bout des doigts, le cœur battant.

Le compte à rebours est commencé: dans quelques semaines, les Lacaille feront partie des souvenirs. Dans un sens, je l'espérais: toute bonne chose a une fin et il est temps de les laisser s'envoler vers leur destinée. Mais d'un autre côté, j'ai le cœur lourd. Le deuil ne sera pas facile à faire, je le crains. Comment quitter Laura, Antoine, Bernadette, Évangéline, Marcel sans un soupir de tristesse? Sans oublier Francine, Bébert, Adrien, Michelle et tous ceux de mes personnages antérieurs qui ont eu l'indiscrétion de se glisser à travers les pages de l'histoire des Lacaille. Anne, Charlotte, Émilie, Cécile… Cela fait beaucoup de monde à saluer pour une dernière fois.

Je me sens un peu comme Bernadette, ce matin: je suis consciente que tous ces personnages sont arrivés à un moment de leur vie où ils sont capables de voler de leurs propres ailes et en même temps, j'ai peur qu'ils se blessent si je ne suis pas à leurs côtés. Au fond, mes personnages sont un peu mes enfants, n'est-ce pas?

Pour l'instant, avant d'en arriver aux adieux définitifs, je les ai conviés dans mon bureau, après quelques semaines de repos où la lecture a remplacé l'écriture.

Ils sont arrivés les uns après les autres, dès l'aube, et se sont réunis spontanément en petits groupes.

Les sœurs Deblois se tiennent dans un coin, entourant

Anne qui a maigri depuis la dernière fois où je l'ai rencontrée. Je crois qu'elles ont compris que leur jeune sœur a grand besoin d'elles.

Cécile, par contre, est seule. Debout à la fenêtre, elle regarde au loin, par-dessus le toit des maisons. Regrette-t-elle la confidence faite à Laura?

Évangéline a pris mon meilleur fauteuil et elle discute à voix basse avec Bernadette… Je ne peux m'empêcher de sourire. On dirait bien qu'elles se sont réconciliées, ces deux-là, et qu'elles ont du temps de bavardage à rattraper!

Tiens! Voilà Laura qui arrive. Sans hésiter, elle se dirige vers sa mère et sa grand-mère. Tant mieux! Ça doit vouloir dire que les tensions ont diminué. Elle est jolie avec son ventre qui commence à arrondir.

En fait, il ne manque que les hommes Lacaille pour que le tableau soit complet. Marcel, Adrien, Antoine, Charles… Je me demande bien ce qu'ils font, eux, d'ailleurs, pour ne pas avoir répondu à mon invitation. Et si Adrien n'est pas là, c'est évident qu'il manque aussi la petite Michelle… Ont-ils l'intention de rester au Texas?

Il manque aussi Francine et Bébert. À voir le sourire radieux de Laura, il me semble qu'ils devraient être là, non? De toute évidence, tout va bien dans la vie de Laura. Alors Bébert, tout comme Francine d'ailleurs, devrait être là.

Je vais donc me mettre à l'écriture pour tenter de savoir ce qui se passe.

Je ne peux quitter les personnages des *Mémoires d'un quartier* s'ils ne sont pas tous présents. J'ai envie de les saluer une dernière fois, tous sans exception.

Parce que je les aime tous, sans exception.

PREMIÈRE PARTIE

Hiver 1972

CHAPITRE 1

Mais mon amour
Mon doux mon tendre mon merveilleux amour
De l'aube claire jusqu'à la fin du jour
Je t'aime encore tu sais je t'aime

La chanson des vieux amants
JACQUES BREL, 1967

Montréal, vendredi 7 janvier 1972

Bernadette dans sa cuisine
Bernadette avait négocié opiniâtrement, sachant que c'était probablement pour la dernière fois. Dans quelques semaines, l'exercice ne serait plus possible et elle s'ennuierait de ces petites prises de bec, malgré tout ce qu'elle ait pu en dire ou en penser au fil des années. Voilà pourquoi, sans relâche, jour après jour, de pied ferme et avec une obstination de représentant syndical, elle avait tenu son bout. Pas un déjeuner, pas un souper sans que le sujet soit remis sur le tapis. Parfois soutenue par Évangéline qui l'appuyait inconditionnellement, parfois rabrouée par Marcel qui en avait plus qu'assez.

Qu'à cela ne tienne, Bernadette n'avait jamais lâché le morceau.

À vivre aux côtés d'Évangéline et de Marcel, Bernadette avait quand même trente ans de pratique dans les tractations en tous genres. Elle savait donc comment s'y prendre pour faire fléchir l'adversaire. Pas question pour elle de baisser pavillon avant d'avoir obtenu gain de cause. Une autre aurait peut-être laissé tomber, épuisée par un si long combat, mais pas Bernadette.

Comme elle l'avait toujours pensé: le jour où elle perdrait la face devant l'un de ses enfants n'était pas encore levé, bâtard!

Il faut cependant avouer qu'elle avait pris un malin plaisir à soutenir cette lutte oratoire, insistant habilement sur les arguments qui jouaient en sa faveur, usant de la bouderie au besoin, cuisinant sournoisement les repas préférés de son adversaire et jouant même de la larme avec ruse et calcul.

Jouant surtout de la larme...

Bernadette savait fort bien que ses tristesses avaient toujours eu un net pouvoir dissuasif sur ses enfants, surtout sur Antoine. Elle en avait donc abusé.

Le 23 décembre au matin, devant un œuf mollet accompagné de bacon et d'une rôtie dégoulinante de miel comme il les aimait tant, son fils avait finalement rendu les armes.

— OK, t'as gagné. Je reste ici pour Noël, avait-il enfin acquiescé la bouche pleine, pensant à la dinde qui décongelait dans le panier du bas du réfrigérateur et salivant à l'avance à l'idée des beignes qui attendaient patiemment le réveillon, bien rangés dans le tambour, cordés serré dans leur papier d'aluminium. Mais compte pas sur moi pour le jour de l'An, par exemple.

— J'ai-tu déjà parlé du jour de l'An, mon pauvre Antoine?

Le jeune homme n'avait pas répondu, affichant une mine désabusée même si au fond de lui-même, il aurait eu envie de pouffer de rire. Capituler, il s'y attendait, et ce, depuis le tout début de cet interminable affrontement, d'où cette envie de rire.

Depuis quand sa mère abdiquait-elle facilement devant l'un de ses enfants, n'est-ce pas ?

Cela n'était pas arrivé souvent ! Mais pas question, par contre, de montrer que lui aussi avait pris un inestimable plaisir à confronter Bernadette. C'était un peu sa façon personnelle de plonger profondément à l'essence même de ce que fut leur vie de famille avant de quitter le nid pour de bon.

Malgré tout, malgré le fait qu'il soit heureux et soulagé de voir que son choix d'aller s'installer à Los Angeles ait été accepté aussi facilement par ses parents, Antoine avait le cœur un peu lourd à l'idée qu'une grande partie de sa vie serait bientôt derrière lui et qu'il la regretterait. Pourtant, son enfance et son adolescence n'avaient pas été faciles, loin de là. Malgré cela, avec une lucidité et une sensibilité très vives, une sensibilité d'artiste comme l'aurait sûrement dit Évangéline, Antoine était conscient que l'homme qu'il était devenu, il le devait justement à cette enfance particulière qu'il avait vécue.

Il avait donc embarqué allègrement dans le jeu de sa mère, transformant ces longs moments de pourparlers en souvenirs qu'il garderait précieusement.

Chez les Lacaille, les discussions étaient habituellement interminables. Même si parfois, pour ne pas dire souvent, elles étaient stériles, ces argumentations faisaient partie du quotidien depuis toujours.

Avec un certain étonnement, Antoine avait rapidement compris que de cela aussi, il s'ennuierait profondément.

Dans l'après-midi de ce même 23 décembre, il avait donc arpenté les étages de chez Eaton à la recherche de cadeaux qui diraient tout sans qu'il ait besoin de parler. Sous le toit d'Évangéline, les mots d'amour avaient toujours été utilisés avec parcimonie. Les gestes, par contre, disaient ce qu'il y avait à dire.

Quelques disques pour sa grand-mère qui se plaignait régulièrement de toujours devoir écouter les mêmes vieilles rengaines sans manifester autrement l'intention d'y remédier.

— Pas que je les aime pas, mes vieux records, comprenez-moé ben. C'est un peu pour ça que j'en achète pas d'autres... Pis Glenn Miller sera toujours mon préféré, ça c'est sûr, même si y a des tonnes d'autres musiciens. Mais me semble qu'un enregistrement moins vieux, un disque moins égratigné, ça ferait mon bonheur. De toute façon, y' doit ben avoir faite plus qu'un record, non, Glenn Miller ?

Une porcelaine délicate pour sa mère.

— Ça se peut-tu ? À part quèques plats à bonbons en verre taillé ousque je mets mon sucre à crème quand l'envie d'en faire me pogne, pis une grosse soupière insignifiante que j'ai eue en cadeau de noces mais qui sert jamais à rien, j'ai pas un verrat de bibelot qui soye à moé dans c'te maison-là ! Toute ce qu'on voit, c'est à ma belle-mère !

Une gaine de cuir pour le volant de l'auto de son père.

— Calvaire que chus tanné ! J'ai beau entretenir mon char comme faut pis le garder propre comme un sou neuf, chaque fois que je m'assis dedans, le maudit volant toute usé me renvoye en pleine face que c'est juste un vieux bazou. Chus toujours ben pas pour me payer un volant neuf, calvaire ! Aussi ben acheter le char qui va avec, sinon ça aurait l'air fou en s'y' vous plaît, un volant tout neuf dans un char qui commence à rouiller. Non ?

Un chandail du Canadien pour Charles.

— C'est pas pire comme idée ! Mais comme popa l'a dit, l'autre jour, c'est petête pas nécessairement avec eux autres que je vas jouer ! Mais c'est pas grave : je me suis faite à l'idée… Les Bruins ou ben les Blackhawks, ça pourrait faire l'affaire ! Mais faudrait que mes coachs se déniaisent, par exemple, pis que quèqu'un leur dise que chus disponible !

Et peut-être pour faire passer un certain message, il avait combiné les cadeaux de Laura et de Bébert et leur avait offert une de ses dernières toiles, soigneusement encadrée. C'était le seul cadeau, d'ailleurs, qui était prêt depuis longtemps.

— Ça sera pour votre future maison, avait-il déclaré en bougonnant pour camoufler l'émotion qui le gagnait.

— Maison ?

Trop heureuse d'avoir un sujet de conversation à aborder avec le jeune Bébert qu'elle voyait toujours comme un intrus sous son toit, Évangéline n'avait pu se retenir. Se tournant carrément face à celui qu'elle refuserait encore longtemps de voir comme un éventuel petit-fils d'adoption, elle avait lancé :

— Vous viendrez toujours ben pas me faire accroire qu'à votre âge, le jeune, pis dans votre situation, vous avez les moyens de vous payer une maison neuve… Voyons don ! Faudrait pas vous mettre dans la gêne juste pour ben paraître !

— C'est pas le cas ! Pis chus pas si jeune que j'en ai l'air.

— Ah non ?

— Sûr et certain. J'ai la trentaine ben sonnée pis mon garage marche pas mal bien, vous saurez.

— Ah ouais ?

— Comme je vous dis ! Assez, en tout cas, pour faire vivre confortablement une petite famille. Faut pas oublier qu'on a un p'tit qui s'en vient.

— J'ai pas oublié, craignez pas !

La plupart du temps, Évangéline était à court de mots devant ce digne représentant des Gariépy qui n'avait pas la langue dans sa poche. Pourtant, ce trait de caractère aurait dû séduire la vieille dame. Malheureusement, il y avait une incroyable ressemblance physique entre Bébert et son oncle, celui-là même qui avait refusé avec véhémence de reconnaître la paternité du bébé que portait Estelle. C'est cet entêtement qui avait déclenché la guerre entre les deux familles, quarante ans plus tôt. Alors, présentement, cette ressemblance nuisait singulièrement à la perspective d'une acceptation sans condition.

Et dire que ce même Bébert, un Gariépy, allait être le père de son premier arrière-petit-enfant !

Aux yeux d'Évangéline, c'était en soi une aberration que le ciel n'aurait jamais, mais jamais dû permettre !

D'autant plus que cet enfant-là risquait de ressembler à son père et à son grand-oncle ! Si c'était un garçon, bien entendu.

Évangéline en avait des brûlures d'estomac et des difficultés à dormir, ses courtes nuits hantées par l'image d'un nouveau-né ricanant sur le même ton que son arrière-grand-mère paternelle, Arthémise Gariépy, qui la visitait régulièrement dans ses pires cauchemars depuis quelques mois !

Mais bon…

Ce qui était fait était fait et on ne pourrait jamais revenir en arrière. Pas avec un p'tit en route ! Comme l'avait si bien dit son ami Roméo : c'était là une volonté du ciel et elle, Évangéline Lacaille, aussi proche du Bon Dieu qu'elle pouvait l'être par ses prières et son assiduité dominicale à l'église paroissiale, ne pourrait jamais contrecarrer les volontés divines.

— Peut-être est-ce là une dernière épreuve avant le grand bonheur d'une vieillesse heureuse entourée de tous les vôtres, n'est-ce pas ? N'est-ce pas une bénédiction du ciel d'avoir le privilège de connaître ses arrière-petits-enfants ? Peut-être devez-vous accepter la présence de ce Bébert Gariépy pour connaître enfin la paix et la sérénité, très chère Évangéline !

Le *très chère* dont Roméo assaisonnait régulièrement ses discours finissait toujours par faire fléchir Évangéline. Un regard en coin sous ses sourcils broussailleux pour détecter la moindre moquerie, un sourire affable mais tellement sincère de la part de Roméo, et la vieille dame admettait, du bout des lèvres, que son ami avait peut-être raison… Probablement raison.

Assurément raison.

En effet, qui croyait-elle être pour contrecarrer les volontés divines ?

— Mettons, ouais, que vous avez vu clair… À croire que le Bon Dieu vous parle en direct, à vous en personne… Astheure, on va changer de sujet, si vous le voulez bien, Roméo. Comme le dit si bien ma bru Bernadette, y a des choses, de même, qui me donnent de l'urticaire, viarge !

C'était là une conversation que Bernadette avait surprise en passant près du salon, l'autre jour. Maintenant que l'hiver était bien installé dans sa froidure, Roméo était devenu un habitué du salon d'Évangéline. Il y passait la plupart de ses après-midi, parfois en compagnie de Noëlla, plus souvent tout seul. On jouait aux cartes, on regardait la télévision, on s'installait autour d'un casse-tête, on discutait ferme et le temps passait...

Au souvenir de cette brève discussion, Bernadette étira un sourire, le couteau à éplucher cliquetant tout seul sur la carotte tant le geste était devenu routinier.

Oui, ça avait été un beau Noël, cette année, et la bonne humeur engendrée cette nuit-là semblait vouloir persister. Sans pouvoir dire que Bébert avait désormais ses habitudes sous leur toit, à la suite du souper organisé par Évangéline et Roméo en novembre dernier lors de la visite de Donna, le jeune homme n'avait plus besoin d'invitation particulière pour avoir droit de passage chez eux et il avait naturelle-ment fait partie des réjouissances du temps des fêtes. Et sans la moindre discussion, par-dessus le marché! Depuis, chaque semaine, Bernadette pouvait enfin réunir les siens autour d'un rôti ou d'un gros chapon le dimanche soir.

Le sourire de Bernadette s'étira un peu plus.

Dire que c'est Antoine qui, finalement, avait réussi à faire plier Évangéline. Et avec des arguments aussi simples, pour ne pas dire simplistes, qui comparaient son amie Donna à Bébert. Bernadette réfléchissait:

— Voir que ça voulait pas dire la même chose quand on y demandait de donner une chance à Bébert pis de faire le p'tit effort d'essayer de le connaître... Crée belle-mère, va! Probablement qu'a' l'avait déjà décidé, dans sa tête, de changer d'idée pis que ça y prenait une bonne excuse pour le faire publiquement sans perdre la face. On rit pus! À cause d'elle, y' était même pus question de mariage pour notre Laura. Ouais, c'est ça qui a dû se passer. Antoine, dans le fond, y' a juste été une manière d'excuse pour qu'a' se revire de bord. Je sais ben pas ce qui peut y avoir entre mon Antoine pis sa grand-mère, mais c'est sûr qu'y' s'entendent pas mal bien, ces deux-là… ce qui fait que c'est ben dommage que mon gars aye décidé de faire sa vie loin de même.

Une onde de tristesse lui serra le cœur.

— Ouais, ben dommage, d'autant plusse que sa Donna est fine rare ! J'aurais aimé ça, moé, qu'a' reste par icitte pour un p'tit bout de temps pis qu'on apprenne à mieux se connaître, elle pis moé… Maudit que la vie est plate, des fois ! Me semble que ça aurait été le fun d'avoir toute ma famille autour de moé, astheure qu'on dirait ben que la belle-mère a retrouvé son bon sens face à ma Laura. Ben non ! À croire que c'était trop demander à la vie. Faut toujours qu'y aye de quoi pour nous laisser comme une p'tite crotte sur le cœur… Une chance qu'on va avoir un p'tit dans pas trop longtemps ! Ça aide à faire avaler le reste. Bâtard que j'ai hâte d'y voir la face, à c't'enfant-là !

La perspective d'être bientôt grand-mère mettait un baume sur sa déception de savoir son fils au loin.

Et un bémol sur ses inquiétudes au sujet de Marcel.

De toute façon, en novembre dernier quand elle l'avait surpris en pleine crise de toux, dans la chambre froide de la boucherie, le désarroi de son mari avait été de très courte durée. Le temps de s'agripper à sa main en la suppliant de ne pas l'abandonner, de prendre une longue inspiration, et Marcel avait déjà repris contenance.

— Je m'excuse…

Marcel s'était déjà redressé et jetait un coup d'œil inquiet vers le comptoir de sa boucherie où quelques clientes l'attendaient patiemment.

— Faut surtout pas t'inquiéter, tu sais !

De toute évidence, à ce moment-là, Marcel avait tenté, en vain, d'imprimer une certaine désinvolture à sa voix. Le manège n'avait pas échappé à Bernadette.

— Ben non ! s'était-elle emportée, inquiète comme elle ne l'avait jamais été. J'arrive icitte dans la chambre froide, t'es plié en deux au-dessus de l'évier, pâmé à cause d'un toussage qui veut pas lâcher, tu craches le sang, pis tu me dis de surtout pas m'inquiéter ? Tu me prends pour une imbécile ou quoi ?

— Pantoute, Bernadette. Pis tu le sais.

— Non, je le sais pas. Par bouttes, je le sais pas pantoute pour qui c'est que tu me prends, Marcel Lacaille ! Maudit bâtard ! Pis le sang, lui ? Tu vas venir me dire que j'ai toute rêvé ça, petête ?

— Ben non… Chus quand même pas cave… Je… C'est juste un ben gros mal de gorge qui dure depuis quèques jours… Je dois avoir le gorgoton toute irrité.

— Ah ouais ? Un gros mal de gorge ? Comment ça se fait que j'ai de la misère à te croire, moé là ?

— Calvaire, Bernadette ! Pourquoi c'est faire que je te raconterais des menteries ? Je… Avec mon souffle court pis mon toussage qui veut pas s'en aller, j'ai paniqué, c'est toute. Mais c'est passé, astheure. Regarde…

Sur ce, Marcel avait longuement inspiré avant d'expirer bruyamment. Il avait même esquissé l'ombre d'un sourire.

— Tu le vois ben que je tousse pus, calvaire ! Je te le dis : c'était juste mon mal de gorge. C'est toé qui as raison : chus ben fatigué. C'est pour ça que j'arrive pas à reprendre le dessus sur c'te damnée grippe-là. On va laisser passer le temps des fêtes, pis j'vas prendre des vacances. Promis !

— Des vacances ? C'est drôle, mais là non plus je te crois pas, Marcel Lacaille !

— Pense ben ce que tu veux, calvaire, mais moé, j'ai pas le temps de m'ostiner avec toé pour astheure.

Les doigts écartés pour improviser un peigne, Marcel s'était passé rapidement la main dans les cheveux.

— J'ai des clientes qui m'attendent. On reparlera de tout ça à soir à maison.

— Fais don à ta tête…

Bernadette avait déjà fait demi-tour et se dirigeait vers la porte quand elle s'était arrêtée brusquement, se rappelant ce qu'elle était venue faire à la boucherie.

— Ah oui ! Avec toute ça, j'allais oublier… J'étais venue pour te dire d'apporter un gros rosbif quand tu vas rentrer à maison. C'est ta mère qui fait demander ça.

— Un rosbif ? En quel honneur ? On est pas dimanche.

— En l'honneur de Donna, imagine-toé don.

Un second sourire avait effleuré le visage de Marcel. D'appréciation, cette fois. Décidément, la jeune Américaine avait gagné le cœur de toute la famille.

— Bonne idée, ça, un souper pour Donna. Comme ça, même si a' reste pas ben ben longtemps avec nous autres, l'amie d'Antoine va comprendre qu'on l'apprécie… Pour le rosbif, je m'en occupe. J'ai justement un boutte de côtes qui devrait faire l'affaire. M'en vas le mettre de côté tusuite. En attendant, m'en vas aller voir mes clientes. C'est comme rien qu'a' doivent commencer à trouver le temps long… On se reparle t'à l'heure.

— Compte sur moé, mon Marcel, compte sur moé ! C'est sûr qu'on va se reparler de ce qui vient de se passer icitte !

C'est peut-être à cause d'une pointe de colère emmêlée à

son inquiétude que Bernadette n'avait pas voulu souligner que Laura et Bébert seraient du souper, eux aussi. Tant pis pour Marcel! Il le verrait au souper et dans l'état où était Bernadette, à ce moment-là, elle avait jugé que ce serait bien assez tôt.

— Ouais, on va se reparler, Marcel Lacaille! avait-elle ajouté en passant la porte, revenant sans difficulté aux inquiétudes suscitées par son mari.

— Pas de trouble.

Cependant, Marcel n'en avait jamais reparlé directement et Bernadette n'avait pas osé relancer le débat.

Ce soir-là, son mari était arrivé à la maison avec un superbe rôti, tel que demandé par Évangéline, et une bouteille de De Kuyper.

— Tu vois ben que je te mens pas, avait-il soufflé à Bernadette qui l'attendait de pied ferme. Tu le sais que j'ai toujours haï ça, le gros gin. Ben gros. Ça me lève le cœur. Mais j'vas me faire une ponce pareil. Y a rien de mieux pour guérir un mal de gorge, tout le monde sait ça... Où c'est que t'as serré le miel, coudon, je le trouve pas.

C'était on ne peut plus vrai que Marcel détestait les boissons fortes. Mais avant que Bernadette n'ait pu creuser un peu plus la question, Laura était apparue à la cuisine sous le regard surpris et heureux de Marcel.

— Ben regarde don qui c'est qui est là! Tu parles d'une belle visite!

Le débat n'avait donc pas eu lieu.

Bernadette avait alors choisi de lui accorder le bénéfice du doute tout en se promettant de l'avoir à l'œil. Pour l'instant, il y avait tellement plus important à faire.

Évangéline était enfin revenue sur ses positions et Bébert

avait été invité à partager leur repas ! Laura était justement venue à la cuisine pour prévenir qu'il serait là dans l'heure.

C'était bien assez pour enlever toute envie de discussion avec Marcel.

Bernadette avait donc renvoyé les intrus qui venaient d'envahir sa cuisine.

— Ouste, sortez d'icitte, vous deux. J'ai besoin de toute la place !

Où donc avait-elle rangé la belle nappe en lin d'Évangéline après l'avoir lavée et repassée à Noël, l'an dernier ?

Ce fut ce soir-là que Laura, radieuse, leur avait annoncé, au moment du dessert, qu'elle attendait un bébé pour le milieu du mois de juin, et ce fut quelques jours plus tard qu'Antoine, une main de Donna emprisonnée dans les siennes, leur avait fait part qu'ils avaient décidé de se marier au printemps prochain.

Depuis, Bernadette se laissait voguer sur ces deux merveilleuses nouvelles : Antoine allait se marier en mai, et elle s'était bien promis de tout mettre en œuvre pour assister à ce mariage-là. À Los Angeles !

Puis, le mois suivant, quand Bernadette serait de retour, Laura aurait son petit bébé.

Que demander de mieux pour une mère ?

— À part petête le fait de voir ma fille se marier, elle avec. Peut-être ben qu'on pourrait faire un baptême pis une noce en même temps, non ? Tant qu'à sortir la belle vaisselle pis l'argenterie !

N'empêche que la venue d'un bébé et un premier mariage, celui d'Antoine, c'était déjà amplement suffisant, comme perspective, pour occuper de nombreuses heures de réflexion, d'où un certain laxisme devant la toux de Marcel et une certaine indifférence à l'égard de la mauvaise humeur chronique de son plus jeune fils.

— Ça va ben finir par lui passer avec le temps, répétait régulièrement Évangéline. C'est l'âge qui doit faire ça.

— Vous croyez, vous? Me semble, justement, qu'y' a pus ben ben l'âge des crises d'adolescence. Y' s'en va quand même sur ses dix-sept ans, bâtard!

— Ben, ça doit être l'école, argumentait la vieille dame quand elle voyait le rouge de la colère monter aux joues de Bernadette. T'as pas vu Marcel, toé, quand y' était encore à l'école! Y' devait avoir à peu près l'âge de notre Charles, si je me rappelle ben. C'était encore pire que lui, je pense ben. Pis comme j'avais pas d'homme à portée de main pour y serrer les ouïes, c'était pas facile... Non, laisse-moé te dire que c'te boutte-là a pas été drôle! Une chance que monsieur Perrette l'a ramassé pour y montrer le métier de boucher. Pis tu vois ce que ça a donné, hein? Aujourd'hui, je pense que c'est celui de mes gars que je suis le plusse fière, viarge!

— Ah ouais?

— Comme je te dis... Pasque si on regarde Adrien, en fait de métier, y a rien qui me vient à l'esprit. C'est comme qui dirait qu'y' a pas fait grand-chose de ses dix doigts. Dommage, pasqu'avant qu'y' parte pour la guerre, y' était pas mal connaissant, côté menuiserie. Pis ben habile. Comme son père.

— Petête... Mais faut quand même ajouter, pour sa défense, que la p'tite Michelle a pris ben de son temps pis de ses énergies.

— Tant qu'à ça... Pis sa Maureen est pas facile à vivre, elle non plus. Ça aussi, ça doit te revirer à l'envers ben des intentions de travail.

— Ouais…

Bernadette avait passé sous silence le fait que Marcel non plus n'avait pas été toujours facile à vivre et que ça ne l'avait pas empêchée, elle, de se trouver un métier en plus de bien s'occuper de la maisonnée et des enfants.

Pourquoi ressasser de vieilles affaires, assaisonnées de quelques mauvais souvenirs ?

Après tout, cela n'avait plus tellement d'importance. Les petites rancunes, les désaccords et les conflits qui avaient ponctué leur vie commune étaient oubliés. La bonne humeur était revenue sous le toit d'Évangéline, et c'est tout ce qui importait pour l'instant.

Excepté la promesse de Marcel qui devait prendre des vacances, promesse qu'elle comptait bien ramener sur le tapis incessamment, Bernadette n'avait plus aucune envie de se disputer avec qui que ce soit.

— J'ai faite ma part pour la patrie ! murmura Bernadette en réglant la chaleur de l'élément d'un rond de la cuisinière sous le chaudron des légumes. Deux enfants et demi d'élevés, pis ben élevés à part de ça, une maison pas pire tenue en plus d'un travail qui amène de l'eau au moulin, ça compte dans le bilan d'une vie.

Tout en parlant, Bernadette nettoyait le comptoir.

— C'est pour ça que j'ai décidé de pus m'en faire pour Charles, affirma-t-elle en frottant énergiquement le comptoir. Même si y' a mauvais caractère, ça change rien au fait que j'y donne la même éducation que j'ai donnée à son frère pis à sa sœur. Ça va ben finir par aboutir sur de quoi qui a de l'allure, maudit verrat ! Jamais je croirai que ça pourrait revirer autrement !

La guenille adroitement lancée dans l'évier, Bernadette

sortit les deux livres de bœuf haché ramenées du travail pour en faire des galettes.

— J'en ai assez de me chicaner avec mon plus jeune à tout bout de champ. Si ça continue de même, ça va finir par me faire vieillir avant le temps... Mais pour les vacances de Marcel, par exemple, j'vas me battre jusqu'au boutte ! Y' est usé à corde, c't' homme-là. Ça fait trente ans qu'y' travaille d'une étoile à l'autre sans jamais se plaindre.

Le poêlon était déjà mis à chauffer sur un rond de la cuisinière.

— À part un jour de temps en temps, pis pas trop souvent dans une année, à part les dimanches, comme de raison, y' a jamais pris du temps à lui. Y' est temps que ça arrête, c'te genre de vie-là.

La viande grésillait déjà et toute la cuisine sentait bon le bœuf grillé.

— Y' est temps que Marcel apprenne à penser de se reposer... Ouais... On dirait ben que c'est un mot qu'y' connaît pas vraiment, ça, « reposer ». Pis petête que moé avec, je devrais penser à faire la même chose avant de tomber malade à mon tour.

Les galettes empilées sur une assiette, Bernadette glissa le tout dans le fourneau, puis elle attrapa machinalement sa guenille pour la passer sur la cuisinière afin de nettoyer la pluie des petites gouttelettes de beurre qui s'étaient déposées un peu partout.

— Bon, la sauce pour les galettes, astheure ! À quoi c'est que je pensais, moé là ? Ah ouais, Marcel ! Encore chanceuse de pas avoir attrapé sa verrat de grippe. Depuis le temps que ça dure, c'te toussage-là... N'empêche que j'aimerais quand même ça, prendre des vacances, moé avec !

Bernadette jeta une bonne rasade de thé dans le poêlon, et un nuage de vapeur odorante lui monta au visage. Le jus de cuisson mêlé au thé embaumait déjà toute la pièce.

— J'aime-tu ça, un peu, du steak haché avec de la sauce au thé, soupira Bernadette, gourmande.

Elle en salivait à l'avance. Puis, la perspective de quelques jours de vacances lui revint à l'esprit.

— Faut que je parle à Marcel, trancha-t-elle en prenant bruyamment une poignée d'ustensiles pour commencer à mettre la table.

Il y avait dans la voix de Bernadette une détermination qu'on n'entendait pas souvent, bien qu'elle la sente grandir en elle de plus en plus régulièrement quand elle pensait à tous les siens.

— J'y donne encore une semaine pour me revenir avec un projet de vacances qui a de l'allure, confia-t-elle aux ustensiles d'une voix catégorique. J'ai rien inventé, c'est lui qui me l'a promis. Si y' le fait pas, c'est moé qui vas prendre les devants, bâtard! Ouais, j'y donne une semaine, pas un jour de plusse. Ça suffit le niaisage.

Revenue devant le comptoir, Bernadette ouvrit une porte d'armoire pour prendre une pile d'assiettes.

— Faut que Marcel se repose, un point c'est toute… Pis moé avec, tant qu'à y être…

Bernadette poussa alors un long soupir d'envie, un soupir assez profond, assez intense pour qu'il fasse onduler les rideaux de coton jaunâtre qui pendaient à la fenêtre devant elle.

— Une semaine à rien faire! ajouta-t-elle en revenant face à la table. Verrat que ça ferait du bien!

CHAPITRE 2

J'entends le pic-bois dans son arbre
Je me sens loin, mais je me sens ben
Laisse-moi pas r'venir en ville
Tape-moi sur ma tête de bois
Pic-bois, laisse-moi pas tranquille
Pic-bois, j'veux pus m'en aller...

Le pic-bois
BEAU DOMMAGE, 1974

Bastrop (Texas), mardi 8 février 1972

Adrien dans le salon chez son beau-père
Il s'était magistralement trompé. Tout ce branle-bas inutile, en plein milieu de semestre, accompagné d'un départ en catastrophe, avait été une formidable erreur et, en son for intérieur, il le reconnaissait sans la moindre hésitation même si en apparence rien n'était visible.

En un mot, son retour au Texas était un fiasco à tous points de vue, et c'était là un sujet de réflexion qu'Adrien entretenait avec rage depuis les dernières semaines.

À commencer par l'école, puisque c'était là l'excuse première.

Un véritable coup d'épée dans l'eau, ce changement d'école !

Michelle n'y était pas aussi heureuse qu'elle aurait dû l'être.

En fait, pour être honnête, il serait préférable de dire qu'elle n'y était pas heureuse du tout. Les quelques mois passés à Montréal avaient vraisemblablement suffi à bouleverser les habitudes de camaraderie que Michelle avait instaurées au fil des années précédentes.

Pourtant, quand ils habitaient chez Évangéline, toute l'argumentation de la petite fille en faveur d'un retour au Texas avait été élaborée à partir du fait qu'elle était heureuse à son ancienne école, qu'elle y avait de nombreux amis et qu'elle voulait les retrouver. C'est pourquoi elle avait vertement réclamé un retour chez elle, à grand renfort de pleurs et de bouderies.

— Là-bas, il n'y a personne qui rit de moi, papa. Personne ! Tandis qu'ici...

Que répondre à cela ? Adrien avait finalement cédé et l'argument avait servi de prétexte. Il l'avait même utilisé à outrance pour expliquer à sa mère son départ précipité.

Malheureusement, à moins que la distance n'ait monté en épingle certains souvenirs, escamotant le reste, une tout autre réalité avait frappé Michelle de plein fouet, et ce, dès le premier matin d'école.

Du jour au lendemain, plus rien ne ressemblait à ses souvenirs.

Ici aussi, on la montrait du doigt, ici aussi les autres jeunes ne se bousculaient pas pour lui parler, et comble de malheur, ses cousins sur qui elle pouvait compter en cas de besoin avaient grandi, eux aussi, et ils ne fréquentaient plus la même école.

Les mutismes boudeurs qui avaient accompagné moult déjeuners à Montréal avaient donc refait surface à peine quelques jours plus tard. Adrien s'en souviendrait longtemps, de cette rentrée catastrophique en plein milieu d'année scolaire.

— Pas fort comme idée, ça, de revenir au beau milieu du mois de novembre, avait alors souligné Adrien lors d'une discussion avec Chuck. Une belle façon pour ne pas passer inaperçue !

Il avait aussi ajouté que c'était vraisemblablement l'âge qui rattrapait Michelle et qu'elle avait possiblement commencé à prendre conscience des regards posés sur elle. Le fait d'avoir vieilli l'avait probablement rendue plus sensible à certains petits détails autrefois sans importance pour elle.

— Peut-être bien, aussi, qu'elle s'attarde maintenant sur des remarques parfois blessantes, remarques qu'elle n'entendait probablement pas auparavant.

Que de peut-être et de probabilités ! Mais Adrien ne savait plus à quel saint se vouer quand il se heurtait au regard hermétique de sa fille qui refusait systématiquement de se confier à lui.

Pourtant, jusqu'à maintenant, tout allait si bien !

Toute petite, Michelle avait appris à vivre avec un bras en moins, et son opération, quelques années plus tard, avait rendu sa main droite nettement plus mobile. Même bébé, Michelle se débrouillait fort bien. Aujourd'hui, on pouvait même dire qu'elle était assez habile de ses doigts, ce qui, dans son cas, était un véritable exploit.

Dessin, découpage, bricolage… S'habiller, manger, écrire…

Avec des vêtements appropriés, Michelle arrivait à faire seule à peu près tout ce qu'on lui demandait de faire.

Mais à neuf ans, ces petites choses du quotidien qui avaient fait sa fierté jusqu'à maintenant semblaient ne plus suffire. Elle voulait plus et mieux. Elle voulait nager à la piscine de l'aréna, elle voulait jouer au baseball comme les autres jeunes de son école, elle voulait faire partie d'une équipe sportive comme tous les enfants de son âge.

Malheureusement, on ne la choisissait jamais et certains sports lui seraient toujours refusés.

— Personne ne veut de moi dans son équipe. Même pour jouer au ballon prisonnier ! Pourtant, je suis capable de jouer au ballon prisonnier…

La constatation était invariablement faite sur un ton accablé. Puis le verdict tombait, sans négociation possible.

— Tu le vois bien que je suis bonne à rien !

— Pardon ?

— Je suis bonne à rien ! répétait alors la jeune fille sur un ton colérique. Je ne suis même pas capable d'applaudir en restant assise dans les gradins, soda ! Tu le vois bien que…

— Non, je ne vois pas !

Adrien avait l'impression que tout le travail accompli jusqu'à maintenant s'effritait à la vitesse grand V.

— Voyons donc, Michelle ! La valeur d'une personne ne se mesure pas à la quantité de ses applaudissements !

— Ben pour moi, oui… Des fois… Pis… Pis j'ai pas envie d'en parler…

Devant tant de mauvaise foi, Adrien s'était demandé si finalement Bernadette n'avait pas eu raison quand elle avait affirmé qu'il gâtait un peu trop sa fille.

Peut-être bien, après tout.

Devant le handicap de Michelle et avec toute la bonne volonté dont elle avait fait preuve pour apprendre à être autonome, Adrien avait souvent fermé les yeux sur les petits caprices de sa fille.

Oui, à bien y penser, Bernadette avait raison.

Et lui, qu'avait-il répondu quand elle lui en avait fait la remarque, au moment où il venait de lui parler d'un éventuel départ en direction du Texas ?

Avec une pointe de suffisance dans la voix, il avait rétorqué qu'il savait ce qu'il faisait et que personne d'autre que lui ne pouvait mieux décider de ce qui était bon ou pas pour Michelle. Voilà ce qu'il avait répondu ! En écorchant sa belle-sœur au passage, lui faisant remarquer qu'elle n'agissait guère mieux avec son plus jeune fils.

— Belle prétention, oui !

Marchant de long en large dans le salon chez son beau-père, Adrien répétait à Chuck ce qui l'avait amené à revenir au Texas alors qu'il lui avait écrit, en août dernier, qu'il passerait toute l'année scolaire à Montréal.

— Comme si Bernadette n'y connaissait rien ! On n'a qu'à regarder Laura et Antoine, mes deux neveux, pour comprendre que les conseils de ma belle-sœur peuvent parfois valoir de l'or… J'aurais peut-être dû mieux soupeser le pour et le contre, dans tout ça, avant de prendre une décision quelconque.

— Peut-être, oui. Mais tu as agi avec ton cœur, Adrien. Pour le bonheur d'une petite fille qui mérite d'être écoutée.

— Je sais bien.

Debout à la fenêtre du salon, tout en discutant avec son beau-père, Adrien contemplait l'immensité du domaine des Prescott. Un panorama qui risquait de changer très bientôt puisque Chuck avait décidé de mettre un terme définitif à l'élevage des animaux de boucherie.

— Je suis devenu trop vieux pour ça ! clamait-il généralement à qui voulait l'entendre. Et puis, Maria et moi, on a l'intention de voyager un peu avant qu'il ne soit trop tard.

— Mais Mark ? Et Brandon ? Ils ne peuvent prendre la relève ?

À cette question, qu'Adrien posait régulièrement sous une forme ou sous une autre, Chuck pinçait les lèvres avant de répondre, comme soumis à un tic nerveux qui dénotait une grande impatience.

— Disons qu'ils ne gèrent pas l'entreprise comme j'aimerais qu'ils le fassent... Ils ne manqueront de rien, n'aie aucune crainte pour ça. Maureen non plus, d'ailleurs.

De toute évidence, sa décision était prise. Et quand Chuck décidait quelque chose...

Il allait donc vendre une partie de ses terres à un promoteur immobilier, malgré les protestations véhémentes de ses enfants qui se faisaient difficilement à l'idée de voir l'œuvre d'une vie se résumer à quelques maisons habitées par des étrangers. Adrien aussi avait de la difficulté à imaginer que bientôt le domaine ne serait plus qu'un souvenir, mais pour l'instant, c'était loin d'être son principal souci.

Il y avait Michelle qui suscitait bien des inquiétudes. Et ces inquiétudes, Chuck les partageait avec lui. D'où cette habitude qu'Adrien avait prise de venir déguster un café en compagnie de son beau-père, et parfois de Maria, tous les matins, quand Michelle partait pour l'école et que Maureen faisait la grasse matinée.

Maureen...

Adrien jeta un regard en coin à son beau-père qui, installé dans son vieux fauteuil de cuir, dégustait son café à petites gorgées gourmandes. Adrien fut sur le point de parler de Maureen, mais finalement, il ramena les yeux sur la plate-bande fleurie de jaunes et de rouges, soigneusement entretenue par Maria, n'osant ajouter qu'avec Maureen, par contre, rien n'allait comme il se doit et qu'en soi, cette attitude n'aidait pas du tout à améliorer l'humeur de Michelle.

En effet, Maureen était l'autre donnée de l'équation qui faisait en sorte qu'il estimait que son retour ici était un fiasco.

Ce fait déplorable s'ajoutait en prime à ses regrets sincères d'avoir choisi le Texas comme solution à la tristesse de sa fille.

De toute façon, comment avait-il pu seulement espérer que Maureen l'aiderait à ramener la joie de vivre chez Michelle ?

Non seulement Maureen continuait-elle de battre froid à son père et à sa nouvelle belle-mère, qu'elle considérait toujours comme la servante de la famille, d'ailleurs, mais le retour de sa fille Michelle ne semblait pas l'avoir réjouie comme on aurait pu s'y attendre. Pourtant, dans ses lettres, Maureen avait laissé entendre qu'elle s'ennuyait, et le timbre de sa voix, au téléphone, avait semblé sincère.

Malgré cela, dès leur arrivée, alors que Michelle ne tenait plus en place dans l'auto tant elle était impatiente de revoir tous les siens, l'accueil de Maureen avait été plutôt froid.

Un baiser furtif sur les cheveux de Michelle, une accolade tiède et fuyante avant de tendre une main un peu molle vers Adrien et Maureen quittait la maison en coup de vent pour une rencontre prévue depuis longtemps à l'église de St. Matthews.

— *Happy to see you, really,* mais je dois partir. Il faut bien que quelqu'un s'occupe des bonnes œuvres, non ? Depuis quelque temps, les bénévoles se font plus rares, beaucoup plus rares. On se reverra au souper... Et en parlant du souper, il faudrait voir à faire quelques courses. Je ne vous attendais pas si tôt !

Sur ce, Maureen avait quitté la maison comme si Adrien et Michelle revenaient d'une banale promenade à la ville.

Le père et la fille s'étaient alors longuement regardés, comme s'ils se consultaient silencieusement, puis Michelle avait haussé les épaules, ce qui résumait assez bien ce qu'ils éprouvaient l'un comme l'autre.

Malgré l'espoir entretenu, la réaction de Maureen n'avait pas vraiment surpris Michelle ni son père.

— Dépose nos valises dans nos chambres, papa, avait alors décrété la petite fille. On les videra plus tard. Moi, j'ai envie d'aller voir grand-père et Maria pendant que maman n'est pas là. Je suis certaine qu'eux autres, ils vont être très contents de nous revoir.

Et ils furent, effectivement, très heureux de les retrouver.

— On ne vous attendait pas si tôt ! Vous avez fait la route rapidement !

Tout en parlant, Chuck et Maria avaient échangé des regards ravis, et Adrien s'était alors dit qu'il n'avait pas vu souvent une telle complicité entre Chuck et sa première épouse, Eli...

— Qu'importe, c'est une belle surprise !

Chuck tenait la porte grande ouverte et sans plus attendre, Michelle s'était engouffrée dans la cuisine avec nettement plus d'enthousiasme que dans sa propre maison.

— Venez, entrez, avait fait Chuck en riant de bon cœur, visiblement enchanté de revoir sa petite-fille. Maria a fait des petits gâteaux !

Michelle ne se le fit pas dire deux fois. Prenant la main de son grand-père dans la sienne, elle l'avait entraîné vers la table.

S'il y avait quelqu'un dont elle s'était ennuyée durant son séjour à Montréal, c'était bien son grand-père.

Ce matin-là, tout en savourant les petits gâteaux de Maria qu'elle trouvait encore meilleurs que dans son souvenir, Michelle s'était juré, sans en parler à qui que ce soit, que personne ne se mettrait en travers de son chemin : elle viendrait chez son grand-père, dans la grande maison blanche, aussi souvent qu'elle en aurait envie, quitte à déclencher des hostilités ouvertes avec sa mère qui avait interdit à sa fille d'y mettre les pieds le jour où elle avait appris que son père comptait se marier avec la servante.

De son côté, Adrien avait pris la même résolution.

Heureusement, jusqu'à maintenant, Maureen n'avait osé riposter.

Adrien s'arracha à contrecœur de sa contemplation nostalgique du domaine qui serait bientôt morcelé.

Quand il se retourna, il se heurta au regard de Chuck qui le fixait intensément. Et comme s'il pouvait lire dans ses pensées, ce dernier demanda :

— Et Maureen, dans tout ça ? Comment réagit-elle face à sa fille, face à votre retour ? Michelle n'en parle jamais et comme tu le sais, Maureen ne met plus les pieds ici. Elle n'est même pas venue pour fêter *Thanksgiving* ni à Noël. C'est ridicule.

Il y avait tellement de déception dans la voix de Chuck, tellement de lassitude, qu'Adrien serra les poings de colère. Avec son comportement d'enfant capricieuse, Maureen était en train de miner la santé de son père. Il n'était plus très jeune et il méritait bien de finir sa vie en paix, entouré d'amour et de sérénité.

— Je sais comment Maureen agit. En revenant ici, j'espérais bien que son attitude avait changé. Ou peut-être que notre retour l'amènerait à réviser ses positions. Mais non. Une vraie tête de mule… Je suis content que vous abordiez le sujet. Devant Michelle, je n'ose jamais discuter de ces choses-là et comme je ne savais pas vraiment comment vous vous sentiez dans tout ça… Vous et Maria…

— Comment je me sens ? Je suis en colère, *Adrian*. Je me déteste de penser comme ça, mais j'en veux terriblement à Maureen d'agir comme elle le fait. Je ne reconnais plus ma fille. Pourtant, enfant, elle ne se comportait pas comme ça.

— Quand je l'ai connue non plus… En France, durant la guerre, Maureen était une jeune femme enjouée, sûre d'elle, compétente. Rien à voir avec…

Adrien ne compléta pas sa pensée. C'était inutile. Chuck comprenait très bien ce qu'il voulait dire. Aujourd'hui, Maureen était une femme aigrie qui faisait de la vie un combat de tous les jours, de tous les instants. Comme si elle avait quelque faute à expier.

— Je… J'ai l'impression, parfois, que Maureen m'en veut, murmura enfin Adrien. Qu'elle me tient responsable de ce qui est arrivé à Michelle… Entre nous, vous savez, il ne reste plus grand-chose à part une certaine routine, un quotidien un peu terne.

— Je me doute de quoi a l'air ta vie de tous les jours. J'ai eu droit à la même médecine, parfois, avec Eli… Mais pour répondre à ton interrogation, je dirais que non, Maureen ne t'en veut pas pour ce qui est arrivé à Michelle. Pas directement.

Chuck s'était levé de son fauteuil et il s'était approché de la fenêtre à son tour. Il poussa un long soupir avant de poursuivre.

— Même si elle est butée, Maureen n'est pas idiote pour autant. Elle sait fort bien que ce qui est arrivé à Michelle n'est pas de ta faute. Par contre…

— Par contre ?

— Elle est persuadée que si vous avez eu Michelle, c'est à cause de toi. Que c'est toi qui as insisté pour avoir un bébé. Elle, cela faisait longtemps qu'elle n'y croyait plus.

— Maureen ? Maureen a déjà dit ça ?

— C'est ce qu'Eli m'a confié un jour. Maureen t'en veut d'avoir voulu ce bébé au point où elle s'est sentie obligée de réessayer malgré les fausses couches précédentes. Elle t'en veut aussi de ne pas avoir voulu placer Michelle tout de suite après la naissance. Elle dit qu'en agissant comme tu l'as fait, en t'enfuyant à Montréal avec Michelle, tu as délibérément détruit sa vie, votre vie.

— À mon tour de dire que c'est ridicule.

Adrien avait quitté son poste d'observation à la fenêtre et il s'était laissé tomber sur un fauteuil, le regard vague, le cœur profondément blessé. Facile de le tenir responsable de quelque chose qu'il n'avait jamais voulu.

De toute façon, s'il se le rappelait bien, ils étaient deux à espérer cet enfant.

Et personne, grands dieux, n'aurait pu vouloir qu'un événement aussi tragique entache l'arrivée de ce petit bébé puisque, au départ, personne n'était assez stupide pour prendre le moindre risque. Ni le docteur Jeremy Holt, ni Adrien, ni Maureen… L'ignorance avait été l'unique déclencheur de ce malheur. C'est après la naissance que tout

avait éclaté, que les discordes étaient nées et que les suscep-
tibilités avaient dévoilé une sensibilité à fleur de peau. C'est
après la naissance que la façon d'entrevoir la suite des événements avait diamétralement opposé Adrien et Maureen.
Parce qu'après la naissance, une fois le premier choc
encaissé, pour Adrien, il n'avait plus jamais été question
d'autre chose que d'amour entre lui et sa petite Michelle.
Qu'importe le handicap : ce qu'il ressentait pour elle n'avait
jamais été remis en cause.

Jamais.

Alors, la question à savoir s'il fallait placer Michelle dans
un foyer, dans un internat, ne s'était même pas posée pour
lui. Michelle était sa fille et il allait s'occuper d'elle. Un
point, c'est tout, comme l'aurait dit sa mère Évangéline.

Tandis que Maureen et sa mère Elizabeth…

À ressasser ces douloureux souvenirs, Adrien sentait que
les larmes n'étaient pas loin. Si Bernadette lui avait régulièrement manqué quand il vivait ici au Texas, jamais il ne
l'avait ressenti avec autant d'acuité qu'en ce moment. Parce
que sa belle-sœur avait accepté sa fille sans la moindre hésitation, sans la moindre condition et que jamais elle n'avait
manifesté le plus infime recul face à son handicap.

Chez les Lacaille, Michelle avait été accueillie à bras
ouverts.

Bernadette, sa mère, ses neveux…

Dieu qu'ils lui manquaient tous !

Même Marcel lui manquait, avec ses remarques parfois
cinglantes et son air bougon.

Les Lacaille n'étaient peut-être pas des gens expansifs et
démonstratifs comme savaient l'être les Prescott, ils étaient
peut-être moins festifs, moins exubérants, mais était-ce un

défaut ? Bien sûr, les rencontres où tout un chacun était présent se faisaient plus rares chez les Lacaille. Il n'y avait pas de ces dimanches soir en famille autour d'une table bien garnie suivis d'une séance de télévision où tout le monde se doit de regarder la même émission, celle choisie par les parents comme si les enfants devenus adultes étaient encore des gamins, « mais au moins, on a le cœur à la bonne place », songea Adrien.

Puis levant les yeux, se heurtant au dos courbé d'un vieil homme qui avait consacré sa vie à sa famille, il se reprit. « Tout ce que je viens de penser est vrai, sauf pour Chuck. Lui, il a du cœur pour tout le reste de la famille. Si je suis ici, c'est en grande partie pour cet homme-là… Et Michelle l'adore. Je ne dois jamais l'oublier. »

Sur cette promesse faite à lui-même, Adrien se releva et rejoignit son beau-père toujours posté à la fenêtre.

Le geste fut spontané et sans la moindre réticence : Adrien passa le bras autour des épaules du vieil homme. Si son propre père avait vécu, il aurait voulu qu'il soit de la trempe d'un Chuck Prescott.

— Ça va me manquer, tout ça, avoua-t-il sans faux-fuyant, son regard se joignant à celui de son beau-père pour survoler les champs et les bosquets boisés avant de venir buter sur la petite colline qu'on devinait dans la brume de chaleur qui soulignait l'horizon. Oui, ça va terriblement me manquer.

— *Me too…*

Adrien n'osa demander pourquoi Chuck avait pris la décision de vendre la majeure partie de ses terres si c'était pour le rendre malheureux. À la place, il proposa :

— Et si on prenait la Jeep pour aller jusqu'au bout de

votre terre ? On pourrait aller voir l'état des clôtures.

Il y a quelques années à peine, c'est une promenade à cheval qu'Adrien aurait proposée à Chuck. Aujourd'hui, il n'y avait plus qu'un seul cheval à l'écurie, le sien. De toute façon, Chuck était trop vieux maintenant pour les longues chevauchées.

Probablement que le vieil homme pensait à la même chose que lui, car il y eut un long silence à la suite de la proposition d'Adrien, comme si Chuck soupesait les possibilités d'une telle suggestion. Puis il haussa les épaules en soupirant.

— Pourquoi voir aux clôtures ? Il n'y aura pas de troupeau cette année.

Malgré la négation, presque véhémente, Adrien entendit tout de même une pointe d'amertume, une sorte d'attente nostalgique dans la voix de son beau-père. Alors, il insista.

— Quand même… Disons qu'on y va juste pour le plaisir.

— Pour le plaisir…

Sur un ton songeur, Chuck semblait analyser encore une fois la proposition.

— C'est vrai que c'est agréable d'arpenter le champ jusqu'à la rivière, constata-t-il. Alors, pourquoi pas ? Après tout, la journée est belle et c'est encore chez moi.

— Cette terre sera toujours un peu la vôtre, Chuck. Toujours.

À ces mots, de sa main tavelée et sans se retourner, le vieil homme tapota celle d'Adrien, toujours posée sur son épaule.

— C'est gentil de dire ça, *Adrian*… Maintenant, donne-moi quelques minutes pour me changer et je te rejoins au garage.

CHAPITRE 3

Pour un instant, j'ai oublié mon nom
Ça m'a permis enfin d'écrire cette chanson

Pour un instant
HARMONIUM, 1974

Québec, mercredi 22 mars 1972

Cécile et Francine à Québec
La maison de Gisèle et Napoléon Breton venait d'être vendue. Enfin !

Une offre d'achat avait été signée hier, tard dans la soirée, et le cousin Fernand l'avait acceptée au téléphone. Il avait promis de consulter son frère, une simple formalité, et il avait précisé qu'il se rendrait à Québec en fin de journée pour officialiser la transaction par une signature en bonne et due forme au bas des documents.

Cécile se sentait soulagée. Elle était heureuse d'être enfin débarrassée de cette corvée des visites à l'improviste et à toute heure même si cette vente allait remettre bien des choses en perspective pour Francine.

Pauvre Francine...

Cécile laissa échapper un long soupir.

En effet, l'automne dernier, à la suite du décès de l'oncle Napoléon, Francine avait systématiquement refusé d'être seule à la maison quand l'agent immobilier dont on avait retenu les services appellerait pour dire qu'il s'en venait avec un éventuel acheteur.

— Comprends-moé ben, Cécile, c'est pas que je veux te causer du trouble ou que je fais des caprices, c'est juste que c'est pas chez nous, icitte.

Tandis que Cécile, assise à la cuisine, prenait un thé, Francine astiquait la table et le comptoir qu'elle garderait dorénavant aussi luisant qu'un sou neuf.

Ne sait-on jamais! L'agent pouvait appeler n'importe quand.

Malgré une évidente bonne volonté, Francine était quand même dépassée par les événements. Elle était surtout craintive devant l'avenir qu'elle anticipait, chargé d'imprévus.

— Bonté divine que c'est pas facile à expliquer… Mets-toé à ma place, Cécile! Chus pas à l'aise pour répondre aux questions de l'agent ou ben à celles des clients. Pas à l'aise pantoute! Je le sais-tu, moé, combien ça coûte pour ronner une maison comme icitte ou ben comment ça prend de gallons de peinture pour rafraîchir les balcons pis les cadres de fenêtres? C'est ça qu'y' m'a demandé, le premier monsieur qui est venu visiter la maison: comment c'est que ça prend de gallons de peinture pour rafraîchir la maison… Que c'est tu veux que je réponde à ça, moé? Ça fait que je veux pus être tuseule icitte quand y' va y avoir des visites.

Tout en parlant, Francine secouait la tête en soupirant.

— Je le sais pas ce que ça coûte, avait-elle répété avant que Cécile puisse intervenir. Je connais rien à l'entretien d'une maison comme celle de l'oncle Napoléon, pis je veux pas le savoir non plus, sainte bénite!

Comprenant que Francine avait peut-être besoin de se

vider le cœur devant l'incertitude de l'avenir qui s'offrait désormais à elle, Cécile l'avait laissée poursuivre.

— J'ai ben assez de me casser la tête pour l'ordinaire d'une maisonnée sans avoir à m'occuper des chiffres pour l'entretien de toute une maison qui est même pas à moé. Voyons don...

Tout en parlant, Francine secouait toujours la tête, comme pour donner plus de poids à ses arguments, et en gage de nervosité, elle triturait son torchon en baissant parfois les yeux vers Cécile.

— Pis avant que tu m'en parles, je veux que tu saches que ça me tente pas d'apprendre toutes ces chiffres-là, avait-elle ajouté pour clore la discussion. Même pour les répéter à un acheteur. Non, non, c'est ben en masse de me dire que d'icitte à pas longtemps, m'en vas être obligée d'aller m'installer ailleurs avec mon p'tit. Juste *dealer* ça, ça me suffit. Bonté divine que je trouve ça dur! Que c'est qu'on va devenir, hein, Steve pis moé? Depuis la mort de monsieur Napoléon, j'ai l'impression qu'y a pas personne qui pense à ça. Mais laisse-moé te dire que moé j'y pense en s'y' vous plaît, comme dirait Bébert. C'est pas mêlant, ça m'empêche même de dormir, par bouttes! De quoi c'est qu'on va vivre, astheure qu'on se retrouve tuseuls?

Habituée depuis longtemps aux démonstrations émotives de Francine, l'éternelle anxieuse face à la vie, Cécile s'efforçait de toujours garder son calme quand venait l'heure des grands épanchements et elle tentait de se montrer rassurante.

— Allons donc! Depuis le temps que tu couds pour les gens du quartier, tu dois sûrement avoir une belle clientèle, non?

— C'est sûr, ça, que j'ai une belle clientèle pis c'est pas la mort de monsieur Napoléon qui va la faire disparaître. Quand même! Mais le jour ousque la maison va être vendue, par exemple, va ben falloir que je me trouve un logement pour pouvoir continuer à coudre, sainte bénite! Avoir un toit sur la tête, comme dit mon père, avait fait Francine, un brin sentencieuse, l'index pointé au plafond. Pis un toit pas trop loin d'icitte, en plusse, pour que je puisse la garder, ma belle clientèle.

— Bien d'accord avec toi, ma belle Francine. Tout ce que tu dis est fort logique...

— Bon! Tu vois ben!

— Laisse-moi finir! Je n'y connais peut-être pas grand-chose, c'est vrai, mais il me semble qu'à ce temps-ci de l'année, avec le mois de janvier qui commence, ça ne devrait pas être trop difficile de trouver un logement convenable, non?

À ces mots, Francine s'était laissée tomber sur la première chaise venue.

— Petête, ouais... On voit de plusse en plusse souvent des pancartes « À louer » sur le devant des maisons.

— Tu vois! Profites-en! Commence tout de suite à chercher sans attendre la vente de la maison.

— Je le sais ben...

Francine avait réfléchi silencieusement durant quelques instants, laissant croire qu'elle s'était enfin calmée.

— Je le sais que je pourrais commencer à chercher, mais ça me tente pas. J'ai l'impression que si je me mets à chercher, ça va faire vendre la maison plusse vite.

— Voyons donc!

Francine avait levé un regard contrit.

— C'est petête un peu niaiseux de penser comme ça, mais c'est plusse fort que moé: y a des affaires, de même, que chus pas capable de contrôler. Pis y a des peurs, avec, qui me font des nœuds dans l'estomac. Me retrouver dans la rue avec mon p'tit, c'est peut-être la pire des peurs que je peux connaître.

— Francine!

Cécile la douce avait l'air vraiment offusquée.

— Franchement! Comme si on allait t'abandonner à ton sort! Je suis là, Bébert est là. Laura est là, elle aussi, et on pourrait même ajouter que maintenant, tes parents sont là! Qu'est-ce que tu veux de plus?

— Je le sais… J'arrête pas de me répéter exactement les mêmes mots que toé quand je me mets à paniquer.

— Bon! Tu vois!

— Non, je vois pas…

À ressasser ses inquiétudes, Francine s'était ressaisie et le timbre de sa voix avait repris de la vigueur.

— Non, je vois pas, avait-elle répété avec assurance. Pas plusse à matin qu'hier matin ou ben qu'avant-hier… C'est… c'est pas à vous autres de vivre à ma place! Faut que j'apprenne à me débrouiller tuseule.

— Bien d'accord avec toi. Et je sais que tu en es capable. Rappelle-toi quand Steve est né! Tu as trouvé du travail, une gardienne, un appartement.

Ce petit rappel d'une époque quand même pas si lointaine avait enfin arraché un sourire à Francine. Un pauvre petit sourire sans joie qu'elle avait effacé dans l'instant.

— Je m'en rappelle, crains pas, mais ça m'empêche pas d'avoir peur quand même de pas y arriver, c'te fois-citte. C'est pas pasqu'y a des pancartes « À louer » un peu partout dans le quartier que ça veut dire que ça va faire mon affaire, pis que ça sera pas trop cher pour mes moyens. Quand j'avais mon p'tit logement dans le bas de la ville, laisse-moé te dire que c'était pas facile tous les jours ! Le mazout, l'électricité, ça coûte cher. Ça fait qu'en hiver, sainte bénite, ou ben on avait chaud mais on mangeait pas gros, ou ben on gelait mais on mangeait dans le sens du monde ! Ça se peut-tu ? Méchante belle façon de vivre, ça ! Fait que ça me tente pas, Cécile, de recommencer toute ça. Ça me tente pas pantoute !

— Mais personne ne dit que tu vas vivre ça encore une fois, Francine !

— C'est sûr qu'y a pas personne qui me dit ça, mais moé, ça m'empêche pas de penser, par exemple. Pis quand je réfléchis à toute ce qui s'en vient devant moé, chus pas vraiment sûre que ça va être le fun. Mon Steve, y' grandit vite pis y' commence à coûter cher, tu sauras. Le linge, l'école, quèques bébelles comme ses amis… Pis ça, c'est sans compter toute ce qu'y' peut manger dans une journée. C'est fou comment c'est qu'y' mange, depuis un boutte, mon gars. Je comprends, astheure, c'est quoi ma mère voulait dire quand a' se plaignait, dans le temps, qu'on avait pas de fond !

À ces mots, Cécile avait esquissé un sourire, quelques souvenirs bien précis lui revenant à l'esprit. Son fils Denis était passé par cette époque, lui aussi, vidant systématiquement le réfrigérateur en moins de temps qu'il n'en fallait à Cécile pour le remplir.

— C'est normal, avait-elle alors assuré. Un jeune garçon qui grandit, ça mange tout le temps ! Heureusement, ça finit par passer.

— Petête ben, mais en attendant que ça finisse, durant le temps que ça passe, c'est moé qui risque de pas arriver à le nourrir. Même icitte ousque j'ai pas de loyer à payer, y a des fins de mois difficiles. Une chance que j'ai pu me mettre un peu d'argent de côté du temps ousque monsieur Napoléon était vivant pasque pour astheure, ça s'annonce pas le diable facile… Que c'est j'vas faire, moé, quand mes réserves vont être vidées, hein? Pis qu'en plusse, j'vas avoir un loyer à payer? J'aurai pas le choix de faire grossir ma clientèle, pis pour ça, ben, va falloir que je travaille jour et nuitte!

— Tu n'exagères pas un peu?

— Petête ben que j'exagère, avait répliqué Francine du tac au tac, c'est vrai, mais j'aime mieux voir le pire devant moé pis finalement avoir un peu de meilleur, plutôt que de m'en aller le nez en l'air sans m'inquiéter pis m'enfarger pasque j'aurai pas vu venir la craque dans le trottoir.

La belle logique de Francine! Invariablement, Cécile ne pouvait que lui donner raison et la conversation bifurquait alors vers autre chose.

Parce que cette conversation-là, la même à peu de choses près, avait été répétée à moult reprises. Dès qu'il y avait une visite de la maison, dans les jours qui suivaient, Francine appelait Cécile et l'invitait à prendre le thé. Chaque fois, comme un tic nerveux, dès que Cécile était assise devant sa tasse de thé, Francine étalait ses inquiétudes sur la table en même temps qu'elle présentait ses petits biscuits au beurre.

N'empêche que ce matin…

Cécile avait particulièrement soigné son maquillage et elle n'avait pas attendu que Francine l'appelle à la suite de la visite d'hier.

Ce matin, on troquerait le thé pour un café, puisqu'il

était encore relativement tôt, et on oublierait les petits biscuits au beurre.

Ce que Cécile avait à annoncer ne serait ni facile à dire ni facile à entendre.

La maison était vendue et Francine n'avait qu'un mois pour trouver un autre logis et s'y installer.

Bien sûr, le cas échéant, Cécile l'accueillerait chez elle le temps que la jeune femme puisse trouver un logement qui répondrait à ses besoins. De toute façon, normalement, le gros des déménagements se faisait en juillet et non en mai comme auparavant. Probablement que Francine n'aurait pas le choix d'attendre un peu. Cécile en profiterait pour l'aider à se procurer les meubles et accessoires qui pourraient manquer, bien que d'un commun accord avec ses cousins, il avait été décidé que Francine aurait la possibilité de garder tout ce qui lui conviendrait, à l'exception des quelques morceaux que les deux frères et Cécile désiraient conserver en souvenir.

— On lui doit bien ça, avait déclaré Raoul. C'est grâce à elle si mon père a pu rester chez lui et finir ses jours heureux.

Personne n'avait contredit cette affirmation. Francine avait été une bénédiction pour le vieil homme endeuillé.

Malheureusement, même si Francine avançait dans la vie le cœur sur la main, ce matin, Cécile allait lui faire de la peine.

C'était une belle matinée de printemps et Cécile n'hésita pas : elle ferait le chemin à pied pour se rendre chez la tante Gisèle, comme elle continuait d'appeler l'étroite maison qu'elle avait découverte par un matin de juin, des années auparavant, le cœur battant à tout rompre. Son père,

Eugène Veilleux, l'avait en effet envoyée vivre à la ville chez sa sœur Gisèle — la fameuse tante Gisèle ! — le temps que Cécile mette au monde l'enfant qu'elle portait sans être mariée.

C'est sous le toit de cette maison d'apparence austère qu'elle avait rencontré une femme au cœur d'or, sous des abords plutôt rébarbatifs.

La tante Gisèle, sa deuxième mère…

Une femme qu'elle avait rapidement comparée à Évangéline Lacaille quand elle avait rencontré la voisine de son frère Gérard. Toutes les deux, Gisèle et Évangéline, cachaient une générosité peu commune sous une voix rauque, des sourcils souvent froncés et un franc-parler qui déconcertait régulièrement leurs interlocuteurs. La tante Gisèle, aussi grande et maigre qu'Évangéline était petite et boulotte, avait été une bénédiction dans la vie de Cécile.

Malheureusement, il y a quelques années, la tante Gisèle était morte, très vite, sans avoir été malade. Le cœur était arrivé au bout de sa route. C'est à ce moment que Francine avait pris la relève auprès de l'oncle Napoléon qui, lui, était affaibli depuis quelque temps déjà. Avec une facilité déconcertante, en quelques semaines à peine, Francine avait mis la maison à sa main… et l'oncle Napoléon aussi ! Tous les deux s'étaient entendus à merveille, sans la moindre anicroche, partageant spontanément un quotidien auquel Francine s'était vite attachée.

— C'est un vrai bonheur de vivre icitte avec monsieur Napoléon, se plaisait à répéter Francine au fil des dernières années. Après toute ce que j'ai vécu, me semble que je le mérite un peu.

Mais toute bonne chose a une fin ! Voilà que ce matin,

bien malgré elle, Cécile allait mettre un terme définitif à cette vie que Francine elle-même qualifiait d'incomparable.

Cécile quitta sa propre maison le cœur dans l'eau.

La promenade aurait pu être agréable sous ce soleil éclatant qui commençait à chauffer les épaules sous le manteau, avec ce joyeux bruit des rigoles que faisait la neige en fondant allègrement. Bien au contraire, cette courte promenade fut assombrie par les pensées de Cécile qui, d'un pas à l'autre, s'approchait de Francine avec la triste nouvelle qu'elle devait lui dire.

Comment la jeune femme allait-elle prendre cette vente ? Cécile aurait-elle droit à une crise de panique, à des jérémiades sans fin ?

Malgré cela, par habitude, Cécile glissa la clé dans la serrure et à l'instant où elle mit un pied dans le vestibule qui menait à l'étage, elle lança :

— Coucou ! C'est moi !

Aussitôt, le visage inquiet de Francine parut en haut de l'escalier. À croire qu'elle attendait cette visite.

— Bonjour, Cécile. C'est drôle, hein, mais je me doutais que t'allais venir.

La voix de Francine était calme, posée.

— J'ai ben mal dormi, c'te nuitte, tu sauras…

Puis, sans préavis, elle ajouta :

— La maison a été vendue, hein ?

Cécile comprit aussitôt qu'il n'y aurait ni panique ni jérémiades, mais plutôt une infinie tristesse. Alors, que répondre à cela sinon la vérité ?

— Oui, Francine, la maison est vendue. À moins d'un revirement de dernière minute, Fernand va être ici en fin de journée pour signer les papiers.

Francine poussa un profond soupir, puis elle s'écarta d'un pas pour que Cécile puisse passer quand elle arriverait en haut de l'escalier.

— Ça me surprend pas ce que tu viens de me dire là. Les gens qui sont venus hier étaient ben différents des curieux que je vois d'habitude… Pis y' me reste combien de temps pour paqueter mes p'tits ?

— Un mois.

Cécile avait tout juste fini de monter l'escalier que tout était dit.

— Un mois ? C'est pas long… Bonté divine que c'est pas long. Comment c'est que je vas y arriver ?

— Crains pas, Francine, crains pas ! Je vais t'aider et tu vas voir, on va réussir à te trouver un bel appartement qui va être libre et convenir à tes moyens.

— J'espère ben. Pasque chus pas tuseule, dans toute ça. Y a mon Steve, avec, qui a le cœur ben gros de s'en aller d'icitte. Faudrait pas qu'en plusse y' se mette à s'inquiéter comme sa mère à propos du logement. Faudrait don pas !

DEUXIÈME PARTIE

Printemps 1972

CHAPITRE 4

Trouver, trouver
J'espère toujours retrouver
Quelqu'un
Quelqu'un qui pourrait m'aimer
Tous ceux, tous ceux
Que je croyais mes amis
Ils m'ont
Ils m'ont tous laissé tomber
J'entends frapper…

J'entends frapper
MICHEL PAGLIARO, 1972

Montréal, samedi 22 avril 1972

Anne à la procure

La journée avait été passablement occupée. Cela faisait un heureux changement avec la semaine qu'elle venait de vivre où la température plutôt maussade et fraîche avait gardé les gens chez eux.

Du moins, c'était là ce qu'Anne s'entêtait à se répéter depuis lundi dernier : « Amenez le soleil et la chaleur, asséchez les trottoirs et les clients vont suivre ! »

Il semblait bien qu'elle ait eu raison. Pour un premier samedi de printemps digne de ce nom, rempli de soleil et de piaillements de moineaux, la journée avait passé en coup de vent tellement il y avait eu d'achalandage à la procure.

— Et les ventes ont été au diapason, murmura Anne, amusée par ce petit jeu de mots anodin. Pour une musicienne, on ne peut dire mieux !

Assise sur le tabouret derrière la caisse, après avoir reconduit le dernier acheteur à la porte et verrouillé celle-ci, Anne faisait le bilan de la journée.

Une bonne journée, une très bonne journée.

— Une de celles qui valent quasiment un mois d'ouvrage. Ça va faire du bien, ajouta-t-elle à mi-voix.

Anne dépouillait lentement la pile de factures, les classant par catégories, comme Robert lui avait appris à le faire.

Elle avait vendu des partitions en quantité appréciable, de celles plus récentes qu'elle s'était finalement décidée à garder en stock. Comme la procure n'était toujours pas vendue, Anne s'était dit que de présenter les marchandises sous un jour nouveau ne nuirait pas. Ni à elle, en attendant la vente, ni aux éventuels acheteurs qui y verraient un commerce prometteur. Il semblait bien qu'en ce domaine, son instinct l'avait bien guidée.

Anne esquissa l'ébauche d'un sourire.

Aurait-elle, finalement, la bosse du marchand ?

La jeune femme poursuivit la recension des factures.

Malgré l'affluence de la journée et les petites ventes qui s'étaient multipliées, la pièce de résistance était sans contredit la vente de deux guitares et d'un piano.

— Au même acheteur, en plus, murmura Anne, encore un peu sous le choc.

Déjà que de vendre un piano avait toujours été une occasion de réjouissance à la procure, même au temps de Robert, en ce moment, Anne n'était pas peu fière de son exploit.

Tout avait commencé par la vente de deux guitares classiques, pour un jeune garçon et sa sœur, deux enfants de toute évidence assez gâtés, pour ne pas dire capricieux. Ils étaient accompagnés par un homme qui semblait être leur père et qui donnait l'impression de vouloir se trouver n'importe où sauf dans ce vieux magasin de musique un peu poussiéreux.

Cet homme un peu terne ne dégageait que de l'ennui. Un homme « drabe », comme l'aurait dit Raymond Deblois, son père.

À un point tel qu'au premier contact, Anne avait déjà qualifié mentalement le personnage qu'elle voyait comme un être indifférent. Autrement, c'était un homme plutôt élancé, aux cheveux légèrement argentés, et il était vêtu avec élégance. Anne n'y connaissait pas grand-chose, mais le mot qui lui était venu spontanément à l'esprit, quand elle avait frôlé la manche de son paletot, avait été « cachemire ».

En effet, le manteau de l'inconnu, couleur brun tabac, était d'une douceur incroyable !

« Un vieux riche, totalement étranger à ses propres enfants, et qui achète la paix », s'était-elle dit tandis que les deux adolescents choisissaient leurs instruments beaucoup plus à cause de la couleur que de la sonorité.

Anne détestait ces acheteurs qui n'y connaissaient rien, mais qui péroraient à qui mieux mieux en se prenant pour de vrais spécialistes. Cependant, cachant bien son impatience, Anne n'avait pas l'habitude de faire des manières ou de passer la moindre remarque. Une vente restait une vente et elle avait besoin de toutes celles qui se présentaient.

Dès le choix effectué, elle avait donc marché d'un pas décidé vers le comptoir au fond du magasin pour préparer la facture avant que les clients ne changent d'avis. C'est à ce moment-là qu'elle avait entendu quelques doigts insouciants effleurer les touches de l'un des deux pianos que Robert avait lui-même achetés quelques années auparavant, des instruments de grande valeur qui n'avaient pas encore trouvé preneur, vu le montant astronomique qu'on demandait. Robert, en habile commerçant, aurait probablement conclu les ventes assez rapidement; Anne, elle, n'y était pas encore arrivée même si elle en rêvait dans les moments les plus difficiles.

Ceci ne voulait pas dire, pour autant, qu'elle accepte que quelqu'un touche à ces instruments!

À peine quelques notes étaient-elles montées dans l'air de la procure qu'Anne se retournait d'un bloc, fustigeant du regard le père des deux adolescents, car c'était bien lui qui continuait de pianoter.

— S'il vous plaît, monsieur… Il est écrit de ne pas toucher.

Avec une lenteur qui semblait étudiée, l'homme avait levé les yeux vers Anne.

— Ma pauvre petite dame… Comment voulez-vous vendre un piano à ce prix ridiculement élevé si on ne peut même pas l'entendre?

Ma pauvre petite dame…

Qu'importe l'intention derrière ces quelques mots, Anne n'y avait entendu que de la condescendance, ce même mépris qu'elle percevait dans la voix de sa mère quand elle la traitait d'insignifiante.

Ce fut comme une gifle au visage.

Anne avait alors redressé les épaules. Jamais elle n'avait été aussi heureuse d'avoir hérité des longues jambes de son père. Elle pouvait ainsi, sans effort, fixer droit dans les yeux cet homme à l'assurance outrecuidante.

— La pauvre petite dame vous le répète : il est écrit de ne pas toucher.

La voix de la jeune femme tremblait de rage.

Voulait-il la narguer ? L'homme s'entêta et laissa courir ses doigts tout le long du clavier avant de retirer sa main.

— Tant pis, murmura-t-il, j'aurais pu être intéressé.

À ces mots, Anne sentit son cœur s'emballer. Comment savoir si l'homme parlait avec sérieux ou s'il continuait de se moquer d'elle ?

— Voulez-vous que je vous fasse entendre la sonorité de ce piano ? avait alors suggéré Anne, espérant que sa proposition serait retenue.

— C'est le moins qu'on puisse demander, en effet.

— D'accord.

C'est à partir de ce moment-là que la voix d'Anne avait diamétralement changé pour devenir mielleuse à souhait. À sa façon, elle répondait à la condescendance qu'on lui avait réservée par l'assurance inébranlable de celle qui sait pertinemment de quoi elle parle et ce qu'elle s'apprête à faire. Donnez-lui un clavier et Anne Deblois peut vous tirer les larmes des yeux ou vous entraîner dans une ronde folle, et elle le sait. Elle peut donc vous convaincre de la nécessité d'un achat, n'est-ce pas ?

— Vous comprendrez, cependant, que je ne peux permettre à n'importe qui de piocher sur un piano de ce prix… Donnez-moi deux minutes pour vérifier que personne n'a besoin de moi dans la boutique et je vais vous faire entendre ce bel instrument. Vous allez vite comprendre que le prix demandé n'est pas surfait.

L'instant d'après, Anne s'installait au piano. En deux minutes, tous les clients présents dans le magasin s'étaient agglutinés autour d'elle et en moins de cinq minutes, une valse de Strauss avait convaincu l'homme au manteau de cachemire qu'il avait un impérieux besoin de ce piano pour garnir son salon.

La vente avait été conclue en moins d'une demi-heure, papiers signés, et il avait été convenu que la livraison se ferait en début de semaine.

— Je peux me libérer lundi en après-midi.

Anne avait hésité. Bousculée par la rapidité de cette vente, elle voulait assurer ses arrières et ne pas se faire avoir.

— Et si nous disions mardi, à la place ?

Vingt-quatre heures de plus pouvaient faire toute la différence. L'homme, qui s'appelait Germain Lacombe, avait haussé les épaules, retrouvant avec aisance, semblait-il, cette pellicule d'indifférence qui paraissait lui coller à la peau.

— Pourquoi pas ? Si ça vous adonne mieux ainsi.

— En effet, cela me convient mieux. Si nous disions en toute fin d'après-midi ? Je ne peux fermer la procure n'importe quand. Mais à partir de quatre heures trente…

— C'est vous qui faites la livraison ?

Cette fois-là, ce fut une pointe de moquerie qu'Anne avait senti se glisser dans la réplique. Incapable de se retenir, elle avait soupiré avec impatience.

— Quand même…

Puis, une image d'elle-même transportant le lourd instrument sur ses épaules lui était venue à l'esprit et elle avait, bien malgré elle, esquissé un sourire.

— Me verriez-vous avec un piano sur le dos ? Non, je ne fais pas la livraison, mais je suis présente et je m'assure que tout est fait dans les règles de l'art. Puis je vérifie l'accordement de l'instrument. En cas de besoin, je fais venir un accordeur que je connais bien… à mes frais, bien entendu.

Le ton entre eux avait commencé à changer à ce moment-là. Anne était tellement heureuse d'avoir conclu cette vente qu'elle était prête à passer l'éponge sur la commisération perçue un peu plus tôt, sur la moquerie aussi, et cela s'entendait dans sa voix. Il y avait une certaine légèreté qui avait remplacé la tension habituelle.

D'autant plus que le piano avait été payé au complet. Pas de mensualités à gérer, uniquement un chèque à encaisser dès le lundi matin pour vérifier qu'il y avait les provisions suffisantes pour l'honorer. Sur une réponse affirmative, elle appellerait la compagnie de livraison avec qui, désormais, elle faisait affaire en cas de besoin.

— Alors, on s'entend pour une livraison mardi ?

— Marché conclu… Et pour les cours, que fait-on ?

— Les cours ? Quels cours ?

C'est ainsi qu'Anne s'était engagée à donner des cours à monsieur Lacombe, lequel n'avait jamais fait la moindre gamme de sa vie.

Quelle drôle d'idée, dans ce cas, d'avoir voulu un piano !

— Faut avoir de l'argent plein ses poches pour agir comme ça, lança Anne en empilant soigneusement les factures. Je n'en reviens pas ! Acheter un piano uniquement comme décoration pour un salon qu'il dit trop grand… Pas de danger que ça m'arrive à moi, d'avoir un salon trop grand…

Malgré cette constatation, Anne n'arrivait pas à se sentir déprimée. De toute façon, elle aimait bien sa petite maison à lucarnes.

Et puis, il faisait trop beau pour broyer du noir. Elle venait de réaliser la meilleure journée de ventes depuis qu'elle avait pris la relève de Robert et en plus, elle allait donner des cours à un prix, ma foi, fort acceptable.

— Cinq dollars de l'heure... C'est plutôt intéressant. C'est même très intéressant... En avoir quelques autres comme ça et l'avenir serait moins sombre.

C'est alors qu'elle se mit à penser à madame Mathilde, cette femme merveilleuse qui avait croisé sa vie lorsqu'elle n'était encore qu'une enfant. Remarquable professeur, pédagogue hors pair, c'est elle qui avait conforté le désir d'Anne de devenir musicienne.

— Et c'est grâce à elle si un jour papa m'a acheté un piano. Un piano qui venait de la procure de Robert Canuel, d'ailleurs, là où je suis entrée par hasard, des années plus tard, pour m'installer insolemment au piano que je voyais dans la vitrine et me mettre à jouer comme si j'étais chez moi. Quand on dit que le monde est petit...

Une bouffée de nostalgie lui fit débattre le cœur et l'envie d'en parler avec quelqu'un lui fit fermer les yeux.

Qui donc pourrait partager ces merveilleux souvenirs avec elle, partager aussi la joie de cette vente qui lui mettait le cœur en liesse ?

Son père habitait au bout du monde et comme les appels interurbains coûtaient une fortune, Anne n'en abusait jamais. Même pour annoncer une nouvelle comme celle de la vente réalisée aujourd'hui et assouvir l'envie qu'elle avait de ressasser de vieux souvenirs, elle ne céderait pas à la tentation.

Sa mère, la très chère Blanche, ne trouverait sûrement pas que la période des jeunes années de sa fille faisait partie des plus beaux souvenirs de sa vie, et à ses yeux, une banale vente ne suffirait pas pour tuer le veau gras. Pas besoin de le vérifier, Anne connaissait sa mère et se trompait rarement dans ses prédictions à son égard.

Quant à ses sœurs, en ce beau samedi soir, elles avaient probablement mieux à faire que de bavarder à bâtons rompus avec elle.

Anne laissa échapper un long soupir.

Si au moins Antoine avait été là…

Antoine…

Depuis quelque temps, Anne pensait un peu moins à son jeune voisin. Il y avait bien certains gestes posés, certaines petites habitudes qui ramenaient le visage d'Antoine à sa mémoire, mais lentement, elle se faisait à l'idée d'une vie différente, d'une vie sans lui et curieusement, de se retrouver seule face à son avenir lui avait donné un second souffle.

Anne Deblois n'avait pas le choix de se prendre en mains, car personne ne le ferait à sa place. Si elle ne voulait pas perdre ses acquis, elle devait se retrousser les manches. Désormais, personne ne viendrait à sa rescousse en cas de besoin. Il lui fallait réapprendre à ne compter que sur elle-même.

C'est exactement ce qu'elle faisait depuis l'automne.

Il y avait eu quelques jours de profond désarroi quand elle avait compris que tout était fini entre Antoine et elle. Elle avait connu un désespoir sans nom devant la solitude qu'elle avait alors ressentie, puis Anne avait confié son âme à son piano. Il n'y avait que lui pour l'aider à refaire surface.

Durant quelques jours, elle avait joué comme aux moments les plus sombres de son enfance quand elle devait faire face à l'alcoolisme de sa mère, jour après jour, au retour de l'école.

Lentement, d'une pièce de Beethoven à une autre de Mozart, du blues au jazz, en passant par Léveillée et Ferland, Anne s'était reprise en main. Oh ! Le cœur était toujours fragile, mais jusqu'à maintenant, le blindage tenait bon.

Elle avait compris qu'elle ne pleurait pas uniquement Antoine, mais bien la solitude retrouvée.

Sans perdre de vue l'intention de redonner des concerts, elle avait donc décidé de voir un peu plus sérieusement à la procure.

Ça occupait les journées, ça évitait de trop penser.

De toute façon, si elle voulait arriver à vendre ce vieux commerce et la bâtisse tout aussi vétuste qui allait avec lui — ce qu'elle n'avait jamais remis en question —, la procure devait être prospère. Anne se répétait qu'en attendant cette vente qui finirait bien par se réaliser un jour, ce serait elle qui en profiterait.

D'où l'achat de partitions au goût du moment et d'un choix plus important dans le département des guitares, instruments fort à la mode depuis quelque temps.

Pour la même raison, désormais, elle passerait le plus de temps possible derrière le comptoir. Pour rentabiliser son commerce, Anne avait en effet remercié son commis. Un salaire de moins à verser ferait le plus grand bien à ses finances et le bilan qu'elle présenterait finalement à un acheteur serait peut-être plus alléchant.

De toute façon, qu'aurait-elle fait de moments de liberté maintenant qu'Antoine était parti ? Rester chez elle à se morfondre, à regarder le temps passer ? Bien peu pour elle ! Anne voulait être occupée, de plus en plus occupée et de plus en plus souvent. Une journée par semaine, le dimanche, suffisait amplement pour voir aux obligations de la maison, elle qui détestait les corvées ménagères.

Ainsi, il lui restait de nombreuses soirées, en tête-à-tête avec elle-même, pour se mettre au piano et se faire plaisir.

Anne finit de ranger les factures et ferma à clé le tiroir de la comptabilité. Elle y reviendrait lundi matin, après être passée à la banque. Le lundi était toujours une journée tranquille où elle pouvait voir aux comptes et aux factures.

La jeune femme attrapa son manteau qui pendait avachi sur un bras de la patère et, éteignant machinalement derrière elle, Anne se dirigea vers la porte.

Finalement, il semblait bien qu'elle fêterait cette vente toute seule, chez elle, en compagnie de son vieil ami le piano.

À moins que…

Anne s'arrêta brusquement, une main sur la poignée de la porte.

Bien sûr, il y aurait Robert qui comprendrait l'importance d'une telle vente. Robert qui coulait des jours sans fin dans sa maison de repos.

Anne hésita un instant, se mordillant la lèvre. Pourquoi pas ? Elle pouvait bien troquer sa visite dominicale par une petite rencontre du samedi soir, non ? Pour une fois qu'elle avait quelque chose d'intéressant à dire !

D'autant plus que son mari n'avait pas tellement de visites et que le temps devait lui sembler bien long.

Malgré cela, Robert faisait toujours semblant de dormir quand elle allait le visiter.

Anne secoua la tête et soupira d'incompréhension avant

de vérifier à deux reprises si la porte de la procure était bien verrouillée, par habitude, comme le lui avait jadis recommandé son mari.

Puis lentement, elle remonta la rue jusqu'à l'intersection de l'avenue voisine où elle garait son véhicule parce qu'elle trouvait la ruelle à côté de la vieille procure trop étroite pour y engager le vieux camion.

— Vieille procure, vieux camion, vieille maison… Dans le fond, ma vie tout entière est entourée de vieilles choses. Il serait peut-être temps que cela change… Si au moins je pouvais vendre le commerce ! Ça m'aiderait peut-être à respirer plus librement. Juste un peu d'argent devant moi me permettrait peut-être de penser à changer ce vieux camion poussif que je ne suis plus capable de voir en peinture, murmura-t-elle en introduisant la clé dans la serrure. Juste un peu plus d'argent…

C'est à ce moment qu'elle repensa à l'acheteur de l'après-midi. Un homme qui avait suffisamment d'argent pour s'offrir un piano dont il n'avait nullement besoin.

— Le pire, c'est qu'il n'en joue même pas… Incroyable ! Oh non ! Pas ça… Envoie, vieux machin, démarre !

Après quelques toussotements récalcitrants, le moteur du camion accepta enfin de se mettre en marche. Anne poussa un soupir de soulagement en embrayant tout doucement.

— Vraiment, il va falloir que je pense sérieusement à changer d'auto. De toute façon, je n'ai plus besoin de camion maintenant que je confie les livraisons à une maison spécialisée. Une toute petite auto facile à stationner et qui n'aurait pas besoin d'autant de réparations. C'est fou l'argent que me coûte le camion, même si Bébert est bien gentil et qu'il me fait un prix d'ami. Oui, ça serait bien de changer de véhicule. Mais où trouver l'argent ? Ça doit bien aller chercher dans les trois mille dollars, une auto neuve. Même toute petite. Une vraie fortune…

Sur ces mots, Anne revit le visage plutôt taciturne de Germain Lacombe, le riche acheteur de l'après-midi.

— Et dire qu'il y en a qui se paient un piano pour décorer leur salon ! Non, mais ! Après ça, on se demande où est la justice !

Anne conduisait brusquement, en direction de sa maison, ayant complètement oublié que quelques instants auparavant, elle songeait à visiter Robert. Tournée vers ses pensées, elle conduisait distraitement. Elle traversa même une intersection sur une lumière jaune et se fit klaxonner. Elle se contenta de hausser les épaules tout en continuant de marmonner à voix basse, comme elle avait pris l'habitude de le faire depuis que Robert n'habitait plus avec elle.

Entendre une voix, même si c'était la sienne, l'empêchait de se sentir trop seule.

Quand elle arriva enfin devant sa maison, la bonne humeur ressentie en fin d'après-midi commençait à s'effriter. Vers l'ouest, le ciel virait lentement à l'indigo et du soleil, il ne restait plus qu'une bande orangée qui soulignait rigoureusement la ligne des toits et des cheminées. Dans quelques minutes, elle aurait disparu et le paysage se fondrait en un amalgame de gris et de noir annonçant l'imminence de la nuit.

Et Anne Deblois serait seule chez elle.

Cette perspective la fit frissonner. Ce soir, elle n'avait pas envie d'être seule. Même devant son piano, la maison lui semblerait trop silencieuse.

Bien involontairement, son regard dévia vers la droite. Curieusement, la grosse maison grise, celle des Lacaille, n'était qu'une masse sombre à l'autre bout de la rue. Nulle lumière aux fenêtres. Ni à l'étage ni au rez-de-chaussée.

Probablement une sortie en famille.

Peut-être même un souper chez Laura et Bébert. Depuis quelque temps, on voyait Laura nettement plus souvent dans le quartier.

— Évangéline a dû revoir ses positions, murmura alors Anne.

Ce n'était qu'une supposition, puisqu'elle n'avait pas vu Évangéline de tout l'hiver et qu'Antoine n'était plus là pour la renseigner sur sa famille.

Antoine...

Le cœur d'Anne se serra douloureusement, pris dans un vertige nostalgique. Que serait-il arrivé entre eux si Robert n'avait pas survécu à son attaque ?

Anne ferma les yeux précipitamment. Cela faisait long-temps qu'elle n'avait pas eu une telle pensée. Une pensée qu'elle n'avait pas le droit d'avoir.

Alors, faisant demi-tour dans l'entrée qui jouxtait la maison, Anne reprit la route, fuyant sa solitude comme on fuit un sinistre.

Ce soir, elle passerait la soirée avec son mari. Parce que Robert Canuel était toujours son mari, ce qu'elle n'avait jamais remis en question même quand Antoine faisait partie de sa vie.

Ce soir, oui, elle tuerait le temps avec Robert et tant pis s'il faisait semblant de dormir. Anne savait que malgré les apparences, il l'écoutait. Les médecins en étaient convain-cus. Elle allait donc lui raconter toute sa journée et Robert saurait se réjouir de la vente de l'un des deux pianos même si rien ne paraissait.

Elle pourrait aussi lui parler de ces cours qu'elle allait donner.

Tous les mardis soir, chez monsieur Lacombe. Trois heures de cours à cinq dollars l'heure. C'était à ne pas négliger.

— Curieux, les imprévus qui surgissent comme ça! Jamais je n'aurais pensé à donner des cours. Pourtant…

Pourtant, elle aurait dû y penser. Ça tombait sous le sens que pour une femme comme Anne Deblois, pianiste depuis toujours, devenir professeur était peut-être une solution à ses innombrables problèmes d'argent.

À l'époque, madame Mathilde semblait très bien vivre des cours qu'elle donnait. Pourquoi en irait-il autrement pour Anne?

Lentement, d'une pensée à une autre, la jeune femme reprenait sur elle. Ça ne devait pas être si difficile de donner des cours. Après tout, c'était une matière qu'elle connaissait sur le bout de ses doigts.

— Encore un petit jeu de mots qui me va comme un gant.

Sur ce, Anne éclata de rire, envahie subitement par un curieux bien-être, comme un soulagement palpable qui grisonnait la noirceur des nuages planant sur sa vie.

Puis elle se demanda si madame Mathilde était encore vivante. Son ancien professeur aurait sûrement des conseils à lui donner.

La possibilité de revoir madame Mathilde lui fit dessiner un franc sourire avant qu'elle fronce les sourcils. Pourquoi y avait-il de ces gens que l'on perdait de vue alors qu'ils avaient été si importants dans notre vie ?

— Demain, lança-t-elle à son volant. Demain, je vais essayer de retrouver madame Mathilde si jamais elle est toujours vivante. Et maintenant, j'ai faim !

Anne mit son clignotant et tourna à sa gauche. Elle venait de décider de faire un petit arrêt dans un restaurant St-Hubert.

Anne adorait la peau du poulet bien croustillante et Robert, lui, avait un faible pour les frites. Sait-on jamais ? Peut-être bien que ce soir, après avoir appris l'heureuse nouvelle de la vente du piano, peut-être bien que Robert ne pourrait résister à l'odeur de quelques frites bien dorées et qu'il ouvrirait les yeux…

CHAPITRE 5

On n'a pas d'argent ou on n'a pas le temps
On a besoin de quelque chose
On n'a pas envie puis on change d'avis
Pour voir la vie en rose
Je n'ai pas besoin de grand-chose

La vie en rose
GILLES VALIQUETTE, 1973

Los Angeles, mercredi 10 mai 1972

Antoine devant le téléphone des Clark
L'appartement était enfin trouvé.

Donna avait téléphoné hier soir pour annoncer qu'elle avait mis la main sur une jolie maison à louer, pas très grande, soit, mais avec suffisamment de pièces pour qu'Antoine puisse y installer son atelier.

— On a même un petit jardin ! Te rends-tu compte ? J'ai signé un bail de deux ans. Le temps que je termine mes études ici, à Boston. Maintenant, j'essaie de trouver un billet d'avion et j'arrive !

Les réservations à l'hôtel retenu pour le dîner du mariage avaient été confirmées la semaine précédente et le menu serait choisi dès le retour de Donna.

D'autre part, après de nombreuses discussions, le curé de l'église catholique du quartier avait tout bien réfléchi et accepté de faire publier les bans malgré la sortie d'Antoine qui avait candidement avoué, lors d'une précédente rencontre, qu'il ne fréquentait plus tellement les églises.

Mais tout était rentré dans l'ordre après la promesse formelle de se présenter dorénavant à la messe le dimanche matin.

C'était donc maintenant officiel: Antoine Lacaille et Donna Clark se marieraient en toute intimité, le samedi 24 juin 1972. Un mois plus tard que prévu, mais aux yeux d'Antoine, c'était sans importance.

Le mariage se ferait en toute intimité, car il n'y aurait que la proche famille, des deux côtés, quelques amis de Donna qu'Antoine connaissait bien, ainsi que Miguel et son père Gabriel qui seraient justement en Amérique à ce moment-là. C'était tout. Antoine ne voulait surtout pas gâcher cette journée spéciale à cause d'une crainte inconsidérée qui pourrait se manifester devant de nombreux étrangers à qui il devrait tendre la main ou la joue. La présence de quelques intimes pour célébrer l'événement avec eux serait en tous points parfaite, et c'est exactement ce qu'il venait de confirmer à sa mère, soulagé et heureux.

— Comment ça, le 24 juin? Où c'est que t'as la tête, toé, coudon? C'te jour-là, c'est la Saint-Jean-Baptiste! À vivre à l'autre boutte du monde, t'aurais-tu oublié ça?

Au bout de la ligne, Bernadette, elle, semblait tout à fait contrariée par ce mariage remis à la fin de juin.

— Pis ça? rétorqua joyeusement Antoine. Ici, ça veut rien dire, la Saint-Jean-Baptiste, tu sauras. Pis j'ai pensé que ça ferait peut-être votre affaire, justement, rapport que ce jour-là, l'épicerie est fermée et que le lendemain, comme c'est dimanche, ça va être fermé aussi. Vous pourriez en profiter pour visiter un peu, tant qu'à être ici.

— Ouais… Vu de même… N'empêche que chus pas sûre que ton père va être ben ben d'adon pour un voyage à c'te date-là, rapport que d'habitude, y' fête avec ses chums Lionel pis Bertrand ce que les journaux appellent la fête nationale, astheure.

— Moman ! Voir que le mariage de son fils aura pas plusse d'importance qu'une couple de bières tablette vite bues sur le balcon ou ben dans la cour d'un de ses chums.

— Ouais… Mettons… Mais tu sauras que c't'année, on parle d'organiser un ben beau spectacle au parc, pas loin d'icitte, juste après le défilé, pis que justement, on avait parlé d'y aller, ton père pis moé.

— Bon ! Le défilé, astheure ! Coudon, moman, tu serais-tu en train d'essayer de me dire que tu viendras pas à mon mariage ? Depuis quand vous allez voir le défilé de la Saint-Jean pis des spectacles de chanteurs, toé pis popa ?

— C'est pas pasqu'on est jamais allés que ça nous tentait pas, tu sauras. Pis chus pas en train de te dire qu'on veut pas se rendre à tes noces. Pantoute, mon garçon, pantoute. J'essaye juste de prévoir toutes les objections que ton père risque de m'enligner quand j'vas y dire que c'est ben confirmé pis que ça va être le 24 juin.

— Ben si le père a trop d'objections, t'auras juste à y dire de m'appeler. M'en vas y démolir ça, moi, ces objections-là.

— Que tu dis ! Quand ton père a quèque chose dans la tête…

Puis, à l'image d'Évangéline, Bernadette se permit un coq-à-l'âne de toute beauté.

— Pis Laura, elle ? T'as-tu pensé à ta sœur en choisissant c'te date-là ?

— Quoi, ma sœur ? A' vient même pas, ma sœur. Que la noce soye en mai ou ben en juin, Laura sera pas là. C'est elle-même qui me l'a dit l'autre jour. Ça fait que…

De toute évidence, Antoine n'appréciait pas la tournure que prenait la conversation. Bernadette l'entendait respirer bruyamment à l'autre bout de la ligne. Puis, brusquement, le ton changea.

— J'ai essayé de choisir une date qui fasse l'affaire de tout le monde, tu sauras. Pis… Pis c'est à côté de mon père que je veux remonter l'allée de l'église, moman. C'est ça que j'vas y dire, à popa, si y' fait trop de difficultés.

De Los Angeles à Montréal, Bernadette entendit l'émotion qui soutenait les paroles de son fils, et son impatience tomba aussitôt.

— Pis je veux que tu soyes là, toi aussi.

Quand Antoine se mettait à jouer du violon…

Bernadette renifla pour cacher sa propre émotion. Dieu sait qu'elle aussi, elle souhaitait être là ! À défaut d'un mariage qu'elle aurait pu organiser pour sa fille, elle voulait au moins profiter de celui de son fils. La gorge serrée, elle resta silencieuse au bout de la ligne, incapable d'articuler la moindre parole, de telle sorte qu'Antoine put poursuivre sur sa lancée sans être interrompu.

— Ouais, je veux que toi aussi tu soyes là, répéta-t-il avec beaucoup d'intensité dans la voix. Toi pis grand-moman.

Mentionner Évangéline, c'était aborder l'événement sous un autre angle, c'était amener la discussion dans un autre registre. Le temps d'un dernier soupir contrarié qui dissipa tout vestige d'émotivité et Bernadette répliqua :

— Ta grand-mère ! Parlons-en de ta grand-mère ! C'est toute une affaire, ça avec ! Est pas encore convaincue d'être du voyage, ta grand-mère. Juste à l'idée de prendre un avion, ça y revire l'estomac, qu'a' dit. En tout cas, ça suffit pour y faire perdre l'appétit, c'est pas difficile à voir. Ce qu'a' voudrait, elle, c'est faire le voyage en auto. Tu te rends-tu compte, mon pauvre Antoine ? Partir de Montréal pour s'en aller jusqu'à Los Angeles en char ! J'ai regardé sur une carte, juste au cas où ça serait faisable, mais ça a pas une miette de bon sens. C'est ben que trop loin de Montréal, Los Angeles. D'autant plusse que nos machines, à ton père pis moé, sont pas de la première jeunesse pis y' est pas question de les changer tusuite. Surtout si on est pour aller te voir. Non, non ! Si on va à tes noces, ça va se faire en avion, que ta grand-mère le veuille ou pas, même si moé avec j'ai ben peur de ça, les avions. N'empêche que l'idée la travaille en verrat. Finalement, je serais pas surprise qu'a' finisse par lâcher prise pis qu'a' soye du voyage, elle avec. Dis-toi ben que t'as un atout gagnant dans ton jeu : son Roméo fait son gros possible pour la rassurer.

— Ah ouais ? Pis si je l'invitais, son Roméo ? Ça serait peut-être la solution.

Il y eut une minute de réflexion du côté de Montréal où Bernadette imagina Évangéline et Roméo partageant la même chambre pour ne pas faire de frais supplémentaires puis la réponse fusa, claire et nette.

— Mon pauvre enfant ! Une chance que ta grand-mère t'entend pas ! Premièrement, faut jamais dire SON Roméo. C'est juste un ami, qu'a' dit, même si mon opinion va pas exactement dans c'te sens-là… Non, je pense pas que ta grand-mère apprécierait que t'invites Roméo à tes noces. Avec une autre que ta grand-mère, j'aurais petête dit oui, mais avec Évangéline… Ça serait, comme on dit, un brin prématuré. Ce qui l'empêche pas de prêcher pour toé, par exemple, le Roméo, pis d'essayer ben fort de convaincre ta grand-mère.

— Ben j'espère qu'y' va réussir. Déjà que Laura peut pas être là à cause de son bébé qui va être encore bien trop petit pour voyager. Pis Charles, lui ?

Un soupir bruyant suivi d'une voix sévère donna le ton à la réponse de Bernadette.

— Charles… Un autre problème, verrat d'affaire ! Chus pas sûre que ton frère mérite un voyage comme ça. Déjà que…

— Ben voyons don, moman !

— Coupe-moé pas la parole, Antoine Lacaille ! C'est pas pasque t'es loin d'icitte que ça te dispense d'un minimum de politesse envers ta mère, pis c'est pas toé, non plus, qui vis dans notre maison avec ton frère. Y' est pas toujours facile, le beau Charles, pis y a des choses, de même, que chus pus capable d'accepter… Je… M'en vas te revenir là-dessus le jour ousque ton père va s'être enfin décidé. Pis ta grand-mère avec. En attendant, je pense ben fort à toé, mon Antoine. Ben fort. Pis chus ben heureuse pour toé, oublie jamais ça. Ta Donna, c'est quèqu'un de bien, même si on a pas eu l'occasion de la connaître vraiment comme faut. Y'a des affaires, de même, qu'une mère voit assez vite merci pis ta Donna, ben, a' m'a faite bonne impression. Tu sauras, avec, que ta grand-mère pense dans le même sens que moé à propos de Donna, même si est toujours pas décidée à faire c'te voyage-là. Pis en passant, avant de raccrocher, j'aimerais ça que tu regardes la possibilité d'inviter ton mononcle Adrien pis la p'tite Michelle.

— C'est déjà fait, moman. Crains pas. Eux autres avec,

je les considère comme la proche famille pis aux dernières nouvelles, y' vont être là.

— Ben tant mieux.

Bernadette esquissa un sourire. Savoir qu'Adrien et Michelle seraient de la noce ajoutait à ses yeux une raison de plus pour vouloir faire le voyage.

— C'est comme pour la tante Estelle pis sa fille Angéline, poursuivait Antoine à l'autre bout de la ligne. Je les ai invitées, eux autres avec, avant même de repartir de Montréal à l'automne dernier, tu sauras. Mais la tante Estelle m'a faite savoir dans une lettre, la semaine dernière, qu'a' serait pas là pis sa fille non plus. Paraîtrait qu'Angéline a trop d'ouvrage.

— Ça je le savais, rapport qu'Estelle nous a dit qu'a' l'était prête à s'occuper de l'épicerie, en cas de besoin. Pis c'est juste normal qu'Angéline aye ben de l'ouvrage, dans son bureau de psychologue, avec ta sœur qui va accoucher bientôt… Bon, maintenant que toute ça est dit, m'en vas raccrocher pour que ça te coûte pas la peau des fesses, c'te téléphone-là. On se reparle un autre tantôt !

Un déclic qu'Antoine n'avait pas prévu aussi rapide mit un terme définitif à la conversation. Décontenancé par la brusquerie de sa mère, le jeune homme contempla un moment le combiné qu'il avait toujours à la main puis il raccrocha.

Il était déçu.

Connaissant bien sa famille, il s'attendait à des manières, à des hésitations ou des craintes devant le voyage à entreprendre, mais pas à ce point-là. Il se mariait dans un peu plus d'un mois et rien n'était encore décidé.

En quelques instants, la déception d'Antoine se

transforma en impatience, puis en colère. Il faillit reprendre le téléphone et rappeler sa mère. Après tout, la réservation faite à l'hôtel pour le repas comprenait tous les membres de sa famille, à l'exception de Laura, bien entendu, et sa mère devrait le comprendre et le faire comprendre à son père.

— Un point, c'est tout, murmura Antoine, boudeur.

La liberté de pensée qu'il avait perçue lors de son arrivée ici s'était confirmée avec le temps, et la différence entre les deux familles se manifestait de plus en plus souvent, laissant Antoine songeur. Indéniablement, au contact des Clark, il avait gagné en assurance, en confiance en lui. Il était capable, maintenant, d'exprimer ses pensées de façon cohérente, de laisser voir ses émotions, d'où cette envie de rappeler à Montréal. Bien sûr, il savait qu'au fond de lui, il y aurait toujours un petit garçon craintif. La vie avait fait en sorte qu'il en soit ainsi, la vie et son éducation, Antoine en était aujourd'hui conscient. Pourtant, il n'en voulait à personne. Petit à petit, il avait appris à calmer, à rassurer ce petit garçon qui vivait en lui. Il avait appris à l'aimer. Il espérait seulement que les gens autour de lui agiraient de la même façon et apprendraient à respecter l'homme qu'il était en train de devenir, avec ses faiblesses et ses forces, avec ses désirs et ses exigences parfois difficiles à comprendre.

Et à ses yeux, venir à son mariage était une marque de respect envers lui, d'autant plus qu'il savait que ses parents et sa grand-mère avaient les moyens financiers d'entreprendre le voyage.

— J'ai bien assez de savoir que Laura pis Bébert seront pas là, lança-t-il, toujours aussi tenté de rappeler à Montréal. Ouais, ça, c'est ben décevant. S'y' faut qu'en plus les autres me laissent tomber… Aussi bien dire que j'aurais pus de famille, mautadine !

Antoine jeta un dernier regard sur le téléphone posé sur une petite tablette près du comptoir de la cuisine, puis il fit demi-tour. Il allait laisser aux siens quelques jours de réflexion. Si samedi personne n'avait rappelé, il les relancerait et il ne lâcherait prise qu'au moment où il aurait leur réponse.

Et il n'accepterait qu'une réponse positive.

CHAPITRE 6

J'ai besoin de m'amuser
J'ai besoin pour vivre sur Terre de soleil et de pluie
De légumes et de fruits
J'ai besoin de bouger, de dormir et manger
J'peux pas vivre sans être aimé

Besoin pour vivre
CLAUDE DUBOIS, 1973

Montréal, lundi 19 juin 1972

Laura chez ses parents

— J'en ai plein le dos ! M'as-tu vu l'allure ?

Bernadette se retourna et posa un regard rempli de tendresse sur sa fille. Installée à un bout de la table, ses jambes enflées reposant sur une des chaises, Laura se rafraîchissait avec un éventail de fortune fait avec une feuille du journal que son père avait laissé sur la table.

Comme ce dernier l'avait fait remarquer hier soir au souper, un tantinet moqueur, Laura était enceinte jusqu'aux oreilles !

— Ça fait déjà une semaine que j'aurais dû accoucher, maudite marde ! Une semaine ! Pis le médecin vient de me dire que rien n'a encore bougé. J'ai pas le moindre petit centimètre de dilatation ! Ça fait que personne peut rien faire pour l'instant. Faut que j'attende que la nature se décide, comme il a dit.

— Y' a raison ! On oblige pas un bebé à sortir du ventre de sa mère quand c'est qu'y' est pas encore prêt à le faire. Pis moé, j'ajouterais que la nature est ben faite !

Laura jeta un regard mauvais sur sa mère.

— Bien faite ? Comment ça bien faite ?

— Je me rappelle, moé, y a pas deux semaines de ça, comment c'est que tu paniquais à l'idée d'accoucher, ma pauvre p'tite fille. Comment c'est que t'avais peur que ça fasse mal sans bon sens !

— T'exagères quand même un peu, répliqua Laura, mortifiée par la perception que sa mère semblait avoir d'elle. Je paniquais pas, comme tu dis, j'étais inquiète. C'est pas pareil pantoute, ça.

— Mettons.

— Ouais, mettons… Pis ? Me semble que c'est normal, ça ! Tout le monde a peur devant un premier accouche-ment, non ? Ça explique pas pourquoi la nature est…

— Laisse-moé finir, Laura, laisse-moé finir.

S'essuyant les mains au linge à vaisselle qui traînait sur le comptoir, Bernadette s'approcha de la table, tira une chaise vers elle et s'y laissa tomber en poussant un long soupir. Son surplus de poids se faisait de plus en plus sentir. Malgré toute la meilleure volonté du monde et l'intention sincère d'y remédier, il lui manquait l'étincelle de courage pour se mettre sérieusement au régime.

— Comme je viens de le dire, la semaine dernière, tu te gênais pas pour claironner que tu voulais pus accoucher. Que c'était juste un rêve, ta grossesse, pis que t'allais te réveiller mince comme un fil.

— Voyons donc ! C'étaient des blagues. J'espère que tu l'avais compris !

— C'est sûr que je l'avais compris, bâtard ! Chus quand même pas tarte à ce point-là. Mais j'ai pour mon dire qu'en arrière d'une blague comme celle-là, y a quand même un petit fond de vérité.

— Ouais… Si on veut.

Embarrassée d'avoir été percée si facilement par sa mère, Laura se mordillait la lèvre inférieure sans oser soutenir son regard.

— Bon, tu vois !

Le ton légèrement narquois de Bernadette lui fit cependant lever la tête.

— Pis qu'est-ce que ça change au fait que…

— Ça change rien sauf qu'aujourd'hui, t'es tellement tannée d'être grosse que la peur d'accoucher passe en deuxième. Oh ! Est encore là, ta peur ! Ça s'efface pas complètement, des affaires de même. Mais pour pouvoir te retrouver tuseule dans ton corps, t'es maintenant prête à faire face à la musique.

Laura fronça les sourcils à cette réflexion puis un grand sourire éclaira son visage un peu bouffi par la rétention d'eau, qui avait été son principal cauchemar durant cette grossesse qui autrement avait été plutôt facile.

— T'as peut-être raison.

— J'ai sûrement raison, déclara Bernadette d'un ton catégorique. Chus quand même passée par là trois fois. Je sais de quoi je parle. J'ai pour mon dire que les deux dernières semaines de grossesse ont été inventées pour que la mère perde sa peur. Pasque le bébé, lui, y' est prêt, ça c'est sûr.

— Ouais… Ça a de l'allure, ce que tu dis là. C'est vrai que maintenant, j'ai hâte que ça soit le temps. J'ai toujours peur, c'est vrai, mais en même temps, j'ai hâte… C'est un peu bête de dire ça comme ça, mais c'est vrai.

— Je comprends très bien ce que t'essayes de dire, ma fille. Très bien… Je pense que toutes les femmes passent par là.

Laura resta silencieuse, le regard fixé sur quelques miettes de pain oubliées sur le formica usé de la table, une main posée nonchalamment sur son ventre distendu et continuant de s'éventer de l'autre. Puis, elle tourna les yeux vers sa mère en train de se relever pour reprendre son torchon et finir de nettoyer le comptoir.

— Je le sais pas si c'est normal, commença-t-elle en hésitant, mais en même temps que j'ai très hâte d'y voir la face, à cet enfant-là, je ne le sais plus, si j'ai envie qu'il soit là!

— Ben voyons don, toé!

Oubliant pour une seconde fois le travail à faire, Bernadette se tourna vers sa fille et accota ses reins contre le comptoir.

— Je comprends pas trop ce que tu veux dire.

— Ben quoi? C'est vrai. Je… Je dirais jamais ça devant Bébert, y' comprendrait pas, pis c'est lui qui se mettrait à paniquer, mais c'est vrai que j'ai peur de pas être capable de m'en occuper, de ce bébé-là. C'est pas juste une formalité, avoir un bébé. C'est pas juste le temps d'une grossesse, avoir un enfant. C'est pour toute la vie que je me suis embarquée. Je dirais même que c'est au moment où il va pousser son premier cri que ça va commencer pour de bon entre lui pis moi… Je… Pour moi, vois-tu, les neuf mois que je viens de vivre, c'est un peu comme une pratique. Je me suis faite lentement à l'idée que plus jamais j'vas être seule. Plus jamais, plus jamais…

— Pis ?

Bernadette ne comprenait pas du tout où sa fille voulait en venir.

— Ça aussi, ça te fait peur ? demanda-t-elle, question d'y voir un peu plus clair.

— Un peu…

Laura semblait songeuse.

— Ça te dérange pas, toi, de ne plus jamais être seule ? questionna-t-elle d'une voix hésitante. Ça te dérange pas de plus jamais pouvoir penser juste à toi ?

Bernadette ne put s'empêcher d'esquisser une petite grimace à l'idée qu'effectivement, elle n'avait pas souvent du temps à elle. Était-ce un handicap, par contre ? Une tare à ce point désagréable qu'elle regrettait ses choix de vie ?

— C'est sûr que des fois, c'est plate de jamais avoir du temps à nous autres tuseules, avoua-t-elle alors franchement, mais sur le même ton que celui employé par Laura, avec une pointe d'hésitation dans la voix. Ou ben, si on a un peu de lousse devant soi, ça dure jamais ben ben longtemps. Mais dis-toi ben, aussi, que c'est normal de se sentir de même. Astheure que tu m'as expliqué comment tu te sens, je peux dire que moé avec, j'ai eu les mêmes pensées que toé, Laura. Pis encore aujourd'hui, ça arrive, des fois, que j'aimerais ça avoir rien à faire. C'est ben normal. Mais si tu me donnais le choix de refaire ma vie, ben, je la referais de la même manière. Toé pis tes frères, vous êtes ce que j'ai faite de mieux dans ma vie. Jamais, tu m'entends, jamais j'vas pouvoir regretter ça.

— C'est gentil de dire ça.

Laura avait l'air soulagée et elle offrit un beau sourire à Bernadette qui sentit son cœur chavirer. Depuis qu'elle savait que sa fille allait être mère à son tour, les sentiments qu'elle avait toujours ressentis envers Laura s'étaient légèrement modifiés. Il y avait maintenant une espèce de complicité amicale qui s'était greffée à l'amour inconditionnel qu'elle avait toujours éprouvé pour ses enfants.

— Oh! Je dis pas ça pour faire ma fine, tu sauras, expliqua-t-elle sans ambages. Je dis ça pasque c'est vrai.

— D'accord. Mais ça veut pas dire que ça va être pareil pour moi.

Curieusement, malgré tout ce que sa mère venait de lui dire, Laura semblait être revenue à ses inquiétudes. Le sourire effacé, elle fronçait les sourcils.

— Oh oui!

Devant tant d'hésitation, Bernadette se sentait investie d'une mission. Celle de rassurer Laura. C'était impensable de croire que sa fille allait partir pour l'hôpital avec autant de crainte et d'interrogations dans le cœur.

— Pis sais-tu pourquoi je peux dire ça avec autant d'assurance? demanda alors Bernadette sans attendre réellement de réponse. C'est pasqu'à la seconde ousque tu vas avoir ton p'tit dans les bras, laisse-moé te dire que la peur de pas être capable de ben t'en occuper, a' va vite s'en aller... C'est comme magique, c't'affaire-là. Y a un p'tit quèque chose en dedans de nous autres qui se déclenche au moment ousqu'un enfant vient au monde pis y a rien qui existe sur terre pour défaire le sentiment que tu vas ressentir. Rien pantoute!

— Tu crois?

— Là avec, chus sûre de mon affaire. Aussi sûre que chus là devant toé, ma Laura. Pis je te connais, va. Je le sais, moé, que tu vas faire une bonne mère. J'ai pas une miette de crainte là-dessus.

— Pis moé non plus !

Laura tourna vivement la tête. Évangéline qui arrivait justement dans la cuisine avait entendu la fin de la conversation. Bien entendu, pas question de laisser passer une si belle occasion ! Elle tenait à y mettre son petit grain de sel.

— Si y a une femme en qui j'ai confiance pour s'occuper d'un p'tit, expliqua-t-elle en s'installant à l'autre bout de la table, face à la future maman, c'est ben toé, ma Laura. Je m'en rappelle, moé, quand c'est qu'Adrien vivait icitte avec la p'tite Michelle. T'étais dépareillée pour t'en occuper, de c't'enfant-là. Par bouttes, c'est pas mêlant, la p'tite voulait personne d'autre que toé pour la coucher quand c'est que le soir arrivait.

— C'est vrai que j'aimais ça passer du temps avec elle, se rappela Laura, un sourire ému sur les lèvres.

— Bon, tu vois ! Arrête don de te faire des tracas pour rien, ma pauvre enfant. Fais-toé confiance, pis toute va ben aller. Pis ce que je te dis là, ça vaut pour l'accouchement comme pour toute le reste qui va venir après. T'es pas la première femme à avoir un premier bebé. Chus passée par là, ta mère est passée par là, pis ça roule de même depuis que le monde est monde.

— Pourvu que tu dises vrai, grand-moman.

— C'est sûr que je dis vrai !

Évangéline, taquine, se donna un petit air furibond, un air colérique qu'elle était loin de ressentir.

— M'as-tu déjà entendu mentir, viarge ? demanda-t-elle en tapotant la table du bout de l'index. Non, hein ? Ben, ça veut dire que tu peux me croire. J'ai petête pas bon caractère, chus capable de l'admettre, mais chus pas menteuse…

Sur ce, son visage changea radicalement, et les sourcils

froncés sur sa curiosité, elle demanda :

— Coudon, toé, maintenant que c'est réglé pis qu'on sait que tu vas être une bonne mère, comment ça se fait qu'on entend pus parler de votre projet, à Bébert pis toé ?

— Notre projet ?

— Ben oui, celui d'avoir une p'tite maison à Laval ! Me semble que l'idée d'avoir une maison ben à vous autres, ça allait avec l'arrivée de votre bebé, non ?

— C'est ce qu'on pensait, Bébert pis moi. On en a parlé durant une bonne partie de l'hiver. On a même visité quelques développements avec des beaux bungalows qui ressemblent un peu à des anciennes maisons canadiennes. Mais une chose n'attendant pas l'autre, on n'a pas eu le temps de s'y mettre vraiment, pis le mois de juin est arrivé sans qu'on aye décidé quoi que ce soit. Finalement, je te dirais qu'avec mon accouchement qui se fait attendre, c'est une bonne affaire que je sois pas obligée de préparer un déménagement en plus. On y repensera l'an prochain quand le p'tit ou la p'tite aura grandi un peu. D'ici là, de toute façon, un balcon pour y faire prendre l'air, c'est bien assez. Faut dire aussi qu'on a espéré pouvoir aller au mariage d'Antoine jusqu'à la semaine dernière pis ça aussi, c'était un projet qui nous tenait à cœur. La possibilité de faire un voyage à Los Angeles a joué dans le fait de remettre notre intention d'avoir une maison à plus tard, tu sauras.

— Ben voyons don, toé !

Bernadette regardait sa fille avec un air effarouché.

— Tu viendras pas me dire que t'avais pensé sérieusement à entreprendre un gros voyage de même avec un nouveau-né ?

Laura haussa les épaules avec nonchalance.

— Pourquoi pas ? C'est drôle, quand j'en ai parlé, Bébert a eu la même réaction que toi. C'est parce que vous avez jamais pris l'avion, fit-elle avec un brin de suffisance dans la voix. Vous pouvez pas savoir. Mais moi, je le sais pis Antoine aussi le sait. Je suis certaine que lui aussi il y a pensé, parce que l'idée n'était pas si folle que ça. C'est juste quelques heures avec un nouveau-né dans les bras, c'est tout. Le bercer dans le salon chez nous ou dans un avion, moi, je vois pas une grande différence. Pis une fois arrivée là-bas, je me fiais à ce que tu n'arrêtes pas de me dire, moman : un nouveau-né, en autant que sa mère est pas loin, ça va tout seul !

— C'est vrai que j'ai dit ça pasque c'est vrai.

— Bon ! Tu vois... Pis je pense que ça aurait fait toute une surprise à Antoine... Mais là, on n'y pense même plus, maudite marde ! Parti comme c'est là, je risquerais d'accoucher dans les airs. Ça aussi, tu sauras, moman, ça me déçoit pas mal.

Bernadette hocha la tête en signe d'approbation.

— Je comprends ça, ma fille.

Elle-même n'aurait jamais accepté que son fils se marie sans sa présence. Heureusement, Marcel avait rapidement compris que la position de sa femme était irrévocable et non discutable et il avait acquiescé à sa demande sans se faire tirer l'oreille.

— Depuis le temps que je dis que j'vas prendre des vacances, ben c'est là que ça va se passer, avait-il annoncé d'une voix autoritaire comme s'il anticipait des objections. On va faire d'une pierre deux coups ! On va aux noces d'Antoine pis on prend des vacances en même temps. On part pour une semaine, Bernadette.

— Une semaine ?

Bernadette était rose de plaisir tandis que Marcel, fier de son coup, bombait le torse comme un adolescent qui fait sa cour.

— Ouais, une semaine. Tant qu'à payer des billets pour prendre l'avion, on va toujours ben en profiter une fois rendus à l'autre boutte, calvaire ! Avec Estelle qui reste icitte pis qui m'a promis de voir à l'épicerie, si on planifie nos affaires comme faut, ça devrait marcher. Pis pas question de dormir dans la famille de Donna comme Antoine nous l'a proposé. On va à l'hôtel, calvaire ! On va leur montrer, aux Clark de Los Angeles, que les Lacaille de Montréal, c'est pas une gang de tout-nus ! Pour un père comme celui de Donna, c'est important de voir que sa fille est tombée sur du bon monde, tu sauras. Ben important. J'ai appris ça, moé, rapport que notre Laura est comme qui dirait mariée, elle avec.

C'est ainsi que le vendredi suivant, tôt le matin, Bernadette, Évangéline et Marcel quitteraient Montréal pour se rendre à Los Angeles. Les valises étaient déjà en préparation, par terre dans les chambres, et on ne parlait plus que de cela dans la maison avec, en filigrane, l'accouchement de Laura que tout le monde espérait avant le départ. Quant à Charles, quelques examens aux résultats catastrophiques avaient scellé son destin: il restait à Montréal pour seconder Estelle à l'épicerie.

— Un beau mariage au boutte du monde, c'est sûr que c'est tentant d'y être, ajouta donc Bernadette sur un ton songeur, le regard vague, sans apercevoir la mimique de Laura à qui elle tournait le fer dans la plaie.

— Ouais... C'est tellement tentant que même moé, je

me suis finalement décidée, compléta Évangéline sur le même ton. Mais viarge que j'ai peur... Ça se peut-tu ? Moé, Évangéline Lacaille, m'en vas aller m'asseoir dans un avion qui va s'envoler dans les airs comme un oiseau pour m'emmener jusqu'à Los Angeles. Ça prenait juste Antoine pour arriver à me convaincre de faire une folie pareille.

À bout de souffle, Évangéline se tut et Laura en profita pour prendre le relais et laisser fuser sa déception.

— Ben moi, grand-moman, je te trouve pas mal chanceuse de pouvoir faire ce voyage-là, lança-t-elle sur un ton aigre. Si tu savais combien ça me choque, moi, de ne pas avoir le choix...

Puis, levant les yeux vers sa mère, Laura enchaîna avant qu'Évangéline puisse rétorquer quoi que ce soit :

— Tu vois, moman, c'est un peu ça que je voulais dire tout à l'heure : mon p'tit est même pas encore arrivé pis c'est déjà lui qui mène dans ma vie. Pas sûre, moi, que je vais trouver ça facile tout le temps.

— J'ai jamais dit que c'était facile, Laura, répondit Bernadette du tac au tac, un peu agacée de voir que Laura persistait dans ses objections de toutes sortes devant un petit bébé qui n'avait rien demandé et qui n'était même pas encore là. J'ai juste dit que jamais tu vas pouvoir regretter d'avoir fait le choix d'avoir un enfant. C'est pas pareil pantoute ! Attends qu'y' soye là pis on en reparlera.

— Ouais, c'est sûr qu'on va en reparler un jour ou l'autre, surtout quand il va...

La sonnerie du téléphone interrompit cavalièrement Laura qui, par habitude, fit signe qu'elle répondait. Les deux mains appuyées sur la table, elle se souleva péniblement avant de tendre un bras vers l'appareil.

Il n'y eut que quelques mots et Laura raccrocha. Puis, durant un long moment, elle fixa l'appareil sans dire un mot avant de se retourner face à sa mère. Curieusement, même si Évangéline aussi était concernée par cet appel, c'était à Bernadette qu'elle voulait s'adresser en premier.

— C'était ma tante Estelle.

Machinalement, Bernadette leva les yeux vers l'horloge. Constatant que l'heure avait tourné rapidement durant cette longue conversation et que Marcel n'était toujours pas arrivé, elle fronça les sourcils, son habituelle tendance à la panique lui soulevant l'estomac.

— Que c'est qui se passe ? Me semble que Marcel devrait être là.

Bernadette ramena les yeux sur sa fille et son cœur se serra d'angoisse: Laura avait blêmi, et sa mère vit que ses mains tremblaient.

— Y a-tu un problème à l'épicerie ? Y a-tu eu un accident ?

— Non, pas vraiment, répondit Laura d'une voix hésitante, promenant maintenant son regard de sa mère à sa grand-mère.

— Envoye, verrat, aboutis ! Que c'est qui se passe pour que ton père soye pas là pis qu'Estelle nous appelle de même ? T'es blanche comme un drap, ma pauvre fille !

— C'est popa… Y' a eu une grosse crise de toux.

— Ah ça !

Du bout des doigts, Bernadette balaya l'air devant elle comme pour une banalité.

— C'est pas nouveau. Ça paraît que tu vis pus icitte, ma pauvre Laura. Pis que tu travailles pus à l'épicerie depuis un boutte. Quand ça y pogne, à ton père, ses crises de toussage, c'est pas beau à voir.

— Non, non, moman, tu comprends pas. C'est pas une crise comme d'habitude. Cette fois-ci, c'était tellement fort que c'est popa lui-même qui a demandé à Angéline d'aller le reconduire à l'hôpital.

— À l'hôpital ? Ton père a demandé qu'on l'amène à l'hôpital ? Maudit bâtard, que c'est ça, encore ? Pis que c'est qu'Angéline faisait à l'épicerie à c't'heure-là ? D'habitude, c'est ton père qui ramène la tante Estelle le soir.

— Je le sais pas ce qu'Angéline faisait là, mais c'est ce que matante Estelle vient de me dire : popa a demandé à Angéline de l'amener à l'hôpital parce qu'il avait de la difficulté à respirer. Après, il a demandé d'appeler ici pour te dire d'aller le rejoindre.

Marcel !

Le cœur de Bernadette bondit dans sa poitrine avant de se contracter à lui faire mal. Jamais elle n'aurait pu imaginer qu'elle tenait à cet homme-là à ce point !

Marcel était à l'hôpital…

Enfin !

C'est alors qu'un grand vent de soulagement balaya l'angoisse de Bernadette.

S'il était effectivement à l'hôpital, cela voulait dire que Marcel était entre bonnes mains. Il était temps qu'il se décide même si pour l'instant, la décision ne relevait pas exactement de sa volonté. Au moins, on finirait par savoir ce qu'il avait, les médecins lui donneraient les bons médicaments et il pourrait guérir.

Après cela, peut-être bien que cette semaine à Los Angeles serait une vraie semaine de vacances. Une semaine où elle, Bernadette, aurait enfin l'esprit tranquille à propos de tous les siens : Marcel irait mieux puisque les médecins s'occuperaient de lui, Laura aurait eu son bébé sans aucune anicroche, Antoine le solitaire serait marié et Charles aurait enfin compris qu'il ne servait à rien de faire le fanfaron, car sa mère finirait toujours par avoir le dernier mot.

Bernadette poussa un long soupir que chacun pourrait interpréter à sa façon, même si pour elle, il témoignait d'un profond soulagement.

À la suite de ce bref survol de la situation et les émotions remises à leur place, Bernadette se tourna vers Évangéline et dit d'une voix étrangement calme :

— Bon, comme on dirait ben qu'on va manger plus tard, j'vas vous demander, la belle-mère, de mettre toutes mes casseroles dans le four en attendant qu'on revienne. Si jamais Charles retontissait durant mon absence, vous pourrez y donner à manger. À son âge, on a faim tout le temps !

La gorge nouée par l'inquiétude, Évangéline se contenta d'acquiescer de la tête. Alors, sachant sa maison sous contrôle, Bernadette se tourna vers Laura et tout en détachant son tablier, elle demanda :

— À quel hôpital que je peux rejoindre ton père ?

— Notre-Dame. Là où on va toujours quand on a besoin d'y aller.

— Parfait.

Tout en parlant, du plat de la main, Bernadette défroissa sa jupe puis machinalement, elle retira l'élastique qui retenait ses longs cheveux qu'elle avait toujours gardés attachés quand elle cuisinait. D'un geste habile, elle fit gonfler sa frange qui, depuis quelque temps, se striait lentement de gris.

— M'en vas aller rejoindre Marcel tusuite. Toé, ma fille,

tu pourrais-tu passer par l'épicerie pis voir à ce que la tante Estelle soye pas tuseule pour fermer ? Je le sais ben que t'es fatiguée par ta grosse…

— Laisse faire ma grosse bedaine, moman ! coupa Laura en se relevant le plus vivement possible. Chus enceinte, pas malade. C'est sûr que je peux aller à l'épicerie pour aider matante Estelle. Ça va juste me faire du bien de marcher un peu. Après, j'aurai juste à appeler Bébert pour qu'il vienne me chercher là-bas au lieu d'ici. Pis inquiète-toi pas, on va ramener matante Estelle chez elle. Tu pourras le dire à Angéline.

— Bon ben…

Bernadette jeta un regard circulaire sur la cuisine.

— Si c'est correct de même, moé, je m'en vas rejoindre Marcel. Inquiétez-vous pas, la belle-mère ! Ou ben je nous le ramène dans pas longtemps, ou ben je vous appelle pour vous donner des nouvelles.

L'instant d'après, on entendait le pas lourd de Bernadette qui descendait l'escalier du balcon arrière.

Finalement, ce fut un appel dans l'heure qui suivit.

Même s'il avait une petite idée de ce qui terrassait Marcel depuis si longtemps, le médecin qui l'avait accueilli à l'urgence voulait vérifier son premier examen par quelques tests un peu plus poussés.

— Comment ça, rester icitte pour la nuit ?

Remis rapidement de son malaise par quelques bonnes bouffées d'oxygène, Marcel s'assit brusquement sur le lit de fortune où on l'avait installé à son arrivée.

— Je peux pas rester icitte, calvaire, je pars en voyage vendredi prochain, expliqua-t-il, les sourcils froncés sur son mécontentement. Mon fils se marie, vous saurez. Samedi prochain, à Los Angeles. J'ai pas le temps de niaiser sur un lit d'hôpital. J'ai une épicerie, moé, docteur, pis faut que je voye à toute avant de partir !

— Tant mieux pour vous. Mais moi, je suis médecin et je n'ai pas le droit de vous laisser partir dans l'état où vous êtes.

— L'état où chus ? Que c'est qu'y' a, mon état ?

Sur ces mots, Marcel redressa les épaules et il prit une profonde inspiration. Même s'il sentit un petit chatouillis au fond de la gorge, il se garda bien de le montrer.

— Vous le voyez ben que toute est passé pis que chus en forme.

— En apparence, oui. Mais comme me l'a dit votre femme tout à l'heure, ça dure depuis longtemps, ce problème de toux.

Marcel jeta un regard mauvais à Bernadette. S'il fallait qu'il rate ses vacances à cause d'elle et de sa grande langue…

— C'est juste des inquiétudes de bonne femme, laissa-t-il tomber avec un peu de mépris dans la voix tout en reportant les yeux sur le médecin en veste blanche qui, il faut l'avouer, l'impressionnait quand même un peu. Je vous l'ai dit t'à l'heure : à part des bonnes crises de toussage, une fois de temps en temps dans le cours de mes journées, je me sens ben. Je dors ben, je mange ben, pis ça, ma femme va pouvoir vous le confirmer, pis j'ai encore pas mal d'énergie pour mon travail. Là encore, ma femme va pouvoir vous dire que c'est vrai, rapport qu'on travaille ensemble à l'épicerie familiale.

En prononçant ces derniers mots, Marcel bomba le torse tout en fixant le médecin qui, malheureusement, ne manifesta aucune curiosité, n'eut aucune réaction.

— C'est sûr que chus pas aussi en forme qu'à vingt ans, ajouta alors Marcel pour faire bonne mesure, mais me semble que c'est juste normal, ça, non ?

— Être moins vigoureux qu'à vingt ans, oui, c'est normal à votre âge. Tousser au point d'avoir besoin d'oxygène pour s'en remettre, ça l'est moins. C'est pourquoi je vous garde en observation pour la nuit et demain, on fera des tests supplémentaires.

— Maudit calvaire !

Le regard que Marcel jeta encore une fois à Bernadette était, cette fois-ci, rempli de hargne. Puis il se tourna vers le médecin.

— Pis mon voyage, lui ?

— Avec un peu de chance, vous devriez partir vendredi, tel que prévu.

— Ouais… Vous êtes ben sûr de ça ?

— Oui. À moins d'un gros problème, ce qui me surprendrait beaucoup, vous allez pouvoir partir vendredi.

— Ouais…

Visiblement, Marcel était indécis.

— C'est sûr que tant qu'à être icitte…

Si l'incident s'était produit la semaine précédente, Marcel aurait été le plus coopératif des malades. Même si présentement il jouait les matamores, il était inquiet. Profondément inquiet à cause de cette toux tenace qui durait depuis des mois et des mois.

Par contre, il y avait le mariage d'Antoine. Pas question de le manquer.

Mais, d'un autre côté, le médecin disait qu'il pourrait partir…

Marcel se décida d'un coup.

— OK, docteur! lança-t-il enfin, sachant que de toute façon, il n'aurait probablement pas le dernier mot. Si vous me promettez que je peux partir en voyage, je vous donne une journée pour trouver ce que j'ai. Une journée, pas une de plusse pasque je l'ai pas, la journée de plusse. Si je veux partir vendredi, j'ai de la grosse ouvrage devant moé. De la ben grosse ouvrage, surtout si chus icitte pour toute une journée, calvaire!

TROISIÈME PARTIE

Été 1972

CHAPITRE 7

Cette voix brisée par l'alcool
La cigarette et les nuits folles
Cette voix fêlée de fumée
[…]
Cette voix que j'ai
Cette voix, je vous la donne

La voix que j'ai
GERRY BOULET (GILBERT LANGEVIN), 1977

Montréal, lundi 10 juillet

Charlotte dans sa cuisine
La réponse était arrivée ce matin. Le facteur l'avait déposée dans la petite boîte de métal à côté de la porte d'entrée, là où Charlotte venait de la récupérer. Pas besoin de longues explications : avec les armoiries de l'université dans le coin gauche de l'enveloppe, elle savait fort bien ce qu'elle contenait.

Les notes des derniers examens passés en juin, ceux qu'ils avaient tous tant attendus, étaient enfin là. Bientôt, dans quelques heures, on saurait si Alicia avait obtenu le titre espéré de *docteur*.

— Docteur Alicia Leclerc, ça sonne très bien !

Sur ce, Charlotte avait refermé la porte derrière elle avec

une allégresse nouvelle dans le cœur, emmêlée, par contre, à une certaine inquiétude.

Et présentement, elle regardait encore l'enveloppe avec curiosité comme elle l'avait fait à plusieurs reprises depuis le matin.

Il ne manquait plus qu'Alicia pour ouvrir la lettre et faire connaître les résultats à ses examens finaux.

Alicia, qui était à l'hôpital pour toute la journée, de garde à la clinique externe, toujours à titre d'interne.

Contrariée, curieuse et impatiente, Charlotte claqua la langue contre son palais. Par contre, pas question d'ouvrir la lettre avant le retour de sa fille en fin d'après-midi. C'était pour elle une question de principe et elle savait qu'Alicia apprécierait sa discrétion, même si sa fille ne manquerait pas de lui dire qu'elle aurait dû l'appeler à l'hôpital pour l'aviser de l'arrivée de la lettre et ouvrir l'enveloppe à sa place tandis qu'elle attendait à l'autre bout de la ligne.

Charlotte détailla les fioritures des armoiries, puis elle soupesa la lettre avant de la mirer à contrejour devant la fenêtre où resplendissait le chaud soleil de juillet.

Impossible de voir quoi que ce soit.

D'un sourire, Charlotte répondit aux éclats de joie qui provenaient de la cour où Clara, sa plus jeune fille, s'amusait dans la piscine avec quelques amies. Charlotte se dit que Clara était chanceuse de pouvoir profiter de l'été comme elle le faisait. À son âge, la plupart des jeunes travaillaient durant la belle saison. Mais ses filles à elle, Alicia et Clara, grâce à Jean-Louis, n'avaient jamais eu besoin de travailler l'été.

Puis Charlotte revint à l'enveloppe.

— Finalement, c'est tant mieux qu'Alicia ne soit pas là,

murmura-t-elle sans relâcher l'enveloppe qu'elle tenait par deux coins devant elle. Comme ça, Jean-Louis aussi sera avec nous quand Alicia va l'ouvrir et on va tous pouvoir se réjouir ensemble. Après tout, c'est beaucoup grâce à lui si l'idée a pu prendre forme. Par contre...

Charlotte se releva vivement et sans hésiter, toujours l'enveloppe en mains, elle se dirigea vers la salle à manger, une pièce impressionnante avec son mobilier d'époque trop massif et ses lourdes tentures, fleuries dans un dégradé de rose ancien et de fuchsia, contrastant avec le papier peint gris, ton sur ton. C'était une pièce élégante mais froide. En fait, la salle à manger servait si peu souvent que Charlotte en avait fait son bureau, mot un peu pompeux pour décrire les lieux où elle s'installait, quelques heures par semaine, pour voir aux finances hebdomadaires de la maison. Deux tiroirs du gros buffet servaient à ranger sa paperasse.

Elle en sortit, d'ailleurs, une autre enveloppe, en papier kraft et assez volumineuse, qu'elle ouvrit sans hésitation cette fois-ci.

S'installant au bout de la table, lentement, minutieuse-ment, Charlotte relut chacun des feuillets que contenait cette seconde enveloppe.

Cela prit un certain temps, car le texte était en anglais. Puis, à la fin de sa lecture, Charlotte afficha un grand sou-rire. C'est Alicia qui allait être surprise.

— Surprise et heureuse, murmura Charlotte en soupi-rant, sachant fort bien quel risque elle courait en offrant ce cadeau princier à sa fille.

Mais Charlotte y tenait obstinément.

C'était sa façon à elle de dire à sa fille à quel point elle l'aimait.

À quel point elle regrettait certaines erreurs de parcours. Et Jean-Louis, son mari, l'avait appuyée sans condition.

Charlotte reporta les yeux sur le courrier reçu de l'université.

Connaissant Alicia comme elle la connaissait, elle se doutait bien que les résultats de ses derniers examens seraient excellents. Comme d'habitude. Ceci voulait dire que dès demain, elle-même pourrait communiquer avec la dame dont le numéro de téléphone figurait à la dernière ligne du dernier feuillet, tout à côté de la photo qu'elle avait ajoutée au dossier.

— Et à partir de là, ça sera à Alicia de décider…

Charlotte sentit son cœur se serrer. Il y avait tant d'incertitude devant elle et peut-être aussi une lourde solitude qu'elle-même aurait provoquée.

Mais pour Charlotte, il n'y avait pas façon plus éloquente que celle-ci pour exprimer ce qu'elle ressentait vraiment pour sa fille.

Alors, avant de se mettre à pleurer, elle se releva et, apportant avec elle les deux enveloppes, elle regagna la cuisine.

— En attendant, je vais appeler Jean-Louis, confia-t-elle aux armoires. Je sens que je vais avoir besoin de sa présence quand Alicia va ouvrir les deux enveloppes. Il faut qu'il soit ici avant elle… Et les amies de Clara vont devoir s'en aller.

Jean-Louis promit d'arriver en milieu d'après-midi, et les amies de Clara partaient justement.

Charlotte en profita pour faire quelques courses. Ce soir, il y aurait un souper de fête. Cela faisait partie des traditions familiales.

Chez les Leclerc, la moindre raison de se réjouir était soulignée. *A fortiori,* un diplôme universitaire!

Être occupée permit à Charlotte d'oublier les deux enveloppes qu'elle avait mises en évidence à la place qu'Alicia occupait habituellement à la table. Même si le repas était soigné, il se prendrait cependant à la cuisine. Personne n'aimait vraiment l'atmosphère de la salle à manger.

— Et on prendra le dessert sur la terrasse, décida Charlotte devant la douceur de l'air qui entrait généreusement par la porte et la fenêtre grandes ouvertes sur le jardin.

Charlotte s'arrêta un moment devant la porte française, humant l'air parfumé d'effluves de fleurs variées, soutenus par ceux, plus lourds, des roses rouges qui garnissaient la platebande.

L'après-midi s'étirait langoureusement comme un chat satisfait au soleil. L'eau de la piscine miroitait de mille feux, et le calme enfin revenu dans la cour laissait entendre le chant d'une famille d'oiseaux nichée dans le gros chêne.

Les yeux mi-clos, Charlotte inspira profondément, consciente de sa chance, puis elle revint à la préparation du repas. Au menu ce soir : grillades et salade, comme saurait l'apprécier Alicia, et pour dessert un *shortcake* aux fraises avant que disparaissent des marchés les petits fruits préférés de son aînée.

— Et maintenant, la crème fouettée !

Tel que prévu par Charlotte, Alicia arriva effectivement en fin d'après-midi.

Comme elle l'avait toujours fait depuis qu'ils habitaient cette maison, aussi bien dire depuis toujours, Alicia salua son monde depuis l'entrée.

— C'est moi !

Puis la porte claqua.

— Bonjour papa! Je sais que tu es là, j'ai vu ton auto dans l'entrée.

Ce fut comme un réflexe: Charlotte et Jean-Louis échangèrent un regard heureux et soulagé en même temps.

La normalité des gestes et des sentiments avait enfin repris son cours sous le toit de la famille Leclerc.

Après quelque temps de bouderie, suivi d'un magistral désaveu de sa famille, Alicia avait retrouvé ses expressions et ses émotions d'enfant.

En effet, au moment du remariage de Charlotte avec Jean-Louis et à la suite de l'adoption d'Alicia par celui-ci, la jeune fille avait naturellement pris l'habitude de l'appeler *papa*. La naissance de sa petite sœur Clara, à quelque temps de là, avait conforté cette habitude. Désormais, pour elle, les Leclerc formaient une famille, une vraie.

Sauf durant ces dernières années où Alicia avait tout remis en question lorsqu'elle avait appris que même Andrew, celui qu'elle croyait être son père naturel, ne l'était pas.

Elle avait alors quitté Montréal, sur un coup de tête, pour aller vivre auprès de grand-ma, la mère d'Andrew, celle qui avait veillé sur ses jeunes années alors qu'elle n'était qu'un tout petit bébé.

Grand-ma...

Une femme merveilleuse qu'Alicia considérerait toujours comme étant sa véritable et unique grand-maman.

La mort de cette dernière avait tout remis en question, et c'est à ce moment qu'Alicia, voyant qu'elle ne pouvait compléter son cours de médecine en Angleterre, avait mis la maison de grand-ma en vente pour rentrer à Montréal. Une maison dont elle venait d'hériter et qu'elle aurait bien aimé garder.

Mais avait-elle vraiment le choix ?

À son retour d'Angleterre, l'été dernier, il y avait donc eu quelques semaines de valse-hésitation, puis Alicia s'était enfin rappelé la longue conversation tenue, lors de son séjour au Connecticut, avec son arrière-grand-mère paternelle, celle que tout le monde appelait affectueusement mamie. Une conversation qui avait eu des allures de long monologue où Alicia avait découvert le vrai visage de sa mère.

Elle avait alors posé un regard neuf sur sa famille, le cœur rempli de bonnes intentions.

Encore quelques jours de procrastination, de réflexion, de remise en question d'elle-même puis Alicia avait osé.

Papa...

Un matin, au déjeuner, elle avait appelé Jean-Louis *papa*, comme elle l'avait toujours fait enfant.

Le regard brillant d'émotion que lui avait alors renvoyé son beau-père avait bouleversé la jeune fille qui s'était fait aussitôt le serment de ne plus jamais renier l'homme qui lui avait permis d'avoir une si belle et bonne vie.

Un an plus tard, Alicia se demandait comment elle avait pu être aussi injuste envers tous ceux qui l'avaient toujours aimée.

— Donnez-moi quelques minutes pour me changer et je vous rejoins, ajouta joyeusement la jeune femme restée dans l'entrée.

On entendit aussitôt sa course dans l'escalier pour monter à l'étage des chambres, et Charlotte, comme pour une bougie que l'on souffle, effaça son sourire et offrit un regard troublé à son mari.

— On y est, dit-elle d'une voix étranglée, ramenant les

yeux sur les deux enveloppes posées devant la place d'Alicia. C'est maintenant qu'on va savoir...

— Chut ! N'anticipe rien, Charlotte... Et si on y allait par étapes ?

Charlotte fronça les sourcils tout en levant la tête vers Jean-Louis qui s'était approché d'elle et glissait gentiment un bras autour de ses épaules.

— Par étapes ? Je ne comprends pas. Tous ces papiers vont ensemble, non ? Je ne me vois pas attendre à demain ou à la semaine prochaine pour...

— Je ne parle pas de la semaine prochaine ni même de demain.

D'un geste amoureux, Jean-Louis caressait le dos de Charlotte. Il la sentait tendue.

— Je parle tout simplement d'un moment de répit, d'un petit délai entre l'ouverture des deux enveloppes. Juste ce qu'il faut de temps pour permettre à Alicia de savourer pleinement la bonne nouvelle contenue dans l'enveloppe de l'université.

— Si bonne nouvelle il y a, murmura alors Charlotte, trop bouleversée par ce qu'elle vivait en ce moment pour réfléchir avec la pertinence qui lui était coutumière.

— Aurais-tu des doutes ? demanda alors Jean-Louis qui connaissait bien sa femme.

— Non, avoua Charlotte avec un peu plus de fermeté dans la voix. Je n'ai aucun doute quant aux résultats contenus dans l'enveloppe. Je dis n'importe quoi.

— Et quand tu dis n'importe quoi, c'est que tu es toute chamboulée.

Charlotte esquissa un petit sourire sans joie.

— Effectivement, je suis chamboulée. Tu me connais bien.

Jean-Louis bomba le torse, prenant comiquement un petit air vantard.

— Oui, jeune fille, je vous connais bien.

Puis il redevint sérieux.

— Et je connais bien Alicia. C'est pourquoi je te propose de ne laisser que l'enveloppe de l'université devant son assiette. Ne dilue pas son plaisir par une autre joie qui éclipserait peut-être sa fierté. Laisse-la profiter de son bonheur à être enfin médecin. Elle a beaucoup travaillé pour en arriver là et elle mérite d'être fière d'elle-même.

Charlotte sembla réfléchir un instant, puis faisant un pas en avant, elle prit la seconde enveloppe, la grande, celle en papier kraft, celle qui scellerait peut-être le quotidien de sa vie pour les années à venir.

— Tu as raison, admit-elle tout en regardant autour d'elle, cherchant visiblement un endroit pour cacher la grande enveloppe.

— Donne, fit Jean-Louis en tendant la main. Je vais la mettre dans mon bureau. Quand tu jugeras le moment opportun, tu iras la chercher. Je vais la laisser en évidence sur ma table de travail.

La joie d'Alicia fut bruyante, sincère, soulagée.

— *Yes, yes, yes !* lança-t-elle dès qu'elle eut décacheté l'enveloppe, confirmant ainsi ce que tout le monde prévoyait.

Puis elle tendit le papier à Jean-Louis, un large sourire s'étirant d'une oreille à l'autre. Après tout, c'est un peu grâce à lui si un jour elle avait choisi de devenir médecin, à lui, donc, de voir ses notes en premier ! Le pédiatre qu'il était devenu était un homme passionné par son métier et un communicateur hors pair. Enfant, Alicia buvait ses paroles et elle sautait littéralement de joie quand il proposait, à l'occasion, de l'emmener avec lui à l'hôpital. C'est donc pour suivre les traces de cet homme qu'elle aimait et qu'elle admirait énormément que la jeune fille avait choisi de faire sa médecine.

— Regarde, papa! Je suis reçue. Avec très grande distinction, en plus!

— Bravo, ma fille.

Jean-Louis, dans ses propos comme dans son attitude, n'avait jamais fait de distinction entre Alicia et Clara. Invariablement, il leur donnait régulièrement ce petit mot d'affection: ma fille!

Un rapide coup d'œil à la feuille et Jean-Louis répondait au sourire d'Alicia.

— Bravo! Ta mère et moi, nous savions que tu en étais capable. Regarde, Charlotte! On a de quoi être fiers.

Jean-Louis tendit le papier à Charlotte qui, elle, ne pensait qu'à la seconde enveloppe. Elle prit cependant le temps de lire consciencieusement la lettre qui contenait les félicitations du recteur. Jean-Louis avait raison: il y avait de quoi être fier.

Le papier continua de circuler autour de la table pour se retrouver entre les mains de Clara qui offrit, elle aussi, et sans hésitation, un large sourire à sa sœur.

— Il ne me reste plus qu'à suivre tes traces, lança-t-elle spontanément tout en affichant une petite grimace comique. Sinon, je vais en entendre parler! Très grande distinction! On ne rit plus.

Puis le papier revint devant Charlotte.

Elle y jeta un second coup d'œil avant de se relever vivement. Il était temps de mettre les steaks à griller avant qu'elle-même ne se mette à pleurer. Tant de joie que de peur.

— Je vais dans la cour pour faire cuire la viande, annonça-t-elle un peu brusquement. Deux steaks saignants et deux médiums, comme d'habitude… Sors une bonne bouteille de vin, Jean-Louis. L'occasion le justifie amplement. Toi, Clara, mets la vinaigrette dans la salade. Je reviens dans quelques minutes.

Charlotte mangea sans grand appétit et but plus qu'elle ne le faisait d'ordinaire. Bien sûr, elle était capable de se réjouir sincèrement de la bonne fortune de sa fille. Alicia avait largement mérité ce qui lui arrivait : elle avait tant travaillé. Mais d'un autre côté…

Ce fut Alicia qui proposa de prendre le dessert sur la terrasse.

— Le coucher de soleil est splendide et il fait encore pas mal chaud.

— Approuvé sans condition, lança Charlotte qui était déjà debout. Prends la pile d'assiettes, Clara, et les cuillères à dessert. Installez-vous, j'arrive avec le gâteau.

Mais au lieu du gâteau, quand Charlotte rejoignit les siens sur la terrasse, c'était une grande enveloppe brune qu'elle portait devant elle, avec un air solennel.

— Tiens ma grande, c'est pour toi, fit-elle en tendant gauchement l'enveloppe. Jean-Louis et moi, ça fait un long moment déjà que nous nous doutions qu'un jour comme aujourd'hui allait arriver… On avait donc prévu le coup… Je… Ouvre, Alicia ! C'est ton cadeau. Ça fait plus d'un an qu'il t'attend.

Curieuse, la jeune femme ouvrit l'enveloppe à petits gestes rapides.

À peine un premier regard sur les papiers et son cœur s'emballa.

Mon Dieu, se pourrait-il que… ?

Fébrile, la jeune femme étala les papiers et les lissa du plat de la main.

À peine une feuille lue et Alicia comprit quel était le cadeau offert par ses parents. Elle se mit aussitôt à pleurer, incapable de contenir sa joie, son émotion. Elle pleurait sans grand éclat, que des larmes silencieuses qui s'échappaient de ses yeux et coulaient le long de ses joues pour venir mourir sur son chandail. Arrivée à la dernière page, la photo que Charlotte avait ajoutée au dossier vint tout confirmer. Alicia renifla, plus touchée que jamais, et du bout de l'index, toute tremblante, elle suivit le contour du toit d'une vieille chaumière anglaise.

— Dis-moi que ce n'est pas un rêve, maman, murmura-t-elle d'une voix chevrotante, sans lever les yeux. Dis-moi que je ne vais pas me réveiller dans quelques instants, inondée de larmes inutiles et amèrement déçue.

— Tu ne vas pas te réveiller, Alicia.

C'est Jean-Louis qui avait pris la parole.

— Tout ce que tu viens de lire est bien vrai. C'est ta mère qui en a eu l'idée, avant même ton retour l'an dernier, quand tu étais encore au Connecticut chez ton grand-père Raymond. Moi, je n'ai fait que l'appuyer inconditionnellement. Tu ne pouvais toujours pas te départir de l'héritage de ta grand-mère Winslow, n'est-ce pas ?

Jean-Louis s'était permis de répondre à la place de Charlotte, car celle-ci pleurait autant que sa fille, de ces larmes longtemps retenues qui ne font aucun bruit. Elle était heureuse de la joie de sa fille, bien sûr, mais aussi craintive devant l'avenir. Charlotte avait tellement peur qu'Alicia décide de retourner vivre en Angleterre, maintenant qu'elle était médecin et qu'elle avait retrouvé sa maison.

Jean-Louis avait parlé d'une voix très douce, presque un murmure, respectant l'intensité du moment. Même Clara, jeune fille enjouée et prompte à faire des blagues, retenait son souffle.

Alors, Alicia leva la tête et son regard s'attacha aussitôt à celui de sa mère qui la dévorait des yeux.

Comment, comment lui dire que l'envie de repartir lui était revenue au fur et à mesure qu'elle lisait les feuillets du document confirmant qu'elle était propriétaire de la maison de grand-ma ? Parce qu'au fond, étant de nationalité anglaise de par sa naissance, Alicia pouvait s'y installer sans autre forme de tracasserie administrative. Et puis, elle savait fort bien que c'était la possibilité de poursuivre ses études qui avait causé problème, l'an dernier, pas le fait de travailler à titre de médecin. Maintenant que le diplôme était obtenu, elle n'avait qu'à faire ses bagages et...

L'attention d'Alicia quitta le monde des rêves éveillés et revint se poser sur Charlotte qui, elle, n'avait que sa fille dans la tête et dans le cœur.

C'était un regard rempli d'amour qui se posait sur Alicia.

La jeune femme se dit qu'au moment de sa naissance, sa mère avait dû la dévisager de la même façon, avec ce même regard, rempli d'amour, de fierté mais aussi d'un peu d'effroi devant la vie qui s'ouvrait désormais devant elles.

— Merci.

La voix d'Alicia était rauque.

— C'est le plus beau cadeau que tu pouvais me faire.

Incapable de parler, Charlotte se contenta de hausser une épaule tremblante sans quitter sa fille des yeux.

D'un geste discret, Jean-Louis fit alors signe à Clara de le suivre à la cuisine. Pour le moment, Alicia et Charlotte avaient besoin d'être seules. Silencieuses peut-être, mais seules, car elles partageaient une même émotion.

Lentement, Alicia tendit la main pour la poser sur celle de Charlotte. Cela avait pris du temps pour le comprendre et l'accepter, mais aujourd'hui, Alicia savait que sa mère avait eu raison de taire le nom de son père naturel.

De toute façon, pour ce que cela avait changé dans sa vie de le savoir…

Finalement, c'est elle et elle seule qui avait fait un drame de ce choix par lequel Charlotte avait tenté de respecter tout le monde impliqué, à commencer par sa fille Alicia.

C'est ce que mamie avait tenté de lui expliquer quand Alicia avait séjourné au Connecticut, l'an dernier.

Le geste que Charlotte venait de poser, rachetant en son nom la maison de grand-ma, prouvait que mamie avait raison : sa mère Charlotte était une femme exceptionnelle, et Alicia regrettait amèrement d'en avoir douté.

Aujourd'hui, sans la moindre hésitation, la jeune femme avait envie de retrouver cette belle complicité qu'elle avait si longtemps partagée avec sa mère.

Mais si elle repartait, cet espoir serait probablement perdu à tout jamais.

— Merci, répéta-t-elle, émue, ne trouvant aucun autre mot pour exprimer à quel point elle était heureuse.

— De rien.

Le soleil couchant dessinait une dentelle avec les feuilles qui se balançaient mollement au sommet du grand chêne, et c'est tout ce que Charlotte pouvait apercevoir en dehors de sa cour. Un bout de ciel.

Ici, l'horizon se mesurait en nombre d'étoiles que l'on pouvait apercevoir, et comme Charlotte le soulignait régulièrement en riant, l'horizon était plutôt vertical.

Et c'est encore à cela qu'elle pensait en ce moment, effaçant ses dernières larmes du revers de la main. Ici, il n'y avait qu'un horizon vertical, alors qu'elle avait connu tellement mieux en Angleterre. C'est aussi un peu pour cette raison qu'elle avait racheté la maison de grand-ma : à cause de l'horizon qui se perdait au bout de la lande, courtisant le ciel. À cause, aussi, de la lavande qui sentait si bon quand le vent se faisait complice et emportait les plants violacés dans une ronde folle, les faisant se balancer joyeusement, ondulant dans le soleil couchant. À cause de l'odeur du foin fraîchement coupé et celle des roses sauvages qui délimitaient le petit jardin de grand-ma.

À cause surtout de tous les merveilleux souvenirs qu'elle gardait précieusement, ceux se rattachant à toutes ces années où elle avait vécu aux côtés des Winslow.

Alors, parce que Charlotte avait toujours été honnête, envers elle comme envers tous ceux qu'elle aimait, elle confia :

— Tu sais, Alicia, c'est aussi un peu pour moi si j'ai eu envie de racheter la maison de grand-ma en ton nom. Parce que moi aussi, j'ai été heureuse là-bas. Très.

Le regard accroché au sommet de l'arbre qui se fondait tout doucement à l'indigo du ciel, Charlotte resta silencieuse un moment. Un silence qu'Alicia se garda de briser, devinant que ce qui allait immanquablement suivre serait important, même si probablement les mots de sa mère mettraient un frein à ses rêves.

— La vie en Angleterre n'a pas toujours été facile, reprit

Charlotte au bout de quelques minutes. Loin de là. Même après mon mariage avec Andrew, il y a eu de longues périodes d'incertitude, de questionnements. Je… Un jour, peut-être, je t'expliquerai vraiment tout ce qui a traversé ma vie durant ces années-là. Mais sache que jamais, tu m'entends, jamais tu n'as été un fardeau pour moi. Jamais. Même quand j'ai compris que j'étais enceinte, que je n'avais que dix-huit ans et que j'habitais encore chez tes grands-parents… Même en ce temps-là, avec l'ombre de ta grand-mère Blanche qui me terrorisait, j'étais heureuse de te porter. J'aurais voulu te le dire bien avant, mais tu es partie trop vite… Ce soir, par contre, je crois que c'est un bon moment pour dire ces choses-là.

Un second silence se glissa entre Charlotte et sa fille. La mère cherchait ses mots pour dire les choses sans blesser, pour demander son assentiment sans provoquer de dispute alors que la fille, elle, venait de comprendre qu'elle mettrait son beau rêve à l'abri dans un coin de son cœur pour y revenir plus tard.

— Je… je veux que tu saches, ma grande, que cette maison au toit de chaume que tu aimes tant est désormais la tienne. Je… Si jamais tu décidais de retourner en Angleterre pour y vivre, je respecterais ton choix… J'espère seulement que je serai toujours la bienvenue chez toi. Moi et Jean-Louis, bien sûr. Si l'idée était de moi, sans lui, tu dois bien te douter que je n'aurais jamais pu acheter la maison.

À ces mots, Alicia se redressa lentement. Après tout, elle aussi avait pris certaines décisions concernant son avenir, et si Charlotte ne l'avait pas devancée avec cette merveilleuse nouvelle, elle aurait déjà tout dévoilé de ses espoirs et ses intentions.

Alicia aussi n'attendait que les résultats à ses examens pour le faire.

Elle se redressa donc sur sa chaise et reprit là où Charlotte avait laissé la conversation.

— Maman! Comment peux-tu imaginer que vous ne serez pas les bienvenus? Bien sûr que vous serez toujours les bienvenus chez moi!

Chez moi!

Charlotte entendit un cri du cœur dans ces deux mots qui avaient fusé avec tant d'empressement.

Devant cette réponse, le cœur de Charlotte se mit à battre la chamade. Alicia était-elle en train de lui dire qu'elle avait déjà pris sa décision et qu'elle repartait pour l'Angleterre? Incapable de supporter l'idée de ne pas savoir vraiment, Charlotte suggéra, d'une toute petite voix:

— Comme ça, tu vas repartir. C'est ce que tu es en train de me dire, n'est-ce pas?

Alicia eut une dernière hésitation, comme un regret, une ultime déception, puis elle s'obligea à esquisser un sourire.

— Mais voyons donc! Est-ce que j'ai dit ça?

— Pas directement, mais tu viens de parler de la maison de grand-ma comme étant chez toi. Comment veux-tu que je…

— C'est juste une façon de parler, interrompit Alicia d'une voix catégorique mais quand même très douce. Ici, c'est chez toi et aussi chez moi, n'est-ce pas? Alors, là-bas, ce sera chez moi mais aussi chez toi… C'est tout! Juste une façon de dire les choses.

— C'est vrai?

Tout doucement, l'émotion intense des derniers instants reprenait sa place au fond des cœurs. La crainte de

Charlotte se faisait plus sage et la déception d'Alicia, plus raisonnable.

— Bien sûr et pour te le prouver…

Alicia soutint le regard de sa mère avec une lueur indistincte au fond des yeux. Puis, mettant ses mains en portevoix, la jeune femme se tourna vers la maison et elle lança :

— Papa, Clara, venez ici ! Je veux vous parler !

Les deux interpellés, qui n'attendaient qu'un signe pour revenir, parurent aussitôt dans l'embrasure de la porte.

— Nous voilà, rétorqua joyeusement Clara.

— Et voilà le dessert, répliqua Jean-Louis, en écho à sa fille, portant une grande assiette bien garnie devant lui.

— Alors, venez vous asseoir ! On va manger et pendant ce temps-là, je vais vous annoncer quelque chose. Un petit quelque chose qui s'adresse surtout à papa, mais d'après ce que je peux comprendre, ça devrait aussi faire plaisir à maman. C'est… comment dire ? C'est ma surprise à moi pour vous remercier du cours que j'ai pu suivre sans me compliquer l'existence. C'est un peu beaucoup grâce à vous si j'ai pu faire mon cours… Oh ! Miam ! Un *shortcake* aux fraises…

Alicia prit le temps de déguster une grosse bouchée de gâteau, les yeux mi-clos. Puis une deuxième, attendant que tout le monde soit servi pour reprendre sa déclaration.

— Voilà…

La jeune femme déposa sa cuillère dans l'assiette et s'essuya posément la bouche avec sa serviette de table. Pourquoi pleurer sur quelque chose qui n'était ni disparu ni impossible ? Son beau rêve de vivre en Angleterre n'était que reporté.

— Moi aussi, j'attendais que les notes soient rentrées pour vous parler.

Puis se tournant vers Jean-Louis, elle demanda :

— Papa… J'aimerais savoir si tu serais d'accord pour partager ton bureau de consultation avec moi. En même temps, j'aimerais que tu demandes pour moi au directeur de Sainte-Justine s'il n'y aurait pas, par hasard, une petite place pour un médecin généraliste fraîchement sorti de l'université… Voilà, c'est tout.

Puis, sans laisser le temps à Jean-Louis de répondre, Alicia se tourna vers Charlotte.

— Comme tu vois, je n'ai pas du tout l'intention de partir.

Ce n'était peut-être qu'un pieux mensonge, mais de toute évidence, il plut à Charlotte qui soupira d'aise.

— Pas pour le moment, en tout cas. Mais de savoir que je vais pouvoir passer mes vacances en Angleterre si j'en ai envie, c'est tout simplement merveilleux. Et puis, maman, il ne faudrait pas oublier que j'ai une autre très bonne raison de vouloir rester ici.

— Ah oui ? Laquelle ?

— Aurais-tu oublié que je suis la marraine d'une petite Alice qui n'a pas encore trois semaines ?

— C'est bien trop vrai !

— Bon tu vois ! Tu t'en faisais pour rien, maman. Je n'ai pas l'intention de me soustraire à mes responsabilités. Si Laura m'a demandé d'être la marraine de sa fille, c'est qu'elle me fait entièrement confiance. Et dis-toi bien que maintenant que je suis officiellement médecin, j'ai bien l'intention de la gâter outrageusement, cette petite fille-là !

Puis se tournant vers sa jeune sœur, Alicia ajouta joyeusement :

— Et toi aussi, jeune fille, je veux te gâter !

Clara était rose de plaisir.

— Maintenant que tu es en âge de sortir, on va écumer les salles de spectacles et de cinéma ensemble. Et les boutiques de vêtements aussi !

CHAPITRE 8

Ils s'aiment comme avant
Avant les menaces et les grands tourments
Ils s'aiment tout hésitants
Découvrant l'amour et découvrant le temps…

Ils s'aiment
DANIEL LAVOIE (MUSIQUE : DANIEL DESHAIME), 1983

Montréal, jeudi 27 juillet 1972

Marcel dans la chambre froide
Voilà ! C'était fait !

Marcel poussa un long soupir.

Antoine était marié. En septembre, il irait vivre à Boston pour permettre à Donna de terminer ses études puis, une fois le diplôme obtenu, ils retourneraient à Los Angeles.

Antoine, son fils Antoine, s'installerait à l'autre bout de l'Amérique pour faire sa vie, pour élever sa famille. Hier, à l'heure du souper, il avait appelé pour dire que Donna et lui étaient revenus de leur voyage de noces qui les avait emmenés au Portugal, où ils avaient logé chez son ami Miguel, celui qui avait assisté à son mariage. Un ami que Marcel n'avait jamais rencontré auparavant, comme bien des choses lors de ce voyage fait surtout de découvertes. Entendre la voix d'Antoine, un peu déphasée parce qu'il appelait de si loin, lui avait presque fait venir les larmes aux yeux.

Jamais Marcel n'aurait cru qu'il s'ennuierait de son fils à ce point.

— Maudit calvaire ! C'est à peine si je me suis occupé de lui quand y' était p'tit pasque je le trouvais trop tranquille pour un garçon, pasque je le comprenais pas, pis astheure qu'y' est parti de la maison, y a pas une calvaire de journée ousque je pense pas à lui... Ça se peut-tu ! Ça doit être l'âge qui fait ça. Plusse on vieillit, plusse on devient moumoune, on dirait ben. Comme une femme, calvaire ! Pourtant, me semble que chus pas si vieux que ça !

Sur cette constatation qu'il trouvait plutôt déprimante, Marcel laissa filer un second soupir.

Ce matin, il s'était réveillé très tôt. Un regard impatient sur le cadran et il s'était retourné sur le côté, bien déterminé à se rendormir. Après cette malencontreuse pensée pour la journée à venir, il n'avait pas été capable de retrouver le sommeil.

En après-midi, à trois heures, il avait rendez-vous avec le médecin qu'il avait rencontré à l'hôpital, en juin dernier.

Marcel s'était alors levé sans faire de bruit et il avait laissé une petite note sur la table de la cuisine pour aviser Bernadette qu'il était déjà parti pour la boucherie.

C'est ainsi qu'avant même le lever du soleil, dans son épicerie silencieuse, Marcel faisait le bilan du dernier mois, installé sur son petit banc au bout de l'étal. Un mois riche en émotions de toutes sortes, en découvertes aussi, et tout cela, grâce à Antoine qui avait choisi, allez donc savoir pourquoi ! une gentille jeune fille qui habitait à l'autre bout du monde.

— N'empêche que je peux comprendre ça, moé, qu'Antoine aye décidé de vivre par là-bas, analysa-t-il à voix basse. Calvaire que c'est beau, Los Angeles... Surtout avec son océan pas loin !

Il observa un court silence pour faire renaître l'intense émotion ressentie quand il avait découvert l'immensité de la mer pour la première fois.

— Pis paraîtrait qu'y a même pas d'hiver par là, enchaîna-t-il rapidement sur le même ton étouffé. Entécas, pas avec de la neige comme nous autres icitte. Me semble que j'aimerais ça, moé avec, vivre dans un coin de pays ous-qu'y aurait jamais de neige. Calvaire, oui ! Me semble que j'ai ben en masse de ma chambre froide pour me geler les mains pis les pieds à longueur d'année.

Marcel regarda autour de lui, réprimant un frisson.

— Ouais, si y en a un qui a pas besoin d'hiver pour connaître le frette, c'est ben moé ! Petête ben qu'on pourrait penser à ça, Bernadette pis moé: passer l'hiver au chaud. Avec Charles qui vieillit pis qui va ben finir par me remplacer icitte, pis avec le Roméo qui pourrait voir à la mère de temps en temps, ça serait petête faisable d'icitte à une couple d'années. Ouais, je pourrais faire comme monsieur Perrette pis Jos Morin, l'ancien mécanicien. Six mois icitte quand c'est l'été pis qu'y' fait beau, pis six mois au soleil pour pus jamais voir la neige. Ouais… Me semble que ça serait pas pire, ça ! Six mois icitte avec Laura pis sa famille, pis six mois à Los Angeles avec Antoine pis sa femme… Ouais dans une couple d'années on pourrait faire ça, quand Donna aura fini ses études à Boston pis qu'avec mon gars, y' se seront installés pour de bon dans l'Ouest.

Durant quelques instants, Marcel caressa cette idée qui lui semblait remplie de bon sens. Un regard sur ses mains fit aussitôt renaître certaines inquiétudes beaucoup plus concrètes qui éclipsèrent sans aucune difficulté ses projets d'avenir.

Depuis quelques semaines, ses mains avaient enflé tout comme ses chevilles et ses pieds, d'ailleurs. Un effet secondaire, paraîtrait-il, du médicament que le médecin vu à l'urgence lui avait prescrit.

— Mais ne vous inquiétez pas, ça va disparaître quand vous aurez fini le traitement. C'est un peu dur pour l'estomac, par contre, on fait donc attention à tout ce que l'on mange. Pas d'alcool et rien d'épicé. Rien de riche, non plus, ou de trop sucré.

— Calvaire, aussi ben dire que je mangerai pus!

— On n'a pas le choix. Faites-moi confiance! On se revoit dans six semaines. Si tout fonctionne comme je l'espère, on devrait voir une certaine différence, une belle amélioration. On fera alors le bilan ensemble et on verra pour la suite.

— Pasqu'y' va y avoir une suite?

— Ce que vous avez, monsieur Lacaille, ne se guérit pas. On peut atténuer les symptômes, on peut prolonger votre espérance de vie, mais dans l'état actuel de la médecine, on ne peut malheureusement pas vous guérir. Une fibrose pulmonaire, c'est sérieux.

Le ton du médecin aussi était grave.

Marcel avait donc suivi les instructions à la lettre, ne se permettant qu'une petite digression: il avait pris un verre de champagne pour porter un toast avec tout le monde au mariage d'Antoine. Sinon, il avait scrupuleusement respecté les ordres du médecin et il avait coupé dans les sauces, les desserts et la bière. Si ce n'avait été de ses mains et de ses pieds, et peut-être aussi de son visage qui lui semblait un peu bouffi — «comme une grosse lune, calvaire!» —, Marcel avait même l'impression d'avoir perdu un peu de poids, ce qui n'était pas pour lui nuire. Tout comme Bernadette, il avait tendance à abuser des bonnes choses de la table.

— C'est toujours ben pas de ma faute si ma femme est une cuisinière dépareillée !

Quant à sa toux, il ne savait pas vraiment s'il y avait eu du changement. Oui, il toussait toujours, mais il avait l'impression que cette toux était moins profonde, moins grasse.

— Hein, Bernadette, que je tousse moins ?

Tous les soirs, dans l'intimité de leur chambre, Marcel avait cette question au bout des lèvres.

— Me semble même qu'aujourd'hui, j'ai pas toussé pantoute, calvaire ! Ou ben c'était tellement pas fort que je m'en suis même pas rendu compte !

Bernadette détournait les yeux, inquiète comme jamais, car les propos du médecin lui étaient rentrés dans le cœur comme une épée chauffée à blanc. Elle approuvait donc tout ce que Marcel disait, faute de mieux. Au moins, entre eux, il n'y aurait pas de dispute.

— Je sais pas trop, mon homme, faisait-elle, prudente. Je passe pas mes journées à t'écouter, tu sauras. Mais si tu le dis, ça doit être vrai.

Alors, Marcel était confiant. Si Bernadette n'entendait rien, c'est assurément qu'il n'y avait rien à entendre. Même si la peur lui grignotait parfois un bout du cœur — ne sait-on jamais ce que les médecins ont derrière la tête — dans l'ensemble, Marcel était confiant.

Quoi qu'il en soit, à trois heures, cet après-midi, il en aurait le cœur net, comme le répétait sans fin Évangéline qui, de toute évidence, n'en menait pas large.

— On rit pus, viarge ! Une maladie qui se guérit pas…

Je me demande ben où c'est que t'as pu attraper ça, toé ! T'as ben des défauts, mon gars, j'en ai jamais douté, mais t'es pas un courailleux ni un ivrogne, pis t'as jamais fumé. Me semble, d'habitude, que les poumons malades, c'est pour les gros fumeurs, non ? Comme Jules, au village, quand j'étais p'tite. Y' fumait comme un engin, y' toussait comme un perdu, y' avait les doigts toutes bruns ben écœurants, pis finalement y' est mort d'emphysème... Ouais, em-phy-sème. Un mot pareil, t'oublies pas ça, viarge ! Mais toé...

Marcel non plus ne comprenait pas. Sa mère avait quand même raison : s'il avait mauvais caractère, il n'avait jamais fait d'excès autres que ceux de la table. Alors...

Peut-être bien qu'à trois heures, cet après-midi, il aurait sa réponse.

— En attendant, m'en vas couper quèques beaux rôtis, pis j'vas faire du lard haché en masse. Ça va me faire gagner du temps.

Quand Bernadette vint le rejoindre, sur le coup de huit heures, et qu'elle lui proposa de l'accompagner chez le médecin, Marcel refusa catégoriquement. Pourquoi ? Il aurait été en peine de le dire. Habituellement, pour ces choses-là, il aimait bien que sa femme soit à ses côtés. Mais pas aujourd'hui. Ce fut comme un vieux réflexe en lui qui refit spontanément surface, celui de toujours tout contredire. Il se contenta de répliquer :

— Pas besoin ! Tu le vois ben que j'vas mieux, calvaire !

Bernadette le dévisagea un moment, puis elle haussa les épaules avant de tourner les talons sans répondre.

Non, Marcel n'allait pas mieux. Il toussait toujours autant et en plus, maintenant, il avait l'air d'une outre gonflée d'eau! Mais si lui pensait qu'il était guéri, pourquoi lui enlever ses illusions? Le docteur s'en chargerait bien assez tôt.

Et peut-être, aussi, qu'elle se trompait du tout au tout. En fin de compte, elle n'y connaissait pas grand-chose.

Bernadette regagna son bureau en pensant à la journée de fou qui s'ouvrait devant elle parce que le lendemain, elle prenait congé.

Un petit frisson de plaisir relégua Marcel au second plan.

Puis, elle souleva le combiné du téléphone et signala un numéro pour passer une commande de «crème à glace», comme elle s'entêtait à le dire. Avec la chaleur qu'il faisait depuis quelques jours, elle ajouterait aussi une panoplie de douceurs glacées à sa commande, popsicles et fudgesicles, revellos et cornets qui devraient disparaître rapidement au cours de la fin de semaine.

On annonçait une température idyllique.

L'après-midi arriva beaucoup trop vite aux dires de Marcel. Mais quand midi sonna au clocher de l'église, le temps se mit à traîner de la patte.

Au risque d'attraper un torticolis, Marcel tournait la tête vers l'horloge aux trente secondes. Jamais la trotteuse n'avait été aussi lente. Même quand il avait appris que Bernadette venait de partir pour l'hôpital et qu'elle était en train d'accoucher de leur petit dernier, le temps ne lui avait pas paru aussi long.

À deux heures, Marcel fit signe au jeune commis de venir le remplacer derrière le comptoir de la boucherie. Il n'en pouvait plus d'attendre.

— Viens icitte, le jeune! Faut que je m'en aille. Y a du *stock* en masse, tu vas voir! T'auras juste à servir les clientes comme d'habitude. Laisse faire le ménage, j'vas m'en occuper en revenant.

Le temps d'un brin de toilette et Marcel quitta l'épicerie sans saluer personne.

La ville était une vraie fournaise. De l'asphalte des rues, du capot et du toit des voitures montait un frisson de chaleur. Quand Marcel arriva à l'hôpital, il suait à grosses gouttes et un poids lourd oppressait sa poitrine. Il se dit que ça devait être l'inquiétude.

Le médecin l'attendait.

— Asseyez-vous, on va regarder ça ensemble.

Brusquement, Marcel trouva agaçante cette manie que le médecin avait de toujours parler à la troisième personne, de façon tellement impersonnelle. Cependant, quand ce dernier ouvrit le dossier placé devant lui, Marcel se montra attentif.

— C'est maintenant qu'on va savoir... Comment vous sentez-vous, monsieur Lacaille?

— Pas pire, pas pire pantoute.

Marcel bomba le torse comme pour donner plus de crédibilité à sa réponse.

— Me semble que je tousse moins pis que chus moins essoufflé.

— C'est ce qu'on va voir... Asseyez-vous sur la table d'examen et enlevez votre chemise, on va écouter ce que ça donne, six semaines de cortisone!

— Ça donne des pieds pis des mains enflés, lâcha Marcel pour détendre l'atmosphère. Même ma face a l'air plusse grosse.

— On vous l'avait dit!

Pas moyen d'arracher un sourire à ce petit homme

sévère ! Renfrogné, Marcel se jura de ne plus rien dire, sauf si on le questionnait.

Mais on ne le questionna pas.

— Remettez votre chemise, on va à la radiologie, ordonna le médecin en lui tendant un papier qui ressemblait à une prescription pour des médicaments. Troisième étage. On se revoit après.

Un long couloir, l'ascenseur, un autre couloir, enlever sa chemise, se retrouver entre deux plaques glacées, les bras en l'air, retenir son souffle…

Puis retour au point de départ et encore une fois, l'attente. Une interminable attente où la trotteuse de la grosse horloge argentée de cette salle aussi grande qu'un hall de gare était probablement une proche parente de celle de sa boucherie. D'un petit bond à l'autre, elle avançait à pas de tortue.

Quand on le rappela enfin, tout comme l'autre fois, le médecin n'avait qu'une seule proposition à lui faire.

— On aimerait vous garder. Pour consulter un collègue qui va prendre la relève. Il va sûrement vouloir refaire certains examens.

— Rester icitte ? Encore ? C'est quoi la farce ?

Assis sur le bout de sa chaise, Marcel fulminait.

— Je peux pas ! L'autre fois, c'était mon gars qui se mariait pis là, c'est ma fille qui fait baptiser sa p'tite dimanche prochain. Alice, qu'a' va s'appeler… Ça fait que je peux pas rester icitte, répéta Marcel en secouant vigoureusement la tête.

Puis il planta un regard décidé dans celui du médecin pour faire comprendre qu'il ne badinait pas. Cette fois-ci, sa décision serait irrévocable. Curieusement, le médecin ne soutint pas le regard de son patient, un peu comme s'il était mal à l'aise. Ou indifférent. La tête penchée, il semblait consulter le dossier. Cela n'empêcha nullement Marcel de poursuivre son exposé sur la situation, question de montrer que ce n'était pas du tout de la mauvaise volonté de sa part.

— Je peux pas rester icitte, expliqua-t-il alors, pasque demain, ma femme, elle, a' reste à maison pour toute préparer. A' l'aura pas de reste de deux jours pour voir à une réception comme celle-là! Ça fait que demain, ça prend quèqu'un à l'épicerie pour recevoir les commandes. Pis ce quèqu'un-là, imaginez-vous don que c'est moé! Le gros des commandes, vous saurez, c'est le vendredi que ça rentre, chez nous, rapport que le gros des ventes, c'est durant la fin de semaine qu'on les fait. Surtout depuis qu'on offre à notre clientèle toutes sortes de produits fins.

Marcel espérait bien que le médecin s'intéresserait enfin à lui, demanderait ce qu'il entendait par produits fins, mais ce dernier n'en fit rien. Le nez dans le dossier, il se contenta de grommeler. Déçu, un peu blessé devant tant d'apparente indifférence, Marcel se tut sans spécifier que depuis le changement de vocation de l'épicerie, sa clientèle venait de partout dans l'Île. À quoi bon s'essouffler pour rien?

Parce qu'à tant monologuer, Marcel était hors d'haleine, lui qui, en temps normal, conversait si peu.

Puis un mot, un seul, surnagea au-dessus de cette mer de mots, comme une petite bouteille porteuse de message.

Relève…

Le petit homme désagréable avait parlé de relève.

Entendait-il par là que lui-même devrait consulter un autre médecin?

Marcel osa un léger soupir de soulagement sans voir plus

loin que le fait d'être enfin débarrassé de ce médecin si peu agréable.

Alors, tant mieux s'il y avait une relève parce que lui, il n'en pouvait plus de se heurter à ce regard sévère qui semblait lui reprocher d'être tombé malade. « Comme si j'avais fait exprès, calvaire ! »

Ce fut à ce moment bien précis que Marcel retrouva l'aisance de son habituelle impatience. Si, à l'avenir, il devait ne plus rencontrer ce médecin désagréable, il n'allait surtout pas se gêner.

Marcel s'installa confortablement, le dos bien accoté contre le dossier. S'il ne maîtrisait pas la situation, il allait au moins contrôler la discussion. Tout médecin qu'il était, cet homme déplaisant allait lui donner l'heure juste. C'est pour cela qu'il avait laissé la boucherie à son jeune employé et c'est pour cela qu'il était ici, donc il ne se contenterait pas de réponses un peu vagues.

— Bon, astheure, on va arrêter de tourner en rond, calvaire !

Brusquement, Marcel se sentit étonnamment décontracté. Après tout, c'était de lui dont on parlait, ici.

— Je viens de vous le dire, pourquoi c'est faire que je peux pas rester icitte, pis vous, ben, vous avez rien répondu.

— Si vous ne voulez pas être soigné, que peut-on répondre à...

— J'ai-tu dit ça, calvaire ? interrompit Marcel, de plus en plus hors de lui.

Le temps d'une bruyante inspiration et Marcel répondait lui-même à la question.

— Non, j'ai pas dit ça pasque ça serait pas vrai. Je veux être soigné pis en calvaire, à part de ça ! N'importe qui, à ma place, voudrait être soigné, pas besoin d'être docteur pour comprendre ça! J'ai juste dit qu'aujourd'hui, je peux pas rester icitte à cause du baptême de ma p'tite-fille. C'est toute ce que j'ai dit. Pour le reste, je sais même pas pourquoi vous voulez que je voye un autre docteur. Pasque c'est ben ça que vous avez laissé entendre, t'à l'heure, hein? Y' faudrait que je voye un autre docteur… Mais même là, chus pas sûr de ce que vous voulez dire. Ça fait qu'on va en parler. Petête ben, si vous vous donnez la peine de m'expliquer comme faut toute ce que vous avez en arrière de la tête, petête ben qu'on va finir par s'entendre, maudit calvaire!

Une violente quinte de toux interrompit Marcel et le médecin en profita pour prendre la parole.

À partir de là, Marcel ne dit plus rien.

Quand il quitta l'hôpital, de longues minutes plus tard, le soleil courtisait déjà la ligne des toits, et Marcel savait que plus jamais il ne connaîtrait l'impatience. Au contraire, il espérait que toutes les horloges du monde se mettraient à tourner au ralenti pour lui. Juste pour lui.

Marcel introduisit la clé dans la serrure de la portière de son vieux Oldsmobile rouge, mais il ne l'ouvrit pas. Un bras appuyé sur le toit de l'auto, il fixa la rue Sherbrooke encombrée de voitures qui avançaient au pas, à l'autre bout du stationnement.

Deux ans.

C'était ce que le médecin lui avait prédit.

Marcel Lacaille, avec un peu de chance, en avait pour deux ans à vivre.

Un long frisson secoua les épaules de Marcel. Pourtant, aujourd'hui, il faisait une chaleur digne des tropiques.

Deux ans.

— Comment c'est qu'y' s'imagine, lui là, qu'un homme peut se faire à l'idée que dans deux ans, y' va mourir ? murmura Marcel, le cœur emprisonné dans un étau glacé, revoyant la poignée de main molle que le médecin lui avait tendue. Y a pas personne capable de faire ça, maudit calvaire !

Puis il pensa à Bernadette.

L'image qui lui vint spontanément fut celle d'une femme un peu ronde, comme il les aimait, les deux mains dans la pâte, les bras enfarinés jusqu'aux coudes. Elle sentait bon la levure, la vanille et l'eau de rose de son parfum Avon.

Encore aujourd'hui, à plus de quarante ans, sa femme Bernadette sentait bon la vie et la jeunesse.

Marcel sentit la panique et le déni lui remonter dans la gorge, l'empêchant presque de respirer.

Comment allait-il pouvoir lui annoncer l'impensable ? Jamais Bernadette n'allait encaisser une telle nouvelle sans angoisser, sans s'affoler, elle qui s'inquiétait de tout.

Et sa mère ?

Marcel ferma les yeux durant une seconde, épouvanté.

Il entendait d'ici tous les reproches qu'Évangéline Lacaille allait adresser à Dieu et à la vie qui était si injuste, l'écorchant lui, au passage, comme s'il était responsable de quelque chose dans tout ce gâchis.

— C'est là qu'a' va avoir besoin de son Roméo, ajouta Marcel à mi-voix, le regard toujours tourné vers le flot des voitures qui bloquaient la rue Sherbrooke en klaxonnant. Pis nous autres avec, je pense ben.

Et devant lui, là dans l'immédiat, se profilaient quelques jours d'horreur parce qu'il devrait jouer la comédie, lui qui avait toujours clamé, haut et fort, que c'était ridicule de s'inventer des personnages. Chaque fois que *Les beaux dimanches* proposait une pièce de théâtre, il s'éclipsait.

— Voir que ça ressemble à la vraie vie, ça ! déclarait-il invariablement en quittant le salon. Tu parles d'une perte de temps, écouter des histoires inventées !

Pourtant, c'est ce qu'il devrait faire. Inventer une histoire. Jusqu'à dimanche, ou même lundi pour faire bonne mesure, Marcel Lacaille devrait apprendre à se taire, parce qu'il y avait le baptême de la petite Alice.

Personne n'avait à être malheureux à cause de lui. Dimanche, chez les Lacaille, on avait dit que ça serait la fête autour de la petite Alice, et ce n'était pas Marcel qui allait mettre un éteignoir sur tout ça !

Alors, oui, il allait se taire.

Taire les mots qu'il aurait envie de crier, taire l'angoisse qui le tenait prisonnier de ses longs doigts glacés, taire son désespoir de savoir qu'il ne vieillirait pas auprès de sa famille. Parce qu'il aimait tous les siens, il n'aurait pas le droit de parler et il allait se fabriquer un masque de bonne humeur, de soulagement. Et pour être crédible jusqu'au bout, il lui faudrait affirmer que finalement tout allait mieux et que les médicaments avaient été si efficaces que dorénavant, il n'aurait plus besoin de les prendre.

La gorge coincée par la peur, il allait devoir annoncer joyeusement qu'il allait enfin désenfler et que la vie allait reprendre comme avant.

Pour deux ans...

Marcel dut s'y reprendre à quelques reprises pour avaler sa salive tant sa gorge était serrée sur la tristesse, la peur et les larmes qu'il n'arrivait pas à verser.

Pourquoi ? Pourquoi est-ce que c'était à lui que ça arrivait et pas à un autre ?

Incapable de répondre à cette question qui n'avait ni sens ni réponse, Marcel leva les yeux vers l'immensité du ciel, comme il l'avait déjà fait enfant quand il s'était parfois senti dépassé par les événements.

Le bleu intense de ce merveilleux ciel avait accompagné toute la journée, du lever jusqu'à maintenant. Marcel le savait, il en avait été le témoin. Mais la journée achevait et présentement, le ciel commençait à se délaver. Vers l'est, il affichait déjà des reflets plus sombres tandis que devant Marcel, au-dessus des autos et des toits de maisons, l'orangé soutenu de l'horizon empiétait petit à petit sur le bleu ardent dans un lavis que son fils Antoine aurait peut-être pu qualifier. Lui, Marcel, il n'en était pas capable. Il n'y connaissait rien. C'est tout juste s'il avait appris, récemment, à apprécier un tableau, « une œuvre d'art », comme le disait Bernadette d'une voix un peu précieuse.

Antoine…

Marcel se racla la gorge.

Antoine était loin maintenant, si loin.

Puis, les battements de son cœur, intenses et réguliers, le ramenèrent à son angoisse.

Si Dieu existait comme le croyait si fermement Évangéline, Il ne pourrait pas le laisser tomber. Pas un homme comme lui qui avait consacré toute sa vie à sa famille, une famille qu'il devait continuer de faire vivre, d'ailleurs. Comment Bernadette allait-elle y arriver sans lui ? N'est-ce pas qu'elle avait besoin de lui ?

Marcel voulait y croire. Il avait besoin d'y croire pour se rattacher à quelque chose de concret, alors que tout, autour de lui, semblait s'écrouler.

Les deux mains appuyées sur le toit de sa vieille auto

rouge, la tête penchée vers le sol et le cœur battant d'un espoir fou entremêlé à sa peur et à sa colère, Marcel se mit à prier avec conviction, lui qui avait déserté la prière et les églises depuis de longues années déjà.

Malgré qu'il ait toujours dit qu'il n'arrivait jamais à trouver les mots pour exprimer ce qu'il ressentait, ce soir, dans le soleil baissant sur l'horizon, dans la touffeur de l'air d'une ville qu'il aimait et qu'il ne voulait pas quitter tout de suite, Marcel savait fort bien ce qu'il voulait demander, et les mots pour le dire lui venaient spontanément.

Il allait demander, en premier lieu parce que c'était là le plus important, il allait demander qu'On lui laisse le temps au moins de préparer l'avenir de son plus jeune.

— Pasque tuseule, ma Bernadette sera juste pas capable d'en venir à boutte. Vous devez ben le savoir, Vous, que Charles est pas facile. Y' paraît que Vous voyez toute !

Puis il confia qu'il espérait avoir une petite chance de retourner à Los Angeles au moins une autre fois encore.

— Me semble que c'est pas trop demander, ça, juste une fois. C'est tellement beau, là-bas ! Pis, c'est pour voir mon fils. C'est une calvaire de bonne raison, Vous trouvez pas, aller voir son fils ?

Et il y avait aussi la Floride qu'il aimerait bien visiter.

— Comme monsieur Perrette pis Jos Morin ! Là avec, ça serait juste pour une fois. Pas plusse. Question que ma femme se fasse des beaux souvenirs. Pis moé avec, tant qu'à y être. Toute une éternité sans beaux souvenirs, ça doit être long en calvaire. Pis… pis dans le fond, c'est toute. À part, comme de raison, de faire en sorte que ma mère, ma femme pis mes enfants ayent pas trop de peine. C'est facile pour personne de voir un père de famille s'en aller. J'en sais un boutte sur le sujet, rapport que ma mère a passé sa vie à parler de son Alphonse parti trop vite. Pis faudrait ben que moé, je soye capable de faire ça en homme, pas en lavette comme j'ai l'impression d'être pour astheure… Mais ça, c'est pas pour tusuite. Le docteur a dit environ deux ans. Pis si je Vous demande toute ça, c'est pas pour faire mon *smatte* en me disant qu'avec ce qui m'arrive, je mérite ben d'être écouté, non, si je Vous demande toute ça, c'est juste que j'ai ben l'impression qu'astheure, c'est pus moé le boss de ma vie, c'est Vous… Ouais, c'est Vous, maudit calvaire !

Marcel prit une profonde inspiration en regardant tout autour de lui, comme s'il espérait une apparition.

— Bon ben, c'est toute ce que j'avais à Vous demander. À Vous, astheure, de voir si ça a de l'allure… Amen.

Malgré la maladresse, jamais prière prononcée par Marcel n'avait été plus sincère, plus fervente. Vestige peut-être de ses jeunes années, de son éducation, il s'en remettait aveuglément à Dieu.

Il venait de le dire, il avait compris qu'il ne contrôlait plus rien et curieusement, il se sentit soulagé. Momentanément, la menace ne planait plus au-dessus de sa vie. C'est un peu comme si elle ne le concernait plus. Maintenant, c'était à Dieu de voir à lui, de s'occuper de lui.

Deux ans, finalement, ça pouvait peut-être sembler plus long qu'il ne le croyait.

Quant à lui, lundi matin, il demanderait à Bernadette de l'accompagner à l'hôpital, jeudi prochain, en fin de journée.

Il expliquerait que dans l'effervescence de la fête, il avait oublié de lui dire qu'il avait pris rendez-vous avec un spécialiste. Un pneumologue.

Probablement qu'il n'aurait pas besoin de rajouter quoi

que ce soit. Bernadette, avec son intuition de mère, comprendrait que la situation était grave.

Marcel ouvrit enfin la portière de l'auto et se glissa derrière le volant. Il inséra la clé et fit démarrer le moteur.

Sur la rue Sherbrooke, le trafic avançait maintenant avec une certaine fluidité. Marcel embraya. Le temps de passer à l'épicerie pour ranger le comptoir de la boucherie et il rentrerait chez lui.

Et tout en se glissant dans le trafic, Marcel comprit que ce soir, avoir la chance de rentrer chez lui revêtait une toute nouvelle importance.

CHAPITRE 9

C'est dommage, moi j'aurais bien aimé
Un peu plus d'humour et de tendresse;
Si les hommes n'étaient pas si pressés
De prendre maîtresse
Ah! Si j'étais un homme...

Si j'étais un homme
DIANE TELL, 1980

Montréal, mercredi 2 août 1972

Laura, dans la chambre de sa petite fille
Penchée au-dessus du berceau, l'index replié, Laura caressait doucement la main potelée de la petite Alice qui s'était endormie, repue par les bananes pour bébé qu'elle venait de manger pour une première fois et par le lait qu'elle avait bu goulûment.

Alice était un bébé facile, et tous les jours, Laura en remerciait le ciel, car, malgré tout ce que sa mère et sa grand-mère avaient pu prédire, elle ne se sentait pas la fibre maternelle particulièrement développée.

Comme Laura le pensait régulièrement, sans oser le dire ouvertement, elle avait surtout la fibre maternelle fatiguée!

Laura adorait sa fille, là n'était pas la question. Ce petit bout de femme venu d'elle-même après de nombreuses heures de souffrances indescriptibles avait droit à toutes ses attentions les plus affectueuses, aux meilleurs soins possibles, à une tendresse sincère et irrévocable. Sur le sujet, Bernadette avait eu raison : au moment de la naissance, il y avait eu une chimie particulière entre la mère et la fille, un instant de grâce où l'univers entier aurait pu s'écrouler autour d'elle, et Laura n'aurait rien vu, rien entendu.

Enfin ! Enfin, sa fille était née et elle criait à pleins poumons.

Mais au-delà de cela...

Laura observa attentivement le poupon qui dormait paisiblement en faisant toutes sortes de petites grimaces. Elle était belle, la petite Alice, et bien sage pour un si petit bébé. Elle faisait déjà ses nuits, comme le disait l'expression consacrée. Que demander de plus ?

Laura laissa échapper un léger soupir.

En effet, que demander de plus ? Alice était un bébé adorable, Bébert était complètement fou d'elle, les grands-parents aussi, et le baptême célébré en grandes pompes avait été un franc succès malgré toutes les funestes prédictions d'Évangéline.

— Vous allez voir, vous autres, que c'est moé qui a raison ! Les Gariépy, à part petête Bébert, c'est des faiseurs de troubles. Pas sûre, moé, que c'est une bonne idée de leur ouvrir ma porte... Viarge, ça se peux-tu ? Y' va y avoir une trâlée de Gariépy dans mon salon... Faut-tu que je l'aime, c't'enfant-là, pour accepter ça !

Évangéline, sur ces mots, avait eu un regard rempli de tendresse sur le bébé qui dormait dans son landau, indifférente au branle-bas de combat que suscitait la préparation de son baptême, puis la vieille dame avait poussé un long soupir où l'indécision et l'adoration s'entremêlaient avant d'ajouter sur un ton catastrophé :

— Des Gariépy chez nous ! On aura tout vu…

Mais les prédictions d'Évangéline étaient restées à l'état d'embryon, et la réception s'était déroulée dans la bonne humeur générale. Il faut cependant préciser qu'Arthémise, l'autre arrière-grand-mère, n'était pas au nombre des invités.

— Faut quand même pas charrier ! Je veux ben faire un effort pour plaire à ma Laura, mais avoir la vieille chipie dans ma maison, chus juste pas capable. Ça serait ben assez pour me donner une autre attaque, viarge ! Si on invitait Cécile la docteure, à place ?

Pour cette proposition, la voix d'Évangéline s'était faite racoleuse.

— Hein, Laura ? Que c'est tu dirais de ça ? Ça me ferait ben plaisir de la recevoir chez nous, la docteure. Après toute ce qu'a' l'a faite pour moé pis mon arthrite, sans compter le temps qu'a' l'a passé avec moé à l'hôpital quand j'ai été malade à Québec, me semble que ça serait ben le moins que je la remercie de c'te façon-là, non ? Surtout qu'à cause de son frère pis de sa belle-sœur qui demeurent en biais avec nous autres, la docteure risque d'entendre parler du baptême de notre p'tite Alice. Faudrait surtout pas faire une gaffe en l'invitant pas… Pis on pourrait petête aussi inviter madame Anne.

Cette fois-ci, ce n'était plus une interrogation mais bien une affirmation.

— Après toute, c'est notre voisine. Pis si la docteure accepte de venir, ben, on invitera son frère Gérard pis sa femme Marie. Dans c'te cas-là, ça serait juste une question de politesse pis d'équilibre.

Finalement, si on avait écouté Évangéline, la rue au grand complet aurait été invitée au baptême de la petite Alice.

— On rit pus, chus arrière-grand-mère ! Ça se fête, ça là !

C'est ainsi que chaque fois qu'on parlait du baptême de mademoiselle Alice, Évangéline y ajoutait quelques invités. Roméo, comme de raison, et aussi Noëlla. Pis si Noëlla était de la fête, elle n'aurait pas le choix d'inviter Angélique. Tant et si bien que Bernadette avait dû y mettre un holà !

— Ben voyons don, la belle-mère ! Où c'est que vous allez vous arrêter ? C'est pas un château, icitte ! Faut quand même avoir de la place pour bouger un peu !

— Veux-tu dire par là que t'as passé ta vie dans un coqueron ?

— J'ai pas dit ça pis je l'ai jamais pensé non plus !

— Ben c'est quoi, d'abord ? On vit quand même dans un sept et demi, tu sauras. C'est pas rien. Pis on invite pas le monde pour danser, viarge, on les invite à souper !

Puis, voyant que Bernadette ouvrait la bouche pour riposter, Évangéline avait balayé d'éventuelles objections du bout des doigts en poursuivant sur un ton autoritaire, les sourcils froncés sur son impatience.

— On aura juste à tasser les littes contre les murs pour se faire de la place dans les chambres, avait-elle alors affirmé de sa voix rocailleuse. Tu vas voir, Bernadette, on va y arriver ! Pis en plusse, on annonce du beau temps. M'en vas mettre Charles sur le ménage de la cour. Le gazon faite pis l'asphalte ben balayé, ça pourrait être utile. Au besoin, on descendra les chaises de la cuisine dehors pis on sortira celles de la table à cartes que je garde dans la cave au cas où. Je pense ben que c'est astheure qu'a' va servir, c'te table-là ! On pourra l'accoter contre le hangar avec une belle nappe dessus pour déposer des affaires au besoin. Tu viendras toujours ben pas me dire que là avec, on va manquer de place ! Pis ça, c'est sans compter qu'on peut demander à Estelle de nous prêter…

Dès que l'on parlait du baptême, Évangéline Lacaille ne portait plus à terre et devenait intarissable.

Voyant qu'il ne servait à rien d'insister, Bernadette avait abdiqué sans autre forme de discours. Après tout, Évangéline était ici chez elle et elle semblait tellement heureuse d'organiser cette réception. C'était ce que Bernadette avait confié à sa fille, quelques jours avant le baptême, en riant un peu jaune devant l'ampleur de la tâche.

— Te rends-tu compte ? J'ai jamais vu ta grand-mère s'enthousiasmer autant pour quèque chose ! Sauf petête pour les élections ! En comptant toute c'te monde-là, plusse la famille de Bébert, plusse Alicia qui va être marraine avec Roger, le frère à Bébert, comme parrain, on va être quasiment une trentaine, sinon plusse ! J'ai jamais fait à manger pour autant de monde en une seule *shot,* moé !

Mais Bernadette y était arrivée. Dès le retour de l'église paroissiale où Francine, émue aux larmes, avait porté la petite Alice au-dessus des fonts baptismaux, et où Évangéline, bien entendu, avait invité le vicaire à se joindre à eux pour la réception, Bernadette, dans tous ses états, avait enfilé un tablier tout neuf par-dessus sa robe des grandes occasions, elle avait remonté ses manches et déboutonné son collet avant de s'installer à demeure dans la cuisine, véritable général en chef, un œil sur les fourneaux, une main à touiller la salade et l'autre en train des garnir les assiettes.

Gentille et serviable comme toujours, Francine avait assuré le service des petites bouchées, Cécile était venue prêter main-forte pour monter le buffet et Marcel, lui qui n'avait pour ainsi dire jamais levé le petit doigt pour aider à la cuisine, s'était chargé du service de la boisson sans qu'on ait besoin de le lui demander. Le cidre de pommes, rosé parce qu'il était aromatisé aux framboises, était du plus bel effet dans les coupes achetées expressément pour l'occasion dans la revue *Distribution aux consommateurs.*

En un mot, tout avait été une vraie réussite, ce qui avait fait dire à Bébert, une fois Laura et lui de retour chez eux, en fin de soirée :

— Sais-tu ce que je pense, Laura ?

Il parlait à voix basse parce que tous les deux étaient penchés au-dessus du lit de la petite Alice fraîchement baptisée.

— J'ai l'impression que ta mère s'est donné toute c'te trouble-là pour compenser au mariage qu'a' l'a pas pu organiser. Ça se peut-tu, ce que je dis là ?

De la tête, silencieusement, Laura avait approuvé ce point de vue sans la moindre hésitation. Oui, sa mère s'était probablement reprise pour un mariage qui n'aurait sans doute jamais lieu.

— Demain, je vais passer à la maison pour la remercier encore une fois, avait-elle finalement chuchoté. Il me semble que je ne l'ai pas fait assez.

— Ben dans ce cas-là, amène don des fleurs à ta mère ! Un beau gros bouquet avec des roses dedans. Des roses rouges ! Me semble que ça serait une belle façon d'y montrer qu'on apprécie ben gros toute ce qu'a' l'a préparé pour nous autres pis notre fille !

Notre fille…

Bébert avait ces deux mots à la bouche au moindre prétexte, à la moindre occasion. Jamais père ne s'était montré aussi heureux d'une naissance. Et quand, par hasard, quelqu'un osait lui demander s'il n'aurait pas préféré un garçon, parce qu'après tout, Bébert avait toujours été un grand amateur de hockey et de voitures en tous genres, le seul froncement de ses sourcils pavait la voie à sa réponse.

— T'es-tu malade, toé ? Notre fille, tu sauras, c'est un cadeau du ciel. Pis quand ben même j'aurais juste ça, des filles, ben sacrifice, si elles sont toutes pour ressembler à Alice, je serai pas déçu. Pas pantoute !

En un mot, depuis la naissance d'Alice, Bébert était au septième ciel.

Comme Laura aurait dû l'être.

Un beau bébé en santé, une cérémonie empreinte d'émotion qui avait tiré les larmes à plus d'un, une réception somptueuse sous un ciel au bleu impeccable, sans le moindre nuage, un été somme toute beau et chaud…

Oui, Laura aurait dû être une mère et une femme comblée.

Malheureusement, ce n'était pas le cas.

Pourquoi ? Elle n'arrivait pas elle-même à le dire.

Peut-être était-ce parce qu'elle ne s'était pas encore complètement remise d'un accouchement long et douloureux ou parce que les nuits, même relativement complètes, ne suffisaient pas. Peut-être était-ce parce qu'un bébé, ça prenait beaucoup de temps, plus que tout ce qu'elle avait pu imaginer, elle qui ne se rappelait pas vraiment les mois et les années où son jeune frère Charles était encore un tout petit enfant.

Peut-être était-ce aussi parce que pour Bébert, Alice n'était que la première d'une famille qu'il voyait s'agrandir d'année en année et que cette perspective effarouchait Laura.

Peut-être…

À cette pensée, Laura poussa un dernier soupir avant de s'arracher à la contemplation du bébé endormi.

Pour l'instant, malgré le fait que Bébert ait déjà commencé à parler abondamment de leur future famille, Laura n'était pas du tout prête à renouveler l'expérience. Même que l'éventualité d'une autre maternité était comme un nuage à l'horizon de la jeune mère qui commençait à se languir de son travail, tant celui à titre de psychologue que les quelques heures passées chaque semaine au commerce familial.

Laura sortit de la chambre d'Alice sur la pointe des pieds et se dirigea silencieusement vers la cuisine.

Passer sa vie coincée dans une maison, les mains dans l'eau de vaisselle, avec en tête comme principale préoccupation le menu de la semaine ou le lavage à faire, ce n'était pas pour elle. Quelques mois à tourner en rond dans son petit logement avaient amplement suffi pour faire comprendre à Laura qu'elle n'était pas taillée dans le même bois que sa mère ou sa grand-mère. Elle n'était pas faite pour se retrouver dans la peau d'une femme au foyer, comme on qualifiait maintenant, avec parfois une petite pointe de mépris dans la voix, les femmes qui choisissaient d'élever elles-mêmes leur famille.

— Et une maison plus grande n'y changerait pas grand-chose, murmura Laura tout en prenant la bouilloire pour mettre de l'eau à chauffer.

En effet, Laura était persuadée que l'exiguïté de leur logement n'était pas la cause de son vague à l'âme, et le fait de déménager dans une maison de banlieue, plus vaste et plus aérée, n'y changerait rien. Dans son cas, ça se jouait à un autre niveau.

De toute façon, pourquoi vouloir un autre enfant, alors qu'Alice était le summum des bébés ? Dans l'immédiat, la présence de cette petite personne souriante comblait totalement les attentes de Laura. Peut-être bien que plus tard, dans quelques années, elle accepterait de réfléchir à l'idée d'avoir un autre enfant, mais pour l'instant, elle était beaucoup plus préoccupée par le besoin de se trouver une gardienne que par les ambitions de Bébert qui ne se gênait pas pour dire qu'il se voyait très bien à la tête d'une grande lignée de petits Gariépy.

— Une lignée de Gariépy, soupira Laura, accablée, tout en se préparant un café. Un deuxième peut-être, quand Alice sera en âge d'aller à l'école. Mais pas plus et pas avant ! J'ai pas étudié durant toutes ces années-là pour rien, maudite marde ! Ça m'a peut-être pris du temps avant de me décider, mais maintenant que j'ai commencé à travailler, j'y tiens ! Va falloir que Bébert le comprenne et l'accepte. Même s'il n'arrête pas de dire qu'il a les moyens de me faire vivre… Me faire vivre ! Je l'haïs-tu, un peu, cette expression-là ! Pourquoi pas dire qu'il va m'entretenir, tant qu'à y être… Comme une catin.

Laura secoua vivement la tête, emportée par une colère momentanée.

— Même ma mère va comprendre le fait que je veuille retourner travailler. Elle non plus, elle n'a pas accepté de se faire vivre par son mari. Depuis le temps qu'elle vend des produits Avon…

Tout en marmonnant et en maugréant, Laura avait regagné le salon, une pièce assez petite mais ensoleillée, qui donnait sur le balcon et sur la rue. Par la fenêtre ouverte sur l'été, on entendait les moineaux piailler sur fond de moteurs et de freins. Dans un coin, sur une minuscule table de métal qui servait parfois de bureau à Laura, quelques copies de dossiers attendaient son retour au travail en s'empoussiérant.

Songeuse, Laura s'en approcha et du revers de la main, elle balaya délicatement la fine pellicule grisâtre qui s'était accumulée au cours des dernières semaines, se disant qu'il lui faudrait remettre tout cela à jour avec Angéline avant de reprendre le travail.

— C'est Angéline qui serait contente de me voir revenir, précisa-t-elle à voix haute comme si elle s'adressait aux dossiers. Elle m'en parlait justement dimanche dernier... Et moi aussi, je serais contente de retrouver mes patients et les clientes de l'épicerie... Oui, vraiment contente. Ça me ferait du bien de sortir d'ici de temps en temps, de me changer les idées.

Laura regarda autour d'elle, poussa un long soupir.

— Mais comment faire avec Alice ? J'ai pas ça dans le fond d'une armoire, moi, une gardienne en qui j'ai une confiance absolue.

Chose certaine, tant qu'elle n'aurait pas trouvé la perle rare — et Laura n'espérait rien de moins qu'une Mary Poppins ! — elle ne pourrait retourner travailler.

— À moins de confier ma fille à sa grand-mère Gariépy... Elle me l'a offert, et Bébert serait d'accord même s'il trouve que notre fille serait bien mieux avec moi.

Autre sujet de tracas, cet éventuel retour au travail. Tracas et disputes, car le ton montait régulièrement entre Bébert et Laura quand ils abordaient le sujet.

— Tu m'enlèveras pas de la tête, Laura, qu'un bébé est mieux avec sa mère. Même la plus gentille des gardiennes, même la grand-mère, pourra jamais remplacer la mère.

— J'ai jamais dit de remplacer la mère! C'est quoi cette idée-là?

— Ben c'est quoi d'abord, si c'est pas ça?

— C'est juste une gardienne, Bébert! Une gardienne qui va prendre soin de notre fille quand je ne serai pas là.

— C'est ce que je dis: c'est une femme qui va te remplacer. Qui va prendre la place que tu devrais occuper!

— Ça n'a rien à voir! De toute façon, c'est moi la spécialiste de la psychologie, ici. Pas toi. Et si je dis que notre fille ne souffrira pas d'être confiée à une bonne gardienne, je dois avoir raison.

— Alors, ce sera ma mère.

C'était habituellement ces quelques mots qui concluaient la discussion entre Bébert et Laura, car Bébert ne démordait pas de son opinion: Alice serait infiniment mieux avec Laura ou, à défaut, on se contenterait de la grand-mère. Mais de personne d'autre!

Imaginant sa fille passant la majeure partie de ses journées avec la mère de Bébert, Laura ressentit un curieux pincement au cœur. Loin d'elle l'idée que sa fille ne serait pas bien avec sa grand-mère! Laura faisait entièrement confiance à madame Gariépy pour s'occuper d'un bébé, elle avait de l'expérience et même si sa belle-mère avait vieilli, elle était encore vive et alerte. Ne s'était-elle pas merveilleusement bien occupée du petit Steve quand Francine avait disparu? Mais pour l'éducation, elle n'était pas vraiment certaine de partager les façons de faire de sa belle-mère.

— Pis je suis loin d'être certaine que ça ferait le bonheur de grand-moman, un tel arrangement, constata Laura à mi-voix en replaçant méticuleusement la pile de dossiers.

Voir son arrière-petite-fille élevée en partie par une Gariépy, même si dans le cas de la mère de Bébert, elle est Gariépy juste par alliance… Même ça, grand-moman ne l'accepterait pas. Et ça ne me tente pas du tout de déclencher une autre guerre froide avec elle. Non, monsieur ! L'idéal, finalement, ça serait de faire entendre raison à Bébert et de trouver quelqu'un qui pourrait venir à la maison.

Et tandis que Laura reportait ses incertitudes à plus tard en se disant que pour une fois, elle pourrait boire un café tranquille, Alice en profita pour pousser un pleur au même instant, comme si elle voulait faire savoir qu'elle n'était pas d'accord avec les projets de sa mère. Laura sentit aussitôt un poids alourdir ses épaules et elle poussa un long soupir d'impatience.

Lassitude ou incertitude ?

Ce simple pleur de bébé lui fit venir les larmes aux yeux.

Indécise, la jeune mère resta immobile dans le salon, espérant que la petite Alice se rendormirait. Mais ce ne fut pas le cas. Alors, Laura essuya son visage du revers de la main et en reniflant ses dernières larmes, elle se dirigea vers la chambre du bébé.

Pourquoi était-elle si lasse de sa propre fille, si inquiète devant son avenir, alors qu'avant l'accouchement, tout lui semblait si clair ? Elle allait mettre son bébé au monde et passer quelques mois de félicité avec lui. Par la suite, elle reprendrait le travail là où elle l'avait laissé. Ce n'était pas compliqué et même Bébert avait semblé d'accord avec la perception de Laura. Pourquoi, alors, la naissance d'Alice avait-elle tout bouleversé ?

La fatigue pouvait-elle tout expliquer ?

Laura ouvrit la porte de la chambre d'Alice et aussitôt

une bonne senteur de talc lui monta aux narines. Ça sentait le bébé, ça sentait bon.

Les larmes revinrent en force, inondant son visage.

Et si Bébert avait raison et que la petite Alice avait vraiment besoin d'elle ?

Laura se pencha sur le berceau et tendit les bras pour recueillir son bébé et le caler contre son épaule. La chaleur dégagée par la petite lui fit du bien même si ses pleurs l'impatientaient un peu. En ce moment, Alice Gariépy aurait dû dormir comme le bon bébé qu'elle était !

Laura soupira une seconde fois, profondément. Puis elle eut une longue inspiration tremblante, remplie de sanglots avant de serrer la petite Alice un peu plus fort contre son cœur.

L'aimait-elle assez ?

Il lui semblait parfois qu'elle n'éprouvait qu'une indifférence affectueuse à l'égard de sa fille, alors qu'à d'autres moments, comme présentement, elle avait la sensation que le cœur allait lui éclater tellement elle l'aimait.

Était-ce normal de se sentir comme ça ? Était-ce normal d'être parfois exaspérée par les pleurs de son propre bébé, tandis que parfois, elle avait l'intime conviction que personne ne pouvait s'occuper d'elle aussi bien que sa mère ?

Ces jours-là, aux yeux de Laura, même Bébert n'était pas à la hauteur.

Alors, trop souvent à son goût, Laura avait la sensation de s'y perdre, oubliant tout ce qu'elle avait appris dans ses gros livres savants.

Depuis quelque temps, elle n'était qu'une maman qui doutait de ses capacités, de ses aptitudes. Elle n'était qu'une boule d'émotions à fleur de peau, à fleur de cœur, et elle ne se comprenait plus.

Et si elle se trompait du tout au tout et qu'effectivement, Alice avait besoin d'elle et de personne d'autre ?

Et si Bébert avait raison ?

Saurait-elle, pour le bien de sa fille, en toute connaissance de cause et avec générosité, saurait-elle faire une croix sur deux métiers totalement différents mais qu'elle aimait tant, et rester, dorénavant, à la maison ?

Saurait-elle faire les bons choix ? Pour elle comme pour Alice ?

Peut-être bien, après tout, que tous les livres de psychologie qu'elle avait étudiés se trompaient en soutenant que peu importe la figure parentale, quand un enfant était aimé, sincèrement aimé, il était heureux.

Peut-être, oui, qu'ils se trompaient, et alors, en voulant retourner au travail, Laura s'apprêtait à faire une erreur magistrale.

Mais peut-être aussi que ses livres ne se trompaient pas et qu'au fond, Alice ne serait pas inconsolable parce qu'elle serait obligée de passer quelques heures par jour avec une gardienne.

Et que le fait d'être gardée ne ferait pas obligatoirement d'elle une jeune délinquante une fois l'adolescence arrivée !

Alors, le cas échéant, sa petite Alice serait-elle plus heureuse de vivre ses journées d'enfant auprès de sa grand-mère paternelle, où elle serait aimée, cela ne faisait aucun doute, ou bien serait-il préférable de la laisser ici, chez elle, dans un univers familier, en compagnie d'une bonne personne qui pourrait voir à l'entretien de l'appartement en même temps et ainsi libérer Laura qui n'aurait plus qu'à s'occuper de sa fille quand elle reviendrait du travail ?

Y avait-il sur terre quelqu'un capable de répondre à

Laura ? Capable de l'aider à prendre la meilleure décision possible ?

C'est ainsi que, quelques instants plus tard, alerté par des reniflements réguliers, Bébert trouva Laura assise dans la chaise berçante de la chambre d'Alice. C'était inhabituel qu'il soit à la maison à l'heure du midi, mais à voir Laura qui semblait si malheureuse, Bébert fut soulagé d'avoir suivi l'envie irrésistible qu'il avait ressentie au moment d'ouvrir sa boîte à lunch. Lui qui dérogeait si rarement de sa routine, avait choisi, ce midi, de tout balayer à cause de l'ennui. C'est pourquoi Bébert avait décidé de venir dîner à la maison, auprès de ses deux femmes, comme il le disait affectueusement.

Il s'arrêta un instant dans l'embrasure de la porte de la chambre de bébé.

Laura se berçait machinalement, le visage inondé de larmes, tandis que dans ses bras, rassurée par la présence maternelle et totalement indifférente au chagrin de sa mère, la petite Alice regardait autour d'elle, curieuse de tout.

Bébert eut l'impression que Laura ne l'avait pas entendu arriver. D'un geste très doux, elle caressait le fin duvet blond qui ornait la tête de la petite Alice sans pour autant cesser de verser des larmes silencieuses.

Bébert se retint pour ne pas se précipiter vers Laura.

Il se doutait bien de ce qui tracassait la jeune femme qu'il aimait tant. Il n'y avait plus aucune journée sans que le sujet revienne sur le tapis.

Son travail, son fameux travail ! Il entendait presque de la panique dans la voix de Laura quand elle en parlait. Et cette façon d'être agaçait Bébert au plus haut point. Voir si un travail pouvait avoir plus d'importance que le bébé qu'elle venait de mettre au monde !

Mais en même temps, il était conscient qu'une incroyable fatigue semblait perturber le bon sens habituel de Laura. Il y avait dans ses propos et son attitude une intolérance qui ne lui ressemblait pas. Peut-être était-ce à lui de l'aider en faisant abstraction de ses propres choix et de ses priorités ? Si Laura était bouleversée au point d'en pleurer, c'est que le sujet était vraiment important à ses yeux. Le choix à faire devait être déchirant.

Bébert tenta d'imaginer comment il se sentirait si la vie, pour mille et une raisons, l'obligeait à quitter son garage, ses clients, la mécanique.

L'idée lui fut vite intolérable. Le garage, c'était un rêve réalisé. C'était son but et son accomplissement.

C'est alors qu'il crut comprendre ce que Laura pouvait ressentir. Le fait d'aimer un travail n'enlevait rien à ses qualités de mère. Du moins, Bébert tenta-t-il de s'en convaincre, car il restait chatouilleux à l'idée de confier sa fille à une étrangère. Même sa mère, avec sa manie de toujours tout laisser traîner, avec sa main un peu leste quand un enfant était turbulent, même elle ne lui semblait plus la candidate idéale. Malgré cela, il allait tenter de poser un regard neutre sur la situation.

À deux, Laura et lui, ils finiraient bien par trouver une solution. Une solution suffisamment satisfaisante pour que le sourire refleurisse sur le visage de Laura.

Car pour Bébert, au-delà de cette petite fille qu'il aimait plus que lui-même et pour qui il donnerait sa vie sans hésiter, il y avait Laura.

Dans son cœur, d'abord et avant tout, il y aurait toujours Laura, la femme qu'il aimait depuis si longtemps déjà.

CHAPITRE 10

Illégal !
Tu me fais faire des bêtises
Dans les rues de Montréal
Quand y faut que je me maîtrise
Tu me fais piquer des crises
Illégal !

Illégal
MARJO (D. HINCE / CORBEAU), 1982

Texas, jeudi 17 août 1972

Adrien dans la cuisine de sa maison
Pour une des rares fois depuis que Michelle était au monde, Adrien était exaspéré par sa fille.

Sa mauvaise humeur chronique lui tapait sur les nerfs, sa mauvaise foi évidente le mettait hors de lui et Maureen ne faisait rien pour arranger les choses. Avec son petit sourire en coin, même si elle n'intervenait pas directement, les discussions et les affrontements ayant lieu invariablement en français, elle semblait donner raison à Michelle.

Du bout des doigts, Adrien pianota sur le bois verni de la table.

Déjà que depuis son retour de Montréal, la relation qui l'unissait à Maureen battait de l'aile, cette nouvelle attitude envers Michelle n'avait rien en soi pour améliorer le quotidien entre eux.

Adrien poussa un long soupir d'impatience. Demain, Michelle fêterait ses dix ans et il n'avait pas du tout envie de préparer une fête avec les cousins comme le voulait la coutume chez les Prescott. De toute façon, Michelle avait été très claire sur le sujet : tant que son père n'aurait pas changé d'avis, elle n'aurait pas le cœur à la fête.

La crise avait éclaté en même temps que les feux d'artifice du 4 juillet quand Chuck avait annoncé que Maria et lui quittaient le Texas pour un long périple en Europe.

— On sait quand on part et ce sera le 23 juillet prochain. Les billets sont déjà réservés. Un premier arrêt à New York que Maria n'a jamais vu, puis ensuite on s'envole pour Londres. Pour le reste, on ira selon nos envies. Paris, Rome, Madrid… On n'a pas la moindre idée de la date de notre retour. À nos âges, il vaut mieux ne pas remettre à plus tard les choses qui nous font envie. Et les voyages font indéniablement partie de ces envies. Pour l'instant, nous sommes tous les deux en santé, on va donc en profiter. J'ai même le feu vert de Jeremy Holt, notre médecin de famille, quant à ma santé cardiaque. On vous tiendra au courant au fur et à mesure que le voyage se déroulera.

Ce soir-là, Adrien avait cru apercevoir un regard d'excuse passer de Chuck à Michelle. Mais il n'en était pas tout à fait certain. Par contre, ce dont il était absolument convaincu, c'est que Chuck préférait, et de loin, ne pas être présent quand les arpenteurs et autres travailleurs de la construction viendraient morceler son grand domaine. Le début du chantier était prévu pour les premiers jours de septembre.

Dès le lendemain, Michelle faisait savoir à son père qu'elle aimerait bien, finalement, retourner à Montréal pour faire ses études en français.

— Pardon ?

— Es-tu sourd ? J'ai dit que je voulais faire mes études en français.

— Sois polie, jeune fille ! Je n'aime pas le ton que tu emploies ! J'ai tout à fait le droit de manifester un peu de surprise, non ? L'automne dernier, tu alléguais que le français écrit était trop difficile à apprendre. C'était même ton argument massue pour revenir vivre ici. Et j'en ai tenu compte, sachant que tu n'avais pas tout à fait tort. C'est vrai que la langue française est difficile. Voilà que tu aurais changé d'avis ?

— Exactement ! Pourquoi pas ? Après tout, je parle français depuis toujours ! Je devrais être capable d'apprendre à l'écrire.

— En effet. Et ce serait même un atout. Malgré cela, je trouve ton attitude un peu girouette. L'an dernier, tu ne voulais rien savoir du français et là, tout d'un coup, ça devient prioritaire ! Et si je disais que moi, pour l'instant, ça ne me tente pas du tout de retourner à Montréal ?

L'objection n'avait pas semblé peser lourd aux yeux de Michelle, qui avait accueilli la réponse de son père par un haussement d'épaules.

— Je pourrais y aller seule…

L'évidente désinvolture de sa fille avait blessé Adrien au passage. Comme si elle n'allait pas s'ennuyer de lui !

— Je suis certaine que grand-maman Vangéline et tante Bernadette n'y verraient aucun inconvénient.

— Probablement pas, effectivement. Nous savons très

bien qu'elles t'aiment beaucoup, toutes les deux. Mais où dormirais-tu? Aux dernières nouvelles, ta grand-mère avait mis le petit logement à louer maintenant qu'Antoine n'habite plus avec eux et il…

— Je sais, avait vivement coupé Michelle. J'étais là quand grand-maman en a parlé au mariage d'Antoine. Mais il y a la chambre de Laura qui est libre.

Côté argumentation, Michelle avait tout prévu!

Adrien avait donc promis de prendre tout son temps afin de réfléchir sérieusement à cette proposition, pour revenir sur sa promesse dès le lendemain au déjeuner, en signifiant à sa fille que sa réflexion était déjà terminée et qu'il avait décidé de rester au Texas pour encore au moins une année.

— Un an? Encore toute une année ici?

Michelle avait écarquillé les yeux comme si la proposition de son père était offensante ou complètement farfelue. Ce dernier n'avait pas tenu compte de l'attitude de sa fille et tout en continuant de déjeuner, il avait laissé tomber:

— À mon tour de dire: «Pourquoi pas?». Il y a à peine dix mois, tu prétendais que la vie ici était bien plus facile pour toi. Tu disais que tu y avais des amies. Tu as pleuré et exigé à grand renfort de cris de revenir ici. Tout ça, c'est du passé pour toi?

En parlant ainsi, Adrien savait fort bien qu'il tournait un peu le fer dans la plaie. Michelle n'avait pas retrouvé tous les amis qu'elle avait prétendu avoir. Par contre, malgré son handicap, il n'en tenait peut-être qu'à elle pour s'en faire de nouveaux. C'est le point qu'Adrien défendait depuis des mois maintenant. Son handicap n'était peut-être pas l'unique raison qui faisait fuir les gens.

Et s'il y avait un peu de son caractère?

Régulièrement, pour appuyer ses prétentions, Adrien ajoutait qu'ici, au moins, les gens ne se retournaient plus sur son passage. Les résidants de Bastrop la connaissaient bien et fréquentaient sa famille depuis toujours. C'est pourquoi, ce matin-là, après une courte nuit de réflexion, il avait choisi de brusquer un peu les choses. Pour une fois, il allait tenir tête à sa fille pour qu'elle apprenne que dans la vie, on n'obtient pas toujours tout ce que l'on veut sur un claquement des doigts, d'autant plus qu'Adrien se doutait bien que ce brusque intérêt pour la langue française n'était qu'une façade. L'absence de Chuck et Maria devait avoir beaucoup plus de poids et d'importance aux yeux de Michelle pour justifier son envie de repartir.

Mais la jeune demoiselle avait tenu son bout et ses arguments, et depuis, c'était la guerre froide entre eux.

Adrien secoua la tête. Il ne savait plus à quel saint se vouer pour faire évoluer la situation. À deux reprises, il avait failli plier encore une fois pour acheter la paix. Les bouderies de Michelle le blessaient cruellement. À deux reprises, la voix de Bernadette résonnant dans sa tête l'en avait dissuadé, d'autant plus qu'en l'absence de Chuck, ils ne seraient pas trop de trois pour voir aux travaux, Mark, Brandon et lui. Même si son beau-père avait vendu une partie de ses terres pour qu'elle soit divisée en lotissement, il avait exigé d'avoir un regard décisionnel sur l'aménagement que l'entrepreneur comptait y faire. Ce n'est qu'en juin dernier que le vieil homme avait compris qu'il serait incapable de voir les camions et les grues envahir son domaine. Il craignait d'y laisser son âme. D'où cette décision de partir pour un long voyage.

— À vous d'y voir, avait-il dit à ses fils et à Adrien.

Après tout, c'est vous qui allez vivre ici pour de nombreuses années encore. Autant que le paysage vous plaise, n'est-ce pas ? Vous connaissez mes exigences concernant la vue que je veux garder à partir de ma maison... Pour le reste, je vous fais confiance.

Adrien avait donc promis de seconder les deux frères et il avait bien l'intention de tenir sa promesse même s'il savait qu'un jour, il finirait par obtempérer aux demandes de sa fille et s'installerait pour de bon à Montréal. De toute évidence, le domaine de Chuck n'avait pas la même importance pour lui que pour les Prescott, et la vie aux côtés de Maureen ne voulait plus rien dire du tout. Cependant, malgré cela, il déplorait le fait que Maureen ait été tenue à l'écart par son père, mais en même temps, il comprenait pourquoi Chuck avait agi de la sorte.

C'est donc dans cette atmosphère lourde et chargée d'électricité qu'Adrien voyait l'automne approcher.

Le domaine serait bientôt morcelé et maintenant que leur père était au loin, les deux frères ne se gênaient plus pour le critiquer ouvertement, rendant les rapports entre les membres de la famille de plus en plus difficiles.

Michelle passait le plus clair de son temps enfermée dans sa chambre, laissant clairement entendre qu'elle devait sa solitude à son père qui refusait de partir pour Montréal, là où elle avait une famille qui l'aimait et l'acceptait comme elle était.

Et Maureen était de plus en plus impliquée dans les bonnes œuvres paroissiales, négligeant sa famille. Une famille qui ne ressemblait pas du tout à celle qu'elle avait espérée, Maureen ne se gênait pas pour le souligner. Quant à ses frères et ses belles-sœurs, Maureen avait profité du départ de son père pour se rapprocher d'eux, exploitant la moindre occasion pour suggérer perfidement que si Chuck avait décidé de détruire leur patrimoine familial, c'était à cause de Maria. Si leur mère avait vécu, jamais elle n'aurait toléré de voir leur domaine défiguré par un développement domiciliaire.

C'était un point sur lequel Maureen avait probablement raison. Mais de le dire avec une telle indignation, imprimant une telle violence à sa voix, mettait régulièrement le feu aux poudres, attisant ainsi la colère de Mark et Brandon.

Alors, Adrien se disait, convaincu, qu'il n'avait plus le droit de partir. Quand Chuck reviendrait, il y avait fort à parier qu'il aurait besoin de son support. Adrien en avait parlé avec Michelle, espérant qu'elle comprendrait la situation.

Malheureusement, il n'en fut rien.

Elle prétexta, au contraire, que la situation servait bien les intérêts de son père et que finalement, c'est elle qui en faisait les frais.

— Dans le fond, ici, personne ne m'aime. Pas plus toi que les autres !

Adrien n'avait même pas répondu, consterné, se contentant de lever les yeux au ciel en soupirant.

Chose certaine, demain, Michelle devrait se contenter d'un présent pour souligner son anniversaire. À moins que Maureen ne se décide à organiser une fête, et de cela Adrien doutait grandement, il n'y aurait rien d'autre pour les dix ans de Michelle.

Un cadeau soigneusement choisi, certes, mais la fête s'arrêterait à cela.

QUATRIÈME PARTIE

Automne 1972 – hiver 1973

CHAPITRE 11

Au village ils ont ri
Mais ils ne riront pas
Quand je m'envolerai
Et qu'eux resteront là

Un trou dans les nuages
MICHEL RIVARD, 1987

Québec, jeudi 28 septembre 1972

Francine dans son nouveau logement
Jusqu'au mardi suivant la fête du Travail, tout s'était bien passé. Très bien, même !

Le temps d'emménager dans un quatre et demi de belles dimensions, de découvrir une autre facette du quartier situé un peu plus à l'est de la maison de l'oncle Napoléon, de se créer quelques habitudes différentes pour les courses de dernière minute, d'élargir sa clientèle avec une distribution de dépliants qu'elle avait elle-même préparés, et Francine avait déclaré à Cécile que l'été, finalement, s'annonçait plutôt agréable.

— J'aime ben ça avoir la chance de profiter d'un p'tit coin de gazon pour boire mon café le soir après souper. Icitte, avait-elle ajouté en jetant un regard circulaire, ça me fait penser à mon p'tit logement d'en bas de la ville. Avec ma porte de cuisine qui donne directement dans la cour, j'ai pas vraiment l'impression de vivre en appartement... As-tu vu les gros arbres qui poussent dans le fond de la cour ? Sont gros, hein ? Ben y' donnent un peu de fraîche jusqu'à l'intérieur de nos chambres. Ça se peut-tu ? Jusqu'à l'intérieur de nos chambres ! Laisse-moé te dire que c'est pas mal plaisant quand vient le temps de nous coucher.

C'est ainsi qu'au moment du déménagement, l'attrait de la nouveauté avait semblé remplacer la nostalgie que Francine cultivait depuis le décès de l'oncle Napoléon, et Cécile avait poussé un profond soupir de soulagement.

Quant à Steve, comme la plupart des enfants, il s'était vite adapté à son nouvel environnement. Du moment que les amis n'étaient pas loin...

Il avait passé son été à entrer et sortir en coup de vent, heureux d'être enfin en vacances, partageant gentiment son temps entre sa mère et ses amis.

À la fin du mois de juillet, le baptême de la petite Alice avait servi de prétexte pour prendre quelques jours de repos à Montréal. Francine et Steve avaient fait la route en compagnie de Cécile et son mari, discutant joyeusement de la fête à venir.

Le lundi qui avait suivi, Bébert avait pris congé du garage pour emmener son filleul s'amuser à La Ronde. Pendant ce temps-là, Laura et Francine avaient profité de cette belle journée d'été pour mettre leurs discussions de filles à jour, comme l'avait mentionné Laura en riant. Puis elles avaient fait une longue promenade avec bébé Alice dans son landau et elles s'étaient rendues jusque chez les parents de Laura pour offrir un immense bouquet de fleurs à Bernadette afin de la remercier pour tout le travail accompli lors du baptême de la petite. En voyant le bouquet, Bernadette avait viré à l'écarlate, les pommettes aussi rouges que ses roses.

Puis le mois d'août était arrivé et lentement, d'une soirée un peu crue à un matin plus frisquet, le temps s'était mis à basculer vers l'automne.

L'été tirait déjà à sa fin.

Francine avait donc ressorti les manteaux de demi-saison, comme sa mère avait toujours appelé les coupe-vent et autres lainages d'automne, et elle avait cousu quelques pantalons neufs et chemises à manches longues pour son fils qui avait encore grandi comme une asperge durant l'été. Ensuite, juste avant la fête du Travail, la mère et le fils avaient parcouru les magasins du boulevard Charest pour trouver des chaussures neuves et les fournitures scolaires. Puis, en remontant vers leur appartement, ils s'étaient même offert un repas au casse-croûte du 5-10-15 de la rue Saint-Jean, celui-là même qui annonçait la fermeture de ses portes juste après Noël.

Depuis quelque temps, les centres d'achat avaient la faveur populaire, même ici en plein centre-ville.

Le dimanche suivant, Cécile avait invité Francine et Steve à souper, et l'été avait ainsi officiellement pris fin dans un grand éclat de rire. Malgré qu'elles ne se voient plus aussi souvent, l'amitié tenait bon entre Cécile et Francine.

C'est à partir du mardi suivant, quand Steve avait repris le chemin de l'école, que Francine avait commencé à s'ennuyer.

De façon subtile mais bien réelle, une certaine mélancolie s'était glissée à travers les corvées du quotidien. L'absence de Steve, retourné à l'école, le silence de l'appartement, les longues heures devant la machine à coudre… C'est au moment où Steve était reparti pour l'école que

Francine avait renoué avec cette solitude qui lui faisait tant peur.

Être seule durant toutes ces heures, comme avant quand elle vivait en campagne avec Jean-Marie…

Seule devant sa machine à coudre, seule, aussi, quand elle s'offrait une courte pause pour fumer sa cigarette du matin et celle de l'après-midi, et encore seule pour préparer les repas ou faire le ménage.

Monsieur Napoléon, avec ses remarques bon enfant, avait alors recommencé à lui manquer. Terriblement. Les compagnes de la manufacture aussi. Pourtant, elle ne s'y était pas fait de nombreuses amies. Ensuite, avec un fils à élever et une vie de veuve qu'elle s'était inventée, Francine Gariépy gardait ses distances par crainte d'éventer son secret. Mais le simple fait de voir des gens, de les entendre parler de leurs vies et de leurs familles, ainsi que la banale habitude de sentir la présence de ces mêmes personnes autour d'elle brisait la monotonie des journées.

Aujourd'hui, du matin au soir ou presque, il n'y avait plus personne aux côtés de Francine.

Alors, pour s'inventer un semblant d'activité autour d'elle, pour créer une sorte de présence artificielle durant le jour, la jeune couturière laissait son vieux poste de télévision fonctionner en permanence.

C'était là sa seule distraction, la seule qu'elle avait les moyens de se permettre.

De temps en temps, attirée par une recette alléchante ou un truc de maquillage que l'on disait irrésistible, Francine délaissait sa machine à coudre et levait les yeux sur l'écran en noir et blanc qu'elle avait installé dans un coin de la cuisine. Elle en profitait alors pour se délier les épaules en se disant que sa vie actuelle était quand même moins difficile que celle connue au fin fond des campagnes quand elle vivait avec Jean-Marie, loin de son fils. Habituellement, un long frisson d'horreur ou de soulagement concluait cette courte réflexion, et le regard qu'elle posait alors autour d'elle était nettement plus indulgent.

Quant aux clientes qui venaient pour les essayages, elles se faisaient plutôt rares. La mode était maintenant aux vêtements en série offerts en abondance dans les nouvelles boutiques qui pullulaient dans les centres d'achat. Francine, qui espérait coudre de merveilleuses robes exclusives, additionnant mentalement les profits qui allaient de pair avec cette exclusivité, avait brutalement déchanté en renouant avec les tâches qui s'apparentaient au travail d'usine qu'elle connaissait bien. En effet, elle se voyait offrir la plupart du temps des bords de pantalons à refaire, des fermetures éclair à réparer, des jupes à raccourcir… Et comme ce genre de travail ne lui demandait pas une très grande concentration, Francine avait tout son temps pour réfléchir, s'ennuyer et prendre radicalement conscience que si elle ne trouvait pas autre chose pour augmenter ses revenus, ce qu'elle faisait ne suffirait pas à les faire vivre décemment, Steve et elle.

Quand le petit pactole accumulé du vivant de l'oncle Napoléon serait épuisé, Francine ne voyait pas comment elle ferait pour y arriver.

— Sainte bénite que la vie est plate, par bouttes ! C'est le cas de le dire : je travaille comme une damnée pour une croûte de pain !

Le fer à repasser dans une main, Francine jeta un regard navré sur la cour arrière de la maison.

La journée tirait à sa fin. Une journée grise et triste à l'enseigne de l'automne. Une pluie endémique frappait aux carreaux depuis le matin. Même sur le coup de midi, toutes les lumières de la cuisine étaient allumées pour que Francine y voie quelque chose.

Après un long soupir d'ennui, la jeune femme ramena les yeux sur son travail. Elle plia d'un geste habile et machinal le pantalon qu'elle venait d'agrandir pour une cliente avant de donner un dernier coup de fer sur le pli de la jambe qu'elle lissa ensuite du revers de la main. Puis elle fit glisser le vêtement sur un cintre de métal et elle épingla à la ceinture le petit bout de papier blanc où elle avait soigneusement inscrit, en lettres carrées, le nom et le numéro de téléphone de la cliente ainsi que le montant de la réparation. Ce soir, après le souper, car de plus en plus de femmes travaillaient à l'extérieur de la maison et elle ne pouvait les rejoindre qu'en soirée, Francine appellerait tous ceux et celles à qui elle pouvait livrer les commandes rigoureusement accrochées à quelques crochets de métal installés sur le mur de la cuisine. L'argent ainsi récolté serait alors divisé en deux : une part pour le loyer et le téléphone, deux obligations qui arrivaient toujours trop vite à son goût, et une part pour l'épicerie qu'il faudrait bien faire puisque de toute évidence son fils n'avait pas de fond !

À la fin de chaque semaine, s'il en restait un peu, Francine le mettait dans la vieille tasse ébréchée où elle accumulait les quelques maigres surplus en cas d'imprévus parce que parfois, à force de jongleries mathématiques et de privations de toutes sortes, il restait quelques menues pièces au fond du porte-monnaie. Mais bien souvent, hélas, il ne restait rien.

Qu'importe! Cette fois-ci, Francine avait déjà décidé de ce qu'elle ferait de l'argent accumulé: quand il y en aurait assez, elle s'offrirait deux billets d'autobus en direction de Montréal.

Depuis que Laura avait eu sa petite fille, l'ennui de la métropole se faisait sentir, lui aussi, de plus en plus régulièrement.

— Bonté divine! Pourquoi c'est faire que je me suis entêtée à rester à Québec, aussi?

Francine n'arrivait pas à répondre à cette question. Après tout, Steve aurait très bien pu se faire de nouveaux amis à Montréal et des clientes qui avaient besoin de réparations et d'altérations sur leurs vêtements, ça se remplaçait!

— Je te dis, moé, des fois! On dirait que je regarde pas plus loin que le boutte de mon nez!

Ces excuses pour justifier son choix de rester à Québec et qui lui avaient paru si importantes au moment de réorienter sa vie, aujourd'hui, elles lui semblaient plutôt dérisoires.

— Du monde, y en a ben plusse à Montréal qu'à Québec! analysait-elle régulièrement. C'est sûr que j'aurais eu plusse de clientes, sainte bénite!

De plus, si elle avait plutôt décidé de vivre à Montréal, elle y aurait retrouvé sa famille.

Et une amie, la seule qu'elle ait jamais eue, et qui désormais faisait partie de sa famille.

L'opportunité de faire une courte visite à Montréal se présenta à la mi-octobre, à l'occasion de la fête de l'Action de grâces. Steve ayant deux jours de congé, le vendredi et le lundi, Francine estima qu'elle en aurait alors suffisamment pour son argent.

— Quatre jours, ça vaut pas mal plusse que deux, sainte bénite !

Tant qu'à dépenser des deniers durement gagnés, Francine jugeait qu'il fallait au moins maximiser le plaisir.

Le vendredi matin, après un petit déjeuner frugal tant l'excitation était grande de part et d'autre, Francine et Steve partirent relativement tôt pour le terminus où ils prendraient le premier autobus en partance pour Montréal.

Le soleil était radieux et le ciel d'un bleu limpide comme seul le mois d'octobre en a quelques-uns en réserve.

La route se fit rapidement, et comme le soleil les avait suivis depuis Québec jusqu'à Montréal et qu'en plus il faisait presque chaud, Francine décida de se rendre à pied jusque chez ses parents.

Elle profita de la longue promenade à travers les rues de la ville pour offrir une visite commentée à son fils.

— C'est drôle, moman, mais je me rappelle pas que les bâtisses étaient aussi hautes ! Pourtant, j'ai vécu icitte durant quand même un bon boutte, dans le temps où toé tu vivais dans le bois avec…

— C'est petête que t'étais encore trop p'tit pour t'en rappeler, coupa précipitamment Francine.

La jeune femme détestait qu'on lui rappelle cette époque de sa vie où, bien malgré elle, elle avait abandonné son fils. Oh ! Elle savait être reconnaissante envers Cécile et ses parents qui avaient vu au bien-être de Steve, tout comme Bébert et Laura qui avaient joué leurs rôles de parrain et de marraine avec le plus grand sérieux. N'empêche qu'elle se sentait encore aujourd'hui terriblement coupable. Dès que quelqu'un abordait le sujet, Francine se faisait un devoir de changer le cours de la conversation.

— Regarde, Steve! Des oranges! On en achète-tu quèques-unes?

D'un pas assuré, Francine se dirigea vers l'étalage d'une petite épicerie de quartier.

— Chus sûre que ça ferait plaisir à ta grand-mère. Moé qui me demandais justement quoi y apporter pour la remercier de nous passer une chambre.

Indécis, Steve regarda l'étalage de fruits en esquissant une moue. Pour lui, offrir des oranges frôlait la banalité.

— Envoye, viens! On va acheter une couple d'oranges pour grand-moman, répéta Francine. J'ai assez d'argent pour ça. Pis après, on va se dépêcher de continuer notre chemin. Ta grand-mère haït ça ben gros le monde qui arrive en retard pour dîner. Pis j'y ai promis qu'on serait arrivés, toé pis moé, justement pour dîner.

Francine tendit la main pour attraper un sac de papier brun.

— Quand j'étais p'tite comme toé, imagine-toé don que des oranges comme celles-là, j'en mangeais juste une fois par année.

— Juste une fois?

— Ouais, à Noël!

— Hé ben…

Steve avait l'air sceptique.

— C'est comme je te dis… Le monde était pas riche dans c'te temps-là, tu sais. Encore moins qu'astheure. Pis les oranges, ça coûtait ben cher. Encore plusse qu'aujourd'hui. Comme ton grand-père disait au matin de Noël: « Laissez pas une seule goutte de jus tomber à terre parce que ça coûte la peau des fesses. »

— Y' disait ça, grand-popa?

— Ouais… Grouille-toé, astheure! Prends les plus belles pour les mettre dans le sac pis j'vas aller les payer en dedans du magasin. Quatre, ça devrait suffire.

Francine et Steve furent accueillis à bras ouverts par les parents de Francine qui guettaient leur arrivée à la fenêtre du salon. Sitôt le repas terminé, le grand-père décréta qu'il sortait en homme avec son petit-fils.

— Attendez-nous pas avant la fin de l'après-midi. Pis demandez surtout pas ousqu'on s'en va, ça regarde pas les créatures. Astheure qu'on a deux p'tits-enfants, faut savoir en profiter! Ta mère a sa fille avec Alice, pis moé, j'ai mon gars avec Steve! Viens, mon homme, j'veux te présenter à mes amis du chantier.

L'homme en question était rouge de plaisir.

De toute évidence, Steve et son grand-père s'entendaient comme deux larrons en foire. Francine et sa mère échangèrent alors un regard de connivence. Un regard qui alla droit au cœur de Francine. Intimidée, elle baissa les yeux, et comme ni elle ni sa mère n'étaient femmes de grande démonstration affective, l'occasion de se rapprocher, de parler de cœur à cœur, passa dans la pièce comme un souffle léger. Trop léger, peut-être, pour être perçu par Gaétane ou retenu par Francine. Le temps d'un malaise, d'une indécision, puis la jeune femme se leva brusquement pour empiler la vaisselle sale.

— Un p'tit coup de cœur, moman! Je le sais que t'haïs ça, faire la vaisselle, mais à deux, ça va aller plusse vite pis ça va être moins plate. Après, j'aimerais ça aller voir Laura.

Francine passa l'après-midi à bercer la petite Alice tandis que Laura lui parlait de son éventuel retour au travail.

— Angéline m'a appelée deux fois la semaine dernière,

tu sauras ! C'est pas mêlant, toute seule, elle n'y arrive plus. Ça fait que je lui ai promis de la rejoindre le plus rapidement possible. J'ai même fait passer une petite annonce dans le journal pour trouver une gardienne. Mais on peut pas dire que les candidates se bousculent à notre porte, par exemple ! C'est quand je leur précise qu'elles vont travailler dans un quatre et demi que ça bloque !

— Ben voyons don !

Francine regarda autour d'elle.

— C'est beau chez vous. Pis c'est pas si p'tit que ça. Le monde est drôle, des fois… Comme ça, ta décision est prise ? Pour de bon ?

— Tout à fait. Et Bébert m'approuve, tu sauras. Ça lui a pris un petit moment pour accepter ma vision des choses, mais c'est fait. Aujourd'hui, il comprend très bien que je puisse avoir envie de retourner travailler.

— Hé ben…

Parce que Francine, elle, ne comprenait pas du tout.

Laura avait l'opportunité de vivre exactement l'existence dont elle-même, Francine Gariépy, avait toujours rêvé : un mari qui gagnait bien sa vie, des projets à deux dont celui d'une maison en banlieue pour l'été prochain et surtout la possibilité d'avoir d'autres enfants. Oui, son amie avait cette chance de vivre exactement la vie que Francine avait toujours voulue.

Et pourtant, Laura, elle, n'en voulait pas.

— Un deuxième enfant, je ne dis pas non, précisait justement Laura comme si elle avait lu dans les pensées de son amie. Mais sûrement pas tout de suite ! Dans cinq ou six ans, on en reparlera. Avant d'en arriver là, imagine-toi donc que j'ai d'autres choses à faire que de changer des couches !

Francine n'en revenait pas. Comment une femme instruite comme Laura, psychologue de surcroît, pouvait-elle parler ainsi ? Avoir un bébé, c'était tout sauf peut-être changer des couches ! Les couches, c'était sans importance, comme un petit mal nécessaire dans tout ce processus d'avoir un enfant.

Pour Francine, l'essentiel se jouait ailleurs.

Elle-même avait tellement regretté de ne pas être là pour le premier sourire, les premiers mots, les premiers pas de son petit Steve parce qu'elle avait été obligée de le faire garder. Ce n'était pas de gaieté de cœur qu'elle avait confié son bébé à matante Lucie, même si elle savait que son fils ne manquait de rien avec cette femme généreuse.

Et qu'il ne manquait surtout pas d'affection !

N'empêche que si on lui avait laissé le choix, Francine aurait été la plus heureuse des femmes, la plus heureuse des mères, surtout, de pouvoir rester à la maison pour élever elle-même son fils à qui elle aurait tant aimé donner des frères et des sœurs.

Malheureusement, dans son cas, la vie en avait décidé autrement.

Mais pour Laura…

Francine retint un soupir de découragement.

Malgré sa façon de voir les choses, l'après-midi passa sans que Francine n'émette la moindre objection. Elle savait par expérience qu'avec Laura, les fois où elle avait eu le dernier mot se comptaient sur les doigts d'une main. Et encore ! De plus, les occasions de rencontre entre elles étaient si rares que Francine n'avait pas l'intention d'en gaspiller la plus infime seconde. Elle écouterait Laura se raconter, et sans nécessairement approuver, elle ne la contredirait pas non plus. Elle n'avait surtout pas envie que leur discussion tourne au vinaigre.

Les interminables mois de vie commune avec Jean-Marie lui avaient au moins appris cela: parfois, le silence vaut de l'or.

C'est en se promettant de faire un petit saut au garage de son frère Bébert, le lendemain matin, question d'avoir son point de vue sur la situation, que Francine prit congé, déposant à regret dans son berceau la petite Alice qu'elle avait endormie.

— Si ça te dérange pas, j'aimerais ça revenir demain. Avec Steve, c'te fois-là. Y' a pas ben ben l'occasion de voir ça, des bébés. Ça te dérange-tu?

— Depuis quand tu me déranges, Francine Gariépy? Pis Steve est encore mon filleul, à ce que je sache! Le fait d'être une maman à mon tour n'a rien changé là-dessus. C'est sûr que vous êtes les bienvenus. On dînera ensemble!

— T'es fine… On se revoit demain, d'abord!

Alice, Laura et Bébert furent les uniques sujets de réflexion de Francine tout au long du chemin qui la ramenait chez ses parents.

C'est en tournant le coin de la rue, devant le casse-croûte de monsieur Albert, qu'elle vit l'affiche. Elle était plutôt discrète comme si celui ou celle qui l'avait mise là était indécis; il fallait vraiment porter attention pour la remarquer.

« Chambres à louer »

Francine réalisa aussitôt que le mot « chambres » était écrit au pluriel. Les cours de français que Laura lui avait donnés quelques années plus tôt pour qu'elle puisse aider son fils Steve quand il était entré à l'école portaient fruit.

Comme attirée par un aimant, Francine traversa la rue.

— Si a' l'a mis un « s », ça veut dire qu'y a au moins deux chambres à louer, murmura-t-elle en approchant de la maison à lucarnes que la jeune musicienne habitait seule depuis quelques années.

Francine ralentit le pas.

Laura lui avait longuement parlé du malheur qui avait traversé la vie d'Anne Deblois quand son mari, nettement plus âgé qu'elle, avait été malade. Malade au point où il ne pourrait plus jamais revenir vivre chez lui.

— Maudite marde, Francine! J'étais là... Je l'ai vu, monsieur Canuel, quand il est parti pour l'hôpital. Laisse-moi te dire qu'il n'en menait pas large, mais jamais je n'aurais cru, par exemple, qu'il ne reviendrait plus chez lui!

Francine se souvenait fort bien qu'à ce moment-là, elle avait pensé que sa vie à elle, même difficile et parfois ingrate, était infiniment plus enviable que celle de son ancienne voisine.

Arrivée devant la maison, Francine s'arrêta.

Que pouvait signifier cette petite pancarte déposée sur le rebord d'une fenêtre? Ennui, manque d'argent?

— Probablement un peu des deux, murmura encore la jeune femme. C'est pareil que pour moé. Quand on se retrouve tuseules, nous autres les femmes, c'est rarement facile. Ouais, ben rarement facile.

Deux femmes obligées de serrer les poings pour s'en sortir. Deux solitudes, différentes certes, mais implacables.

— Ouais, c'est comme pour moé, répéta alors Francine.

Laura lui avait aussi expliqué que si madame Anne arrivait à s'en sortir, c'était grâce à la musique.

— Et pas seulement pour l'argent que ça rapporte. C'est vraiment sa bouée de sauvetage. Quand elle est déprimée ou découragée, Anne Deblois peut jouer du piano durant des heures et des heures ! Du moins, c'est ce qu'Antoine m'a dit !

Francine, elle, n'avait aucun talent pour les arts. Mais elle avait un fils qui s'appelait Steve. C'était lui, sa bouée de sauvetage, sa raison d'être.

Quant au reste, pour le quotidien et le grand silence qui l'enveloppe, la vie d'Anne Deblois devait ressembler étrangement à la sienne.

— Bonté divine ! Faut-tu qu'a' soye mal prise, la pauvre femme...

Francine examinait la petite maison de long en large et de haut en bas.

— On met sûrement pas une pancarte de chambres à louer juste pour le plaisir d'avoir des étrangers dans ses affaires, si on peut appeler ça avoir du plaisir, ajouta-t-elle à mi-voix avant de pousser un profond soupir.

Enfin, l'idée jaillit. Simple, limpide, porteuse d'espoir et de solutions.

— Pourquoi pas ?

Brusquement, Francine avait l'impression de voir se profiler devant elle un long pan de son avenir.

— Ah ouais, ah ouais... Ça serait parfait, ça là. Pis pas juste pour moé, sainte bénite ! Pas juste pour moé... Pourquoi pas ?

Francine ouvrit son sac à main et se mit à chercher fébrilement un bout de papier et un crayon. Malheureusement, à part son rouge à lèvres, de vieilles factures, une montagne de papiers-mouchoirs et son porte-monnaie, il n'y avait rien d'autre.

Machinalement, Francine tourna la tête vers la maison

de ses parents. De la fenêtre du salon, on avait sûrement une vue imprenable sur la petite maison à lucarnes.

— Tant pis ! J'vas surveiller comme faut pis quand j'vas voir de la lumière aux fenêtres, m'en vas venir m'informer. Des fois que ça marcherait !

Revenir vivre dans son quartier. Renouer avec toutes les habitudes de son enfance, revoir des visages connus, présenter son fils à d'anciennes connaissances... Pour Francine, cette perspective était comme la réalisation d'un rêve.

La jeune femme jeta un dernier coup d'œil sur la pancarte et se retint à grand-peine pour ne pas l'enlever et la déposer à l'envers, contre la porte, pour être certaine que personne d'autre ne la verrait.

Puis, esquissant un bref sourire de moquerie, Francine s'obligea à regarder la réalité bien en face.

Quand même ! Il y avait encore loin de la coupe aux lèvres.

Premièrement, elle n'avait pas la moindre idée du prix que madame Anne avait fixé pour le loyer.

De toute façon, une musicienne, ça devait aimer le silence, non ? Alors, Anne Deblois tolérerait-elle le crépitement d'une machine à coudre ? Et les turbulences d'un jeune garçon rempli de bonne volonté, mais aussi débordant d'énergie ? Et le va-et-vient d'une certaine clientèle ? Et peut-être, tant qu'à y être, les pleurs d'un jeune bébé si jamais Laura acceptait qu'elle s'occupe de la petite Alice et que...

Francine secoua la tête.

— Comme dirait ma mère, chus en train de mettre la charrue en avant des *beufs*, moé là ! Mais bonté divine que ça serait le fun si ça marchait! Trois jours icitte à coudre en m'occupant d'Alice et deux jours chez Laura pour voir à son ordinaire... Pourquoi pas, sainte bénite, pourquoi pas?

Autant Francine avait catégoriquement refusé la possibilité de venir vivre chez ses parents quand Cécile le lui avait suggéré — après tout, elle n'était pas différente des autres et elle avait son orgueil, elle aussi! —, autant la perspective d'habiter juste de l'autre côté de la rue lui souriait.

Quand elle entra dans la maison de ses parents, Francine avait croisé les doigts au fond de sa poche. «Mon Dieu, je Vous en supplie, faites que ça marche!»

Elle avait de plus en plus hâte d'aller voir son frère Bébert. Avec lui, elle ne serait pas gênée de présenter ses projets d'avenir. Elle savait qu'il prendrait le temps de l'écouter.

Elle savait surtout qu'il ne se moquerait pas d'elle si jamais il y avait certaines objections qu'elle n'avait pas prévues, parce que hélas! ça lui arrivait régulièrement de ne pas tout prévoir.

Pour autant que le loyer demandé soit abordable, bien entendu, et que madame Anne accepte la présence d'un enfant sous son toit... Ça se pouvait, non?

Francine inspira profondément.

Oui, ça se pouvait et demain matin, elle parlerait à Bébert.

Parce que de son côté, même si elle avait toujours eu une préférence marquée pour le cinéma, elle ne détestait pas la musique et elle était prête à s'accommoder de quelques heures de piano tous les jours si cela lui permettait d'avoir les siens tout près d'elle.

CHAPITRE 12

La ville ressemble à ces villes sans âme
Le long des autoroutes
Ici comme ailleurs, les visages recherchent
Des promesses de bonheur
[…]
Ici comme ailleurs
J'ai besoin de toi

Ici comme ailleurs
RICHARD SÉGUIN, 1988

Montréal, lundi 16 octobre 1972

Marcel, derrière son comptoir à la boucherie
Ça n'allait pas mieux.

Tout en poussant un long soupir où s'entremêlaient impatience et déception, Marcel jeta un regard à la fois critique et approbateur sur son domaine.

Il avait toujours trouvé que l'épicerie avait fière allure, mais depuis les travaux de rajeunissement, c'était vraiment irréprochable.

Les îlots de bois foncé au bout de chaque allée offraient en abondance des produits fins, choisis minutieusement par Bernadette, Évangéline et Laura, quand celle-ci avait un peu de temps libre. Les réfrigérateurs débordaient de denrées d'importation comme des fromages, des pâtés et des condiments de toutes sortes. Même la boucherie avait suivi le pas, présentant désormais, en plus des coupes habituelles de porc, de veau et de bœuf, de l'agneau et autres viandes moins connues qui aguichaient la tentation des clientes. Aujourd'hui, grâce à la persévérance de Laura, les cailles et les faisans tenaient compagnie aux traditionnels poulets, et les clientes en étaient friandes.

— Pis dire que je pourrai même pas en profiter pour la peine, maudit calvaire !

Pourtant, depuis l'été, Marcel avait bien tenté de faire comme si…

Comme si sa maladie n'existait pas, comme si ce malheureux épisode était enfin derrière lui, comme s'il allait tout bonnement se réveiller, un beau matin, pour constater que toute cette histoire-là n'avait été qu'un horrible cauchemar.

Mais le déni n'avait pas fonctionné. La colère non plus.

Cette maladie maudite s'entêtait à accompagner Marcel en arrière-plan de chacune de ses journées, comme un décor de mauvais goût qui, malheureusement, n'aurait pas le temps de s'empoussiérer.

Alors, non, ça n'allait pas mieux.

Dans chacune des cellules de son corps, Marcel sentait même que ça empirait de jour en jour, et depuis deux semaines, comme si l'inquiétude ne suffisait plus à lui empoisonner l'existence, une grande fatigue avait envahi sa vie. Une fatigue écrasante, omniprésente, dont il n'arrivait plus à se débarrasser.

Ni le sommeil, ni des heures de travail raccourcies, ni même une petite sieste bien à l'abri des regards inquisiteurs dans la chambre réfrigérée n'avaient pu chasser cette incroyable apathie qui avait fini, à son tour, par engendrer une déconcertante lassitude face à tout.

Marcel ne prenait même plus plaisir à venir travailler, lui qui, hier encore, ne jurait que par sa boucherie. Ça ne lui ressemblait pas d'être ainsi et ça lui ressemblait encore moins de ne pas avoir la force ou l'envie de réagir devant une telle situation.

— Maudit calvaire, que c'est qui m'arrive ? Ça fait pas deux ans encore, me semble, pis le docteur avait parlé de deux ans… au moins ! Pas de deux mois !

Le pire, c'est que Marcel vivait son inquiétude dans un parfait silence, renfermé sur lui-même. Personne à la maison ne se doutait de quoi que ce soit. Pas plus Bernadette que les autres parce que finalement, ne sachant comment le dire, ne connaissant ni les mots ni la manière d'annoncer l'impensable, Marcel n'avait jamais demandé à sa femme de l'accompagner chez le nouveau médecin qu'on lui avait recommandé. Il avait simplement annoncé, au retour de ce second rendez-vous, qu'on devrait s'habituer à l'entendre tousser parce que les médecins ne pouvaient rien faire de plus que ce qui avait été fait.

— Mais c'est pas plusse grave que ça, avait-il conclu nonchalamment. C'est même un spécialiste qui me l'a dit pas plus tard qu'après-midi.

Bernadette avait jeté un regard perçant par-dessus les lunettes qu'elle devait maintenant porter pour lire ou écrire et elle avait repoussé ses feuilles de commande d'un geste impatient.

— T'es-tu en train de me faire accroire, Marcel Lacaille, que t'étais parti pour l'hôpital sans même m'en parler pis que les docteurs t'ont appris que c'était normal de tousser comme un désâmé sans que ça soye grave ?

— On dirait ben que ça ressemble à ça. Paraîtrait-il que c'est les heures que je passe dans la chambre froide qui causent ça.

— Ah ouais ? La chambre froide ? Hé ben… Pis si je te disais que je te crois pas ?

— Je te répondrais que c'est toé la pire, ma pauvre Bernadette ! Si t'as envie de te laisser mourir d'inquiétude pour rien, ça te regarde. Je dirais même que ça te ressemblerait. Mais moé, par exemple, ça me tente pas de perdre mon temps pour des niaiseries ! Calvaire, Bernadette ! J'ai-tu l'air d'un gars qui s'en fait pour lui-même ?

— Non, c'est vrai, avait admis Bernadette du bout des lèvres, après un bref moment d'introspection, ne sachant trop si elle devait se fier à l'air désinvolte que son mari affichait et tout en étant persuadée qu'il ne servirait à rien d'insister.

À ces mots, Marcel avait été soulagé. Comme si le fait de bien jouer son rôle allait changer quelque chose à la situation.

Les mois d'août et de septembre avaient donc passé sans trop d'anicroches et quand octobre était arrivé, Marcel avait presque réussi à se convaincre lui-même que les médecins s'étaient trompés. Il toussait toujours autant, soit, mais ça faisait maintenant tellement longtemps qu'il toussait ainsi. Et finalement, ça n'avait pas changé grand-chose à sa vie.

Jusqu'au matin où il s'était levé fourbu comme s'il venait de courir un marathon. Il avait l'impression d'avoir mal à tous les os de son corps, une douleur sourde enveloppait sa poitrine et il n'avait plus qu'une seule envie: dormir.

C'était au début du mois. Octobre venait de remplacer septembre. Depuis, chaque matin, Marcel avait l'impression d'être un peu plus fatigué que la veille et hier, au réveil, en plus de la sensation habituelle qui lui suggérait sournoisement que plus jamais il n'arriverait à se sentir reposé, il y avait du sang dans ses crachats.

Alors, oui, Marcel avait compris, et admis, que ça n'allait pas du tout. Pourtant, il n'avait pas appelé le médecin et il ne s'était pas présenté à l'urgence de l'hôpital.

Il avait trop peur de ce qu'on lui dirait.

Et si l'échéancier avait changé ?

Marcel s'en doutait, une petite voix en lui n'arrêtait pas de le répéter, mais il refusait de se l'entendre dire franchement. Il n'était pas encore prêt. Pas maintenant, pas tout de suite. Il y avait trop de choses à faire et à prévoir pour se permettre d'arrêter.

À commencer par la boucherie qui était encore, jusqu'à un certain point, l'épine dorsale de l'épicerie.

Et sans épicerie rentable, Bernadette ne pourrait jamais s'en sortir. À lui donc, Marcel Lacaille, boucher de profession, de voir à ce que tout baigne dans l'huile ici avant de tirer sa révérence.

Avait-il vraiment le choix ?

— Non, j'ai pas le choix, calvaire ! Pas pantoute.

C'est l'engagement qu'il avait pris au matin de ses noces, de voir à ce que sa famille ne manque de rien, et il ne se déroberait pas à cette obligation.

Il y allait du confort des siens. Marcel était assez lucide pour se dire que ce serait probablement le dernier effort qu'il ferait pour sa famille, et peu importe son état de santé, tant qu'il tiendrait sur ses deux jambes, il irait jusqu'au bout.

Ceci devrait lui permettre de former la relève.

— Le Bon Dieu peut au moins faire ça pour moé, non ?

Me donner le temps de toute laisser ben en ordre en arrière de moé ?

Pour l'épicerie, il n'avait aucun souci à se faire. Si Bernadette trouvait la tâche trop lourde, elle pourrait toujours compter sur Laura. Et même sur Évangéline, au besoin. En plus d'Estelle.

— Mais pour la boucherie, c'est une autre paire de manches !

Là, Marcel n'avait qu'une seule option : il devait trouver quelqu'un pour le remplacer. Quelqu'un de fiable. Sa tranquillité d'esprit passerait par là. Le jour où un jeune boucher de qualité occuperait sa place derrière le comptoir, il pourrait enfin dire la vérité à Bernadette et après, il pourrait se reposer.

Et peut-être aussi voyager avant qu'il ne soit trop tard.

Peut-être.

Marcel regarda encore une fois autour de lui en soupirant. Puis, il passa de l'autre côté du comptoir, recula d'un pas et plissa les yeux. Il tentait d'imaginer le décor avec un autre que lui en train d'offrir rôtis et côtelettes.

Invariablement, celui qu'il voyait à sa place, c'était Charles.

Marcel secoua la tête, découragé, avant de revenir à sa place habituelle pour déposer dans le comptoir réfrigéré les bacs qui recevraient la viande dans quelques instants.

Depuis plusieurs jours, Marcel était obnubilé par une seule et unique pensée : celle de voir Charles prendre la relève.

Cette perspective n'était que dans la prolongation de ce qu'il avait toujours voulu pour lui.

En effet, si un jour Marcel Lacaille avait eu envie de se

lancer dans cette périlleuse aventure qu'était l'achat d'une épicerie, c'était en grande partie pour son fils. Le fait de savoir qu'il allait probablement mourir bientôt ne changeait rien à ses ambitions. De toute façon, Charles était le seul des trois enfants qui avait encore besoin de lui.

— Mais comment l'amener à vouloir suivre mes traces ?

C'était là où le bât blessait: Charles n'avait jamais manifesté le moindre intérêt pour l'épicerie.

— Ben au contraire ! Y' dit qu'y' haït ça, l'épicerie ! Pis le pire, c'est que c'est de ma faute, maudit calvaire ! J'aurais don dû l'amener icitte avec moé quand y' était p'tit au lieu d'y mettre des idées de hockey dans tête !

Aujourd'hui, le mal était fait: Charles ne parlait que de sport, et le fait qu'il grandisse en âge ne voulait pas nécessairement dire, dans son cas, qu'il le faisait en sagesse.

Pourtant, quand ils en discutaient ensemble le soir, Bernadette et lui, celle-ci tentait de le rassurer.

— Si y' est de mauvaise humeur comme ça, c'est juste qu'y' le sait ben, dans le fond, qu'y' jouera jamais au hockey pour gagner sa vie.

— Pas sûr, moé !

— Ben voyons don ! C'est pas un imbécile, notre gars. C'est pas pasqu'y' a doublé une année que c'est un cabochon.

— J'ai jamais dit ça, non plus.

— J'ai pas dit que tu l'avais dit ! J'ai juste voulu donner l'heure juste. Astheure, faut que Charles lui-même se mette à croire en lui pis ça va ben aller. Tu vas voir ! Depuis le temps qu'y' nous rabat les oreilles avec son hockey, c'est sûr que ça doit pas être facile pour lui de revenir sur sa position pis d'admettre publiquement, devant nous autres, qu'y' a changé d'idée pis qu'y' va faire autre chose de sa vie. Maudit verrat ! Faudrait petête se mettre à sa place pour comprendre comment c'est qu'y' se sent !

— Ouais…

— Petête, aussi, qu'y' attend justement de savoir ce qu'y' a envie de faire pour nous parler. Ce qui me fait dire qu'à partir de c'te moment-là, petête ben qu'y' chialera pus pour l'école.

— Ça, c'est une autre affaire.

Habituellement, la conversation butait sur ces mots.

Les études de Charles… Charles et l'école… Charles et son aversion pour les devoirs en tous genres !

Marcel se doutait bien que Charles détestait vraiment les études, un peu comme lui les avait détestées à son âge. Ce n'était pas simplement une parade pour justifier son engouement pour le sport. L'aversion de Charles pour les études et tout ce qui en découlait était réelle, et Marcel le comprenait fort bien. Il était déjà passé par là. Dans son cas, monsieur Perrette l'avait récupéré juste à temps. Avant que le jeune Marcel ne devienne un vrai voyou, Ben Perrette l'avait obligé à venir travailler pour lui. C'était ça ou il appelait la police à la suite d'un petit larcin. Marcel s'en souvenait très bien : malgré ses six pieds passés, sa mère l'avait traîné de force, par l'oreille, jusqu'à l'épicerie en lui promettant les pires supplices s'il ne rentrait pas dans le rang.

C'est ce matin-là que la vie de Marcel Lacaille avait changé.

Monsieur Perrette lui avait tout montré du métier, et Marcel avait appris ce qu'était la fierté du travail bien fait. En moins d'un an, sa réputation de boucher dépassait les limites du quartier.

— Pourtant, quand chus arrivé icitte avec la mère, je

voulais rien savoir de devenir boucher, maudit calvaire. Rien pantoute… C'est elle qui m'a obligé. C'était ça ou l'école de réforme, qu'a' disait… Ouais, a' l'avait une pogne de fer, la mère. Pis finalement, ça a donné des bons résultats. Mais avec Charles, par exemple…

Marcel était conscient que les temps avaient changé. Même s'il trouvait que ce n'était pas nécessairement pour le mieux. Il se doutait bien qu'il ne pourrait jamais emmener son fils de force pour lui apprendre le métier. Laura était peut-être la psychologue de la famille, mais lui, Marcel Lacaille, se targuait de bien connaître le jeune Charles. Il savait que le jeune homme serait heureux de travailler à la boucherie.

— C'est ça que ça y prend, calvaire ! Un travail manuel ousqu'y' va pouvoir lâcher sa rage. Un peu comme moé. Pis surtout, pas de boss à part la clientèle. Ça, pour du monde comme lui pis moé, c'est important. Ben important ! On a pas besoin d'un boss pour nous surveiller pis nous dire quoi faire à cœur de journée… Mais je peux pas, par exemple, traîner Charles par l'oreille jusqu'icitte comme la mère a faite avec moé. Ça marche pus de même de nos jours. Pus pantoute !

Tout en marmonnant, Marcel avait placé sa viande dans les bacs, faisant de nombreux va-et-vient entre la chambre froide et le comptoir. Puis, comme Laura le lui avait appris — à force de regarder toutes sortes de revues, elle avait appris bien des choses, sa fille —, Marcel se dirigea vers le comptoir des fruits et légumes où il choisit deux belles bottes de persil bien frais. Revenu à son comptoir, avec des gestes un peu gauches, Marcel en disposa des touffes ici et là à travers la viande, reculant parfois d'un pas pour juger de la symétrie de son travail, pour apprécier l'effet obtenu.

Rompues à cette routine, les mains de Marcel agissaient et préparaient la journée, mais la tête, elle, pensait toujours à Charles.

— Pis si j'y laissais croire que c'est lui qui a toute décidé ? demanda-t-il finalement, les deux mains sur les hanches, admirant le résultat de son travail. Si je me servais de son écœurement de l'école pour l'amener icitte ? Ça se pourrait-tu, une affaire de même ? Y faire accroire que c'est lui tuseul qui a choisi de venir travailler avec moé à place d'aller à l'école…

Marcel continuait de monologuer à mi-voix comme si s'entendre parler l'aidait à mieux réfléchir.

— Dans le fond, j'ai juste à y' dire que l'épicerie va tellement ben que j'ai besoin d'un *helper*. Pis ça serait même pas mentir !

Marcel était retourné dans la chambre froide. Il avait enfilé le gant en mailles d'acier et il s'apprêtait à désosser certains restants de la veille pour faire du steak haché.

— Je pourrais y' dire aussi que la paye est pas pire pantoute. Mieux qu'à ben des places. Ouais, c'est ça que j'vas y' dire, à Charles. De même, sans insister plusse que ça. Pis après, je pourrais ajouter que j'ai ben réfléchi à son affaire, pis que j'ai fini par comprendre que l'école, c'était pas pour lui… Dans le fond, c'est toute ce que j'ai besoin de dire : l'école, si y' veut, y' peut la lâcher tusuite pis moé, en même temps, j'ai besoin de quèqu'un pour m'aider. Pas besoin d'être une cent chandelles pour comprendre ce que je veux dire. Pis Charles, comme le dit souvent Bernadette, y' est pas plusse cave qu'un autre. Y' va comprendre que son intérêt est icitte, à l'épicerie. Dans l'immédiat, c'est sûr, mais aussi pour son avenir. Pis y' devrait comprendre encore plusse vite quand j'vas ajouter que rendu à son âge, si jamais y' décidait de lâcher les études, comme de raison, va falloir qu'y' se trouve une job. Pis vite en calvaire pasque j'ai pas l'intention de nourrir un chômeur de dix-sept ans en parfaite santé. Ouais, c'est ça que j'vas y dire, à Charles. Pour astheure, y' a pas besoin de savoir que chus plusse malade que le monde le pense. Ouais… Pis si je vois qu'y' branle encore dans le manche, j'vas même promettre que si y' se trouve une job en moins d'une semaine, j'vas parler à Bernadette pour y faire accepter le fait que son gars vient de lâcher l'école… Avec toute ça, si y' comprend pas ce que j'veux dire, le Charles, chus petête mieux de pas l'avoir comme assistant… Ouais, c'est de même qu'y' faut que je voye ça, pis je serai pas déçu… Mais y' va comprendre, chus sûr qu'y' va comprendre, pis en même temps, y' va avoir l'impression qu'y a pas personne qui l'a obligé. Entécas, je pense ben…

Sur ce, Marcel laissa échapper un rire. Un rire sincère qui venait du fond du cœur comme cela faisait longtemps qu'il n'en avait pas eu.

— Me v'là rendu ratoureux comme la mère! C'est ben pour dire!

L'instant d'après, une quinte de toux particulièrement violente le plia en deux, cassant d'un coup sec la joie de vivre qu'il avait brièvement ressentie.

Marcel se précipita vers la cuve.

Quand il revint enfin du côté de l'épicerie, le pauvre homme haletait comme s'il venait de courir un sprint contre la montre et il avait les yeux remplis de larmes. Un rapide coup d'œil sur l'horloge derrière le comptoir lui apprit qu'il n'avait que cinq minutes pour reprendre son souffle.

À huit heures pile, comme tous les jours depuis la fin du mois de septembre, Bernadette arriverait en compagnie de la tante Estelle, et il n'était pas question que sa femme s'inquiète outre mesure pour lui.

CHAPITRE 13

Le secret des mots glisse entre mes doigts
De sable et d'eau à la fois
Comme une image délavée
D'un monde oublié

Un château de sable
PAUL PICHÉ (P. PICHÉ / R. LÉGER / R. HAWORTH), 1988

Montréal, mercredi 1ᵉʳ novembre 1972

Roméo Blanchet dans son petit appartement
Pour une troisième fois d'affilée, Roméo Blanchet se releva précipitamment et fila vers la salle de bain.

Après avoir uriné quelques gouttes et s'être consciencieusement lavé les mains, il leva les yeux et se mira durant un instant dans la glace qui surmontait le lavabo. Puis, pour une troisième fois d'affilée, il sortit le peigne de l'armoire à pharmacie et rectifia la raie qui séparait ses cheveux en deux parties inégales: un tiers vers la droite et la balance vers la gauche. Il était chanceux puisqu'il avait de très beaux cheveux blancs, blancs comme la neige, et encore convenablement fournis. Il en était très fier. Le temps d'apprécier le tout, de replacer le peigne à sa place sur la tablette puis il quitta la salle de bain. Ensuite, après une brève hésitation sur le pas de la porte, il se dirigea vers l'autre bout de l'appartement pour faire un petit détour par la cuisine afin de vérifier l'heure sur l'horloge de la cuisinière même s'il se doutait qu'il y allait pour rien.

Effectivement, il s'était déplacé pour rien.

Roméo lâcha un long soupir de déception avant de regagner le salon.

Il ne lui restait plus qu'à poursuivre son attente puisque, ce matin, les aiguilles de l'horloge s'obstinaient à avancer à pas de tortue.

Pinçant délicatement le pli de son pantalon, monsieur Roméo s'installa avec précaution sur le bord d'un fauteuil.

Il avait promis à Évangéline de l'accompagner à la messe de la Toussaint qui aurait lieu à dix heures bien précises à l'église de la paroisse de son amie. Comme il n'était que huit heures quarante-cinq, il était encore trop tôt pour partir.

Beaucoup trop tôt.

Mais monsieur Roméo était ainsi fait: il détestait faire attendre les gens, tout comme il détestait faire le pied de grue, d'ailleurs. À ses yeux, c'était un manque flagrant de respect que de faire perdre son temps à quelqu'un. Il avait donc la fâcheuse manie d'être toujours prêt longtemps à l'avance pour pallier le moindre imprévu.

Après l'office, et cela, Évangéline l'ignorait, car c'était une surprise, ils iraient dîner ensemble. Une table était déjà réservée au Ritz-Carlton depuis au moins trois semaines. Pour ce qu'il avait à proposer à son amie, Roméo avait jugé que c'était là le seul endroit dans toute la ville de Montréal qui pouvait convenir, qui avait suffisamment de décorum.

Le vieil homme repassa mentalement le déroulement de l'avant-midi, de la messe jusqu'au dîner, avant de se relever d'un bond pour filer encore une fois vers la salle de bain. Pourtant, il savait qu'il y allait pour rien et que seule la nervosité lui donnait cette inutile envie d'uriner.

Tant pis, il en profiterait pour se recoiffer.

Ce fut vers neuf heures trente qu'il jugea enfin que le moment était venu pour lui de partir. Même si la route à parcourir n'était pas si longue, il irait lentement. Ça lui donnerait le temps de tout répéter encore une fois.

Comme s'il en avait besoin !

Le temps de vérifier les lumières et les ronds du poêle et monsieur Roméo enfila son paletot, glissa autour de son cou un léger foulard assorti qu'il croisa soigneusement sur sa poitrine avant de boutonner le manteau. Comme ses cheveux avaient toujours été son unique coquetterie, cela faisait une éternité qu'il ne portait plus de chapeau, à l'exception d'une casquette de type marin qui l'accompagnait lors de ses longues promenades.

Après être revenu sur ses pas pour sonder une seconde fois la porte d'entrée — ne sait-on jamais, il aurait pu mal la fermer —, monsieur Roméo descendit les quelques marches qui menaient au stationnement et il introduisit la clé dans la serrure de la portière de son antiquité d'auto. Sur ce point, il rivalisait aisément avec la vieille guimbarde de Bernadette et il arrivait régulièrement qu'ils en rient ensemble.

C'est au moment où il s'installa derrière le volant qu'il repensa à l'avant-midi qui commençait, à cette demi-journée qu'il avait préparée avec minutie, jusque dans les moindres détails. Pourtant, il sentait encore le besoin de tout vérifier, de tout répéter mentalement, car, dans ce cas bien précis, l'expérience était une notion chèrement acquise et Roméo Blanchet ne voulait prendre aucun risque d'échec.

Deux humiliations, dans une vie, suffisaient amplement

pour alimenter un certain ressentiment jusqu'à la fin de ses jours.

Un troisième refus serait de trop.

Alors, il allait répéter son texte.

C'est que le repas serait suivi d'un discours mûrement réfléchi et longuement appris. En fait, ce discours était prêt, lui aussi, depuis au moins trois semaines, sinon quatre ou cinq, puisqu'il avait attendu de le savoir par cœur avant de faire la réservation au restaurant. À son âge, la mémoire étant un peu plus capricieuse, elle demandait un certain effort.

Monsieur Roméo fit reculer l'auto de l'entrée à la rue et mettant son clignotant, puis il tourna à gauche à l'intersection. Un peu plus bas, il tournerait à droite sur Sherbrooke pour se diriger vers l'ouest.

Heureusement, il faisait beau. Pas très chaud, plutôt venteux, mais beau. Ce soleil bien franc aidait à garder le moral, et monsieur Roméo y vit un signe de bon augure.

Pendant ce temps, Évangéline attendait impatiemment son ami à la fenêtre de son salon. Elle avait le même défaut que Roméo : elle était généralement prête longtemps avant l'heure prévue.

Comme le curé avait annoncé que ce serait une messe différente, une messe plus officielle que celles de tous les jours, la vieille dame avait fait les frais d'une toilette soignée.

— J'vas même sortir mes souliers en cuir patent, avait-elle mentionné à Bernadette hier soir avant d'aller se coucher. Ça fait des années que je les ai pas mis, pis ça me tente. Comme j'aurai pas à marcher trop longtemps, ça devrait aller.

— Vous êtes ben sûre de vous, la belle-mère ? Ça serait

ben de valeur de vous enfarger ou de perdre pied pis de…

— Coudon, viarge, tu me prends-tu pour une imbécile ? Si je te dis que ça va ben aller, c'est que chus sûre de moé. Inquiète-toé pas, Bernadette, j'ai pas pantoute envie d'aller faire une folle de moé sur le perron de l'église !

— Si vous le dites !

— Je le dis !

Bernadette n'avait pas insisté. En effet, depuis quelque temps, seule une légère claudication persistait à la suite du vieil incident cérébral que sa belle-mère avait subi. Après quelques instants de réflexion, Bernadette avait approuvé d'un signe de tête. Ça devait être sa sempiternelle inquiétude sur tout qui lui avait dicté ses mises en garde.

C'est pourquoi, ce matin, Évangéline avait sorti sa plus belle robe, celle qui avait un peu de dentelle au col et aux poignets, celle qui avait justement fière allure avec les souliers noirs en cuir verni. Hier, elle avait fait aérer son manteau de drap gris fer qui la garderait à l'abri du vent et elle avait sorti son vieux chapeau même si ceux-ci n'étaient plus tellement à la mode depuis quelques années, vestiges d'une éducation reçue à une autre époque. Évangéline ne pouvait donc concevoir une tenue élaborée sans un chapeau, d'autant plus qu'elle savait que monsieur Roméo saurait l'apprécier. Il l'avait justement dit, l'autre jour : il aimait les dames bien mises.

Quant aux gants qui faisaient partie, eux aussi, d'une toilette digne de ce nom, Évangéline avait dû en faire son deuil.

— Maudite arthrite, aussi, murmura-t-elle en regardant ses mains nues aux jointures gonflées, noueuses comme les branches d'un vieil arbre. Me semble que ça aurait été beau, à matin, si j'avais pu mettre mes gants de kid avec mes souliers pis mon chapeau !

Un bref coup de klaxon mit un terme aux regrets d'Évangéline, qui leva joyeusement la main pour saluer monsieur Roméo au moment où il sortait de son auto. Tant pis pour les gants, après tout, il ne faisait peut-être pas si froid que cela.

La cérémonie fut en tous points décevante. Ni chants, ni orgue, ni même une banale guitare pour souligner l'importance de cette fête religieuse. Les fidèles n'eurent droit qu'à un prêtre à la voix monocorde qui psalmodia quelques prières, étirant ainsi le temps pour que la cérémonie puisse avoir un tant soit peu l'air officiel.

— Tu parles d'une messe plate, lança Évangéline dès qu'elle fut parvenue sur le parvis de l'église, résumant ainsi assez clairement la frustration qu'elle ressentait. Je peux-tu vous dire, mon cher Roméo, que je m'ennuie en verrat, comme dirait Bernadette, des bonnes vieilles messes avec du chant en latin ! On comprenait petête rien de ce que le curé baragouinait, mais au moins, c'était beau. C'était à la hauteur de l'image que je me fais du Bon Dieu, ajouta-t-elle sur un ton respectueux tout en hochant la tête.

— Ah ! Le chant grégorien ! Moi aussi, je m'en ennuie, vous savez.

— Dans notre temps, on savait faire les choses avec classe, renchérit Évangéline, tout heureuse de trouver une oreille compatissante à ses doléances.

Roméo aurait voulu trouver mieux pour lancer son invitation à dîner qu'il n'aurait pas pu. Cette chère Évangéline venait de lui mettre exactement les bons mots dans la bouche !

— Oui, nous savions faire les choses avec classe, approuva-t-il en saisissant avec autorité le bras d'Évangéline pour l'aider à descendre les quelques marches qui menaient au trottoir. Vous avez totalement raison. Certaines bonnes habitudes se perdent. C'est pour cette raison que ce midi, je vous invite à manger.

— Ben voyons don, vous ! Je disais pas ça pour avoir une...

— Loin de moi cette prétention ! Je vous connais trop bien pour imaginer un tel manque de savoir-vivre ! De toute façon, j'ai déjà fait une réservation.

— Une réservation ? Viarge, on rit pus ! Ça doit être un bon restaurant.

— Je crois, oui.

— Ben coudon, analysa Évangéline en reluquant le bout de ses souliers vernis qui luisaient dans le soleil de midi, je me serai pas habillée chic pour rien !

Puis elle leva les yeux vers son compagnon.

— Alors ? Que c'est qu'on attend ? On y va-tu ? La messe plate de notre curé plate m'a creusé l'appétit. Quand chus choquée, moé, j'ai toujours faim.

— Et moi, j'ai toujours faim tout court. On y va ?

Évangéline dut s'y reprendre à deux fois pour lire le nom anglais de l'hôtel devant lequel monsieur Roméo était en train de s'arrêter. Même si elle n'était pas une habituée de ce quartier de la ville, le nom lui était connu.

Ritz-Carlton !

Inutile de dire qu'elle était intimidée, même si elle appréciait le fait que monsieur Roméo ait choisi une salle à manger d'hôtel plutôt que la table d'un banal restaurant. C'était de leur époque, les salles à manger d'hôtel.

Évangéline jeta un regard en coin à son ami qui manœuvrait pour ranger son automobile contre le trottoir, près de la marquise.

— C'est toute un plaisir que vous me faites là, Roméo, mentionna-t-elle tout en serrant son sac à main contre sa poitrine. Tout un honneur! Je me rappelle pas être allée dans un hôtel chic de même de toute ma vie.

Un homme en livrée, qui portait des gants, lui ouvrit galamment la portière de l'auto.

— Madame...

La pauvre Évangéline en avait le souffle coupé. Est-ce bien à elle que l'on s'adressait? Du regard, les sourcils en broussaille comme jamais, elle chercha Roméo qui tendait ses clés à un portier.

— Ben voyons don, murmura la vieille dame quand son ami s'approcha d'elle. Que c'est ça, à midi?

Encore une fois, avec un geste empreint d'une grande douceur mais plein d'autorité, monsieur Roméo glissa une main sous le bras d'Évangéline pour la guider.

— Ce midi, comme vous dites, c'est une invitation pour vous remercier de tous les bons petits plats que vous avez cuisinés pour moi au fil des mois. Et maintenant, à table, chère amie! Depuis le temps que je voulais venir manger ici. C'est maintenant qu'on va enfin savoir si leur réputation est méritée.

Et elle l'était!

De la soupe au dessert, les plats qui se succédèrent sur leur table furent vraiment à la hauteur des attentes des deux gourmands-gourmets qu'étaient Évangéline et Roméo. Devant l'insistance de Roméo, la vieille dame avait même accepté un petit verre de vin.

— Du blanc, par exemple. Le rouge, ça me donne des crampes d'estomac !

Quand le serveur eut retiré l'assiette du gâteau praliné qu'elle venait de déguster les yeux mi-clos pour capturer sans partage tout le plaisir qu'il lui procurait, Évangéline se laissa retomber contre le dossier de sa chaise en expirant bruyamment.

— Je pense que j'ai faite des exagérations, moé là ! lança-t-elle sur le ton qu'elle aurait pris pour s'excuser d'une bêtise.

— Si peu !

Comme toujours avec Évangéline, Roméo était toute indulgence.

— N'empêche.

La vieille dame était confuse. Elle n'avait pas l'habitude de boire du vin. Même un tout petit verre bu du bout des lèvres suffisait à la rendre euphorique. Roméo, sans beaucoup plus d'expérience en la matière, même s'il s'était montré plus que raisonnable, l'était tout autant. Mais la détente lui était bonne. « Tant mieux », se disait-il. Ça aiderait peut-être à dire les mots qu'il retenait depuis le début du repas.

— Pour une fois qu'on se permettrait une petite exagération, fit-il en souriant.

— Ouais, mettons…

Évangéline regarda autour d'elle, toujours sous le charme de cette salle qu'elle qualifiait intérieurement de grandiose. Le cristal des lustres brillait, l'argenterie luisait doucement et la musique, en sourdine, était d'une pureté incomparable.

— Mettons que vous avez raison pis que c'était ben bon. Pis ben agréable. Dans un décor de même, faudrait vraiment être capricieux pour pas se sentir ben… Vous trouvez pas, vous, qu'on se croirait dans un décor de théâtre?

À son tour, Roméo regarda autour de lui.

— C'est vrai qu'on n'a pas tellement l'habitude.

— Pas tellement? Pas pantoute, vous voulez dire. Mais je le répète: c'était pas désagréable, ben au contraire… C'est Bernadette qui va en faire, une tête, quand j'vas y raconter ça.

— Et si nous faisions durer le plaisir?

— Vous voulez toujours ben pas manger encore, vous là?

— Manger, non. Mais un café, peut-être?

— Ah ça, par exemple. C'est pas de refus. Ça va aider à faire passer tout le reste… Merci, Roméo. Merci ben gros pour c'te repas-là. Je pense que j'vas m'en rappeler pour le restant de mes jours, tellement c'était agréable pis bon.

« Merci, Roméo… »

Le vieil homme se rappelait les avoir souvent entendus, ces deux petits mots. Combien de femmes, au juste, au fil des années, avaient apprécié ces petites attentions, ses invitations?

« Merci, Roméo… »

Il y en avait eu deux en particulier. Yolande et Marguerite. Deux femmes qu'il avait beaucoup aimées.

Deux femmes qui s'étaient jouées de lui, abusant de sa générosité, de sa gentillesse. Cadeaux, gâteries, invitations s'étaient alors succédé, pavant la voie à un avenir que Roméo voyait en rose.

« Merci, Roméo! Vous êtes gentil, Roméo! »

Cependant, le jour où, rempli d'espoir, il avait proposé d'aller plus loin dans leur relation, toutes les deux, elles avaient ri de lui. Allons donc! Roméo Blanchet n'était pas un homme que l'on mariait. C'était un ami, une gentille escorte.

Après avoir été éconduit la seconde fois, il devait bien avoir dans les quarante ans à l'époque, Roméo s'était juré de ne plus jamais se laisser avoir. C'était trop décevant. Cela faisait trop mal. Dorénavant, il garderait ses distances vis-à-vis des femmes.

Et voilà que ce midi…

Roméo se redressa sur sa chaise, subitement mal à l'aise.

Et voilà que ce midi, il allait remettre ça. Quelle drôle d'idée !

Pourtant, cette fois-ci, il osait croire que ça serait différent parce qu'Évangéline était différente. Elle était généreuse et soucieuse du bien-être des gens, un peu comme lui. Parfois acerbe dans ses propos et cinglante dans sa façon de parler, elle savait rire d'elle-même à l'occasion. Entêtée, brusque et directe, on savait toujours à quoi s'attendre avec elle. La franchise faisait partie de ses belles qualités.

Et justement à cause de tous ces traits de caractère, cette fois-ci, Roméo espérait, de toute son âme, qu'il ne serait pas repoussé du revers de la main.

Depuis maintenant près d'un an, Évangéline et lui se voyaient tous les jours ou presque. Ils savaient parler ensemble de société et de politique, en discuter sans se disputer. À deux, ils prenaient plaisir à ressasser le bon vieux temps, avec une nostalgie de bon aloi, mais en même temps, ils essayaient de voir l'avenir avec lucidité. Ils aimaient la bonne chère, et la préparer ensemble était un plaisir renouvelé à la moindre occasion. Par temps froid, quand les promenades à l'extérieur se faisaient plus périlleuses, c'était à qui poserait le dernier morceau d'un casse-tête compliqué, et quand arrivait le vendredi, une soirée au cinéma ne leur déplaisait pas du tout.

Voilà pourquoi Roméo osait croire que cette fois-ci…

Un léger soupir mit un terme à sa réflexion.

Par contre, les mots choisis pour dire son attachement, ceux qu'il avait su écrire sans hésitation et qu'il avait appris par cœur avec tant de ferveur, voilà que ces mêmes mots s'embrouillaient dans sa tête jusqu'à en perdre leur sens et leur prestance. Alors, il tendit la main. Dans un premier temps, le geste remplacerait les mots. Sur la nappe blanche, entre les tasses de café fumant qu'on venait de déposer devant eux, Roméo déposa sa main, paume offerte. Si Évangéline y glissait la sienne, il ajouterait les paroles, car il était persuadé qu'à ce moment-là, les mots lui reviendraient sans difficulté.

Sinon…

Évangéline était depuis longtemps une femme d'intuition. La vie l'avait guidée en ce sens. Ainsi, quand elle vit la main de Roméo se poser sur la table, comme un trait d'union entre eux, paume ouverte, elle crut deviner que c'était plus, beaucoup plus qu'une main amicale qui se tendait.

L'envie d'y confier la sienne fut immédiate. Elle y avait si souvent pensé.

Durant une fraction de seconde, Évangéline retint son souffle, les yeux fixés sur cette main d'homme qui s'offrait à elle.

Le miroir avait beau lui rappeler insolemment tous les matins que la jeunesse était loin, bien loin derrière elle, Évangéline avait compris depuis longtemps que les rides n'effaçaient pas tout. Certaines choses ne mouraient pas. L'envie de s'abandonner sur l'épaule de quelqu'un en faisait partie. Le désir aussi. Même si une femme de son âge ne parlait pas de ces choses-là, elle savait les reconnaître.

Comme en ce moment.

Cette crampe au creux des reins, ce cœur qui bat la chamade, ce souffle trop court, ces frissons qui donnent envie de fermer les yeux…

Non, les rides n'effaçaient pas tout et certains traits de la jeunesse étaient éternels, bien à l'abri au fond du cœur.

« Pardon, Alphonse, mais ça fait trop longtemps pour que je dise non, bougonna-t-elle intérieurement dans un réflexe si bien ancré que même dans un moment comme celui-ci, il refusait de lâcher prise. De toute façon, si tu le connaissais comme moé je le connais, chus sûre que Roméo Blanchet te plairait bien. »

Le temps de cette courte intériorité où Évangéline garda les yeux baissés pour faire cette mise au point, puis elle leva la tête bien hardiment, comme si elle voulait se prouver quelque chose à elle-même. À son tour, elle tendit la main, confiante et hésitante en même temps.

Cela faisait si longtemps.

— Doucement, demanda-t-elle sur un ton craintif quand elle vit Roméo porter vivement son autre main vers la table pour emprisonner la sienne, comme s'il avait peur de la perdre. Mon arthrite est ben sensible à midi.

Les mains de Roméo se firent alors très légères et les mots, tous les mots soigneusement choisis à son intention, se présentèrent timidement à ses lèvres, un à la fois.

Il commença par dire l'attachement qui au fil des mois s'était transformé à son corps défendant. Aujourd'hui, malgré toutes les réserves derrière lesquelles il croyait s'être caché, il pouvait parler d'amour.

— Nous ne sommes plus de la prime jeunesse, je le sais.

Mais quand je pense à vous, chère Évangéline, j'ai l'impression que mon cœur a de nouveau vingt ans.

Chère Évangéline...

Roméo n'avait eu besoin que de ces deux mots pour séduire la vieille dame au fil du temps.

Et ce qu'il venait d'avouer, en toute simplicité, en toute éloquence, rejoignait tellement bien ce qu'elle ressentait elle-même.

Évangéline plongea alors son regard dans celui de Roméo avec une confiance nouvelle, rafraîchissante comme une pluie d'été, se disant que si son Alphonse avait vécu, c'est à un homme comme Roméo qu'elle aurait voulu qu'il ressemble.

— Pis si je vous disais, Roméo, que je pense exactement comme vous ? Si je vous disais que mon cœur avec refuse de vieillir quand chus avec vous ?

Roméo affiche aussitôt un sourire soulagé. C'était déjà mieux que tout ce qu'il avait vécu jusqu'à présent avec les femmes.

N'était-ce pas là, de toute façon, de belles paroles d'amour ?

— Alors, je répondrais qu'on est sur la même longueur d'onde.

— C'est déjà un bon départ.

— J'aime bien votre mot, Évangéline. *Départ*... C'est justement ce que j'avais en tête quand j'ai réservé cette table... Et si ce succulent repas était un départ pour nous ? Si nous parlions d'avenir ensemble, Évangéline ? proposa-t-il enfin, jouant sur les mots plus qu'il ne l'aurait souhaité.

C'est que brusquement, il avait peur de bousculer Évangéline. Peur de l'effaroucher et le cas échéant, peur qu'elle lui demande de la ramener chez elle sans autre forme de réponse.

Et que s'ensuive une longue période de silence.

La conversation n'allait pas dans le sens qu'il avait prévu, qu'il avait si soigneusement préparé. Dans son scénario le plus osé, les mots coulaient si librement. Il s'était même vu, à quelques reprises, posant un genou au sol pour faire la grande demande.

Un bref regard autour de lui pour constater que toutes les tables du restaurant étaient occupées l'en dissuada. Il ramena les yeux sur Évangéline qui donnait l'impression d'attendre quelque chose.

Peut-être attendait-elle tout simplement qu'il soit plus précis ? Dans ce cas, quelques mots, bien choisis, devraient faire l'affaire, non ?

Écartelé entre l'émotion intense qui étreignait son cœur et la peur de rester paralysé au moment le plus crucial de sa vie, Roméo resta un moment silencieux, priant tous les saints du ciel de lui venir en aide.

— Si… si je vous disais que j'aimerais me marier avec vous ? lança-t-il un peu précipitamment, gauchement, craignant réellement que le courage ne finisse par lui manquer.

Il n'avait pas fini de parler qu'il sentit la main d'Évangéline se crisper entre les siennes. Le cœur de Roméo battit alors si fort qu'il en eut mal. Pourtant, cette même main ne semblait pas vouloir se dérober.

N'était-ce pas un signe ?

Était-ce là les mots qu'Évangéline espérait entendre ?

La gorge nouée, le pauvre homme ne put poursuivre.

Évangéline prit alors une profonde inspiration et Roméo baissa la tête, persuadé qu'encore une fois, il se verrait puni pour son audace.

Or, Évangéline n'avait nulle envie de refuser. Ce n'était

que ce vieux réflexe de fidélité envers un mari décédé depuis une éternité qui chatouillait encore sa conscience. Parce que si elle voulait être sincère, oui, ce que Roméo venait de lui demander correspondait tout à fait à ce que son cœur espérait depuis longtemps déjà, même si elle s'était toujours refusé d'envisager la situation en ce sens, se croyant peut-être trop vieille déjà.

Maintenant que les mots avaient été dits... maintenant que son cœur battait si fort... Évangéline releva les yeux sur ce très cher ami qu'était Roméo et elle sentit un embrasement certain gonfler dans sa poitrine.

Oui, maintenant, Évangéline Lacaille pouvait l'affirmer: ces quelques mots, elle les espérait du plus profond de son cœur.

Et subitement l'âge n'avait plus rien à voir avec la situation.

— C'est sûr, Roméo, que si on est pour faire un boutte de chemin ensemble, ça va passer par un mariage.

La voix d'Évangéline était rauque d'émotion et les mots, malhabiles, n'exprimaient pas ce qu'elle ressentait vraiment.

— À nos âges, ça serait plusse convenable, vous trouvez pas, vous? ajouta-t-elle d'une voix nettement plus tendre, comme pour adoucir les angles.

Roméo, soulagé, comprit alors qu'il pouvait recommencer à respirer.

— Tout à fait d'accord avec vous, approuva-t-il d'une voix incrédule.

— C'est ben ce que je me disais. On est souvent d'accord, vous pis moé!

— Pour ça...

Encore une fois, Évangéline regarda tout autour d'elle et

brusquement, elle eut la nette sensation qu'elle n'était pas à sa place. Le décor convenait peut-être pour initier un certain dialogue — elle connaissait suffisamment la vie de monsieur Roméo pour reconnaître qu'un endroit impersonnel comme ici ait pu lui paraître important —, mais il n'était pas celui où elle avait envie de poursuivre la conversation.

Le verre taillé et l'argenterie, c'étaient pour les grandes occasions, pas pour la vie de tous les jours.

Et ce dont ils devaient discuter, Roméo et elle, à partir de maintenant, c'était justement de la vie de tous les jours.

Tant pis pour le café qu'elle n'avait pas bu; pour l'instant, Évangéline avait une irrésistible envie de rentrer chez elle. Elle ramena les yeux sur Roméo.

— Et si on allait finir de discuter de tout ça chez moi? demanda-t-elle en esquissant son drôle de sourire un peu croche. Me semble qu'on serait bien mieux dans mon salon. Que c'est t'en penses, toé?

Par son tutoiement, qui s'était imposé à elle sans autre raison que le fait d'être en confiance, Évangéline venait d'ouvrir la porte à certains dialogues, à d'autres possibilités. Du moins, est-ce ainsi que Roméo l'entendit. Il répondit alors au sourire de son amie avec empressement, avec soulagement.

— Tout à fait d'accord, Évangéline. C'est comme si on était déjà partis! Le temps de payer l'addition et je te suis!

Sur ce, tout guilleret, Roméo Blanchet leva l'index pour attirer l'attention du serveur.

CHAPITRE 14

Seul sur le sable, les yeux dans l'eau
Mon rêve était trop beau
L'été qui s'achève, tu partiras
À cent mille lieues de moi

Hélène
ROCH VOISINE (S. LESSARD), 1989

Montréal, jeudi 16 novembre 1972

Émilie dans son atelier

Depuis ces dernières semaines, Émilie avait repris l'habitude de peindre au moins quelques heures tous les jours. Elle s'en faisait une obligation même si son quotidien était déjà fort occupé, avec cinq enfants à nourrir et à blanchir, comme le disait sa mère Blanche d'une voix accablée. Tant pis pour l'ouvrage, répondait alors automatiquement Émilie, avec une patience angélique; peindre l'aidait justement à traverser plus facilement et plus agréablement cette période de vie un peu lourde.

— Et si j'y avais pensé un peu plus sérieusement, je m'y serais mise bien avant aujourd'hui, tu sais!

— Mais ma pauvre Émilie! Tu vas y laisser ta santé.

— Ne t'inquiète pas de ma santé, maman, elle se porte à merveille. Elle n'a jamais été aussi florissante, ma santé!

Par conséquent, malgré le feu nourri des avertissements

maternels qui se faisaient quasi journaliers, soit par télé-phone soit par courte visite, Émilie peignait régulièrement, et des toiles de tous formats commençaient à s'accumuler dans un coin de l'atelier.

Mais de là à dire qu'elle pourrait préparer une exposi-tion…

Émilie déposa son pinceau et recula de quelques pas en soupirant, un peu déçue du travail accompli. Certes, son coup de crayon était toujours aussi sûr et ses couleurs aussi lumineuses. Ce petit quelque chose qui avait toujours attiré les galeristes et les amateurs était encore présent : la douceur des couleurs combinée à une luminosité exceptionnelle ren-dait ses toiles actuelles aussi vivantes, aussi vraies que celles qu'elle peignait quand le jeune Antoine était encore son élève, il y avait de cela, maintenant, plusieurs années.

Le passage du temps et les nombreux mois à bouder l'atelier — à son corps défendant, il faut cependant le pré-ciser —, n'avaient rien enlevé au talent d'Émilie : la toile qui prenait forme devant elle présentement aurait très bien pu être peinte cinq ans auparavant et personne n'y aurait vu de différence.

Émilie esquissa une moue, sourcils froncés, tandis qu'elle examinait consciencieusement l'œuvre inachevée posée sur le chevalet.

Dans un sens, c'était un soulagement de découvrir qu'elle n'avait pas perdu le tour de main. Émilie n'aurait jamais prétendu le contraire. La passion, ce feu intérieur qui la portait quand elle franchissait le seuil de l'atelier, ne s'était pas éteinte avec la venue des enfants. Sans qu'elle en prenne conscience, les braises de cet élan qui la portait vers la peinture depuis ses plus tendres années avaient continué de couver en elle tout au long du temps où elle prétendait n'avoir aucun temps à consacrer à la peinture. Un crayon et une toile vierge par un matin d'automne grisâtre avaient suffi pour faire renaître la flamme. En quelques heures, un nouveau tableau avait vu le jour, semblable à ceux qu'elle faisait auparavant. D'où le soulagement d'Émilie. Mais d'un autre côté, cette uniformité dans le style et dans la manière de rendre l'image était ce qui la désappointait le plus.

Critique face à elle-même, comme elle s'était toujours efforcée de l'être, dès ce premier tableau achevé, Émilie avait jugé qu'elle n'avait pas évolué d'un iota. À ses yeux, cette constatation s'était aussitôt avérée franchement décevante.

Encore ce matin, devant une fontaine scintillante de gouttelettes d'eau qui ruisselaient dans les rayons du soleil, Émilie était déçue.

— Comme si je n'étais pas capable de faire autre chose que des paysages idylliques, murmura-t-elle avec une bonne dose de frustration dans la voix. Voir si la vraie vie ressemble à un jardin de conte de fées !

Émilie se concentra sur la toile en cours de production durant quelques instants encore, essayant de voir comment elle aurait pu travailler autrement le sujet choisi. N'y parvenant pas, elle détourna lentement la tête.

Sur le mur opposé s'alignaient, couverts d'un léger voile de poussière, quelques tableaux peints jadis par Antoine.

Émilie s'y attarda.

Quand le jeune homme avait quitté l'atelier pour s'installer dans le petit logement que sa grand-mère mettait à sa disposition, il n'avait pas voulu emporter ces quelques toiles avec lui. Il y avait même une pointe de dégoût dans sa voix quand il avait déclaré qu'Émilie pouvait bien en faire ce qu'elle voulait.

— Même les jeter aux vidanges, si ça vous tente, madame Émilie! Moé, je veux pus jamais les revoir.

C'étaient parmi les premières toiles qu'Antoine avait peintes quand il s'était présenté chez elle pour suivre des cours. Malgré quelques maladresses de débutant, Émilie n'avait jamais pu se résoudre à les jeter. Il y avait, dans ces tableaux, une charge émotive peu commune, comme si Antoine avait projeté un jet de rage contre les arbres courbés par le vent d'automne.

Comme si la colère avait nourri la main qui tenait le pinceau.

Émilie n'avait jamais vraiment su d'où venait cette colère, mais souvent, elle en avait senti le souffle quand Antoine venait chez elle. Surtout les premiers temps. Puis lentement, d'une semaine à l'autre, d'une année à l'autre, elle avait vu le jeune garçon entrouvrir le cocon et s'épanouir comme un papillon sort de sa chrysalide. Malheureusement, le jour où il avait su déployer tout grand les ailes, le jeune Antoine avait pris son envol et Émilie n'avait plus eu que de rares et très brèves nouvelles de lui, sauf parfois par Anne qui le voyait, semblait-il, assez régulièrement puisqu'il était son voisin.

Mais depuis quelques mois, depuis qu'elle avait appris qu'il venait de quitter le pays, c'était le silence total.

Sauf tout récemment.

En effet, la semaine dernière, une enveloppe assez lourde lui était parvenue depuis Boston. N'y connaissant personne, curieuse, Émilie s'était empressée d'ouvrir la lettre et de rechercher le dernier feuillet pour y lire le nom de celui ou celle qui lui avait écrit une si longue lettre.

C'était Antoine qui s'était enfin décidé à lui donner de ses nouvelles. Ça devait faire au moins un an, sinon plus, qu'Émilie ne savait rien de lui.

Instinctivement, Émilie était venue s'asseoir dans l'atelier pour lire la lettre, tirant et poussant la vieille chaise berçante jusque devant les toiles d'Antoine.

Puis, le cœur battant de plaisir, elle avait commencé à lire.

Émilie avait été heureuse de constater que les mots qu'elle avait sous les yeux n'avaient rien en commun avec les œuvres glauques qu'elle avait devant elle quand elle levait la tête. Autant ces quelques peintures se déclinaient dans les bruns, les gris et les tons verdâtres, sombres et tristes, autant la lettre était lumineuse, remplie de joie de vivre. « Une lettre brillante de soleil et d'espoir », avait alors pensé Émilie.

Dans sa missive, Antoine lui parlait longuement de Donna, de son mariage, de sa belle-famille et de Los Angeles qu'il aimait beaucoup. Puis il lui avait raconté son arrivée à Boston où la ville l'avait séduit en quelques jours à peine. « Pour trouver l'équivalent, il me faudrait retourner à Paris », avait-il confié. « À un point tel que s'il n'y avait pas d'aussi belles perspectives d'avenir pour Donna à la galerie de son père, je crois que j'essaierais de la convaincre de nous établir ici, d'autant plus que Montréal, ce n'est pas si loin que ça de Boston. C'est ma grand-mère et ma mère qui seraient contentes ! En attendant, je prépare une exposition pour le printemps prochain, ici même à Boston. Que diriez-vous de vous joindre à moi, madame Émilie ? À nous deux, on ferait un malheur ! Un simple mot de votre part et j'en parle au propriétaire de la galerie, un drôle de coco aux cheveux longs jusqu'à la taille, ouvert à toutes sortes de nouveautés. »

Puis Antoine concluait en avouant s'ennuyer du temps où ils étaient deux à peindre côte à côte. « Avoir quelqu'un à côté de moi, je trouve ça stimulant. Quand je suis seul, il arrive encore que je doute de moi. Est-ce que c'est ma personnalité qui le veut ainsi ? Est-ce normal de toujours craindre de voir ses toiles refusées ? Je ne sais pas et j'aimerais vous avoir pas trop loin pour pouvoir en discuter. C'est pourquoi j'ose espérer une réponse de votre part, même si je sais que vous êtes pas mal occupée avec votre famille. À défaut de votre présence, savoir que vous pensez à moi serait bien agréable. »

À force de lire et relire la lettre d'Antoine, Émilie la savait par cœur.

Et c'est encore à cette lettre qu'elle pensait en observant les anciens tableaux d'Antoine, se demandant à quoi ressemblait ce qu'il peignait présentement. Avait-il évolué, lui ? Les grandes villes américaines l'avaient-elles influencé ? Faisait-il toujours de magnifiques scènes urbaines ?

Peignait-il encore des toiles si fidèles à la réalité qu'on devait se retenir pour ne pas y toucher afin de vérifier qu'il ne s'agissait pas d'une photographie ?

Émilie haussa les épaules. Il y avait tant de questions sans réponse.

Pourtant, il ne suffirait peut-être que d'une lettre pour obtenir les réponses à ses interrogations. Quelques mots sur une feuille de papier pour rétablir les ponts, parce qu'Émilie aussi s'ennuyait souvent d'Antoine et de ce temps où ils peignaient à deux dans son atelier.

Mais jusqu'à maintenant, Émilie n'avait pas osé prendre la plume pour lui répondre.

Qu'aurait-elle eu de bien nouveau à lui dire, à part le fait qu'elle n'avait rien produit depuis des années, faute de temps et peut-être aussi d'énergie, et que maintenant qu'elle s'était enfin décidée à reprendre le pinceau, elle était déçue de ce qu'elle peignait ? Qu'aurait-elle d'autre à écrire, à part le fait qu'elle aussi, finalement, elle doutait d'elle-même au point de craindre le regard des autres sur ses tableaux ?

Que pourrait-il sortir de positif d'un tel échange épisto-laire ?

Alors, non, Émilie n'avait pas écrit même si elle brûlait d'envie de le faire.

Au moment où elle cherchait la chaise du regard pour s'y installer afin de relire la lettre d'Antoine qu'elle laissait en permanence dans l'atelier, le téléphone sonna. Émilie sou-pira, agacée. Puis, haussant les épaules, elle prit tout de même la lettre et se laissa tomber sur la chaise. Tant pis pour cet appel. De toute façon, tout le monde dans sa famille savait qu'on ne devait plus téléphoner chez elle durant l'après-midi maintenant qu'elle s'était remise à la peinture. Si c'était important, on n'avait qu'à rappeler plus tard.

Et c'est ce que l'on fit.

Émilie n'avait pas terminé de lire, s'attardant sur cer-tains passages, que le téléphone sonnait à nouveau en même temps que sa plus jeune fille se mettait à pleurer, dérangée par la sonnerie durant sa sieste de l'après-midi.

Laissant échapper un long soupir d'impatience, Émilie se précipita vers la cuisine pour faire taire l'appareil importun. Lorsqu'elle passa devant l'escalier qui menait aux chambres, elle en profita pour lancer un petit mot de réconfort à sa fille.

— Deux minutes, chaton ! Maman s'en vient.

L'appel fut assez bref. Pourtant, plutôt que de monter immédiatement à l'étage pour rejoindre sa fille, tel que promis, Émilie se laissa tomber sur le petit banc qui jouxtait la tablette du téléphone, puis elle laissa filer son regard par la fenêtre qui donnait sur la cour arrière de la maison. Même s'il faisait un soleil éblouissant, au vent qui malmenait les arbres, elle devina qu'il faisait assez froid.

C'était sa sœur Charlotte qui venait d'appeler. Blanche, leur mère, était en route pour l'hôpital.

— En ambulance, avait annoncé Charlotte d'une voix un peu sèche. C'est l'oncle René qui a appelé. Maman est tombée en voulant sortir de son bain et, selon elle, c'était souffrant à ne plus pouvoir bouger.

— Son bain ? En plein milieu d'après-midi ?

— Oui. Paraîtrait-il qu'elle se plaignait d'avoir froid depuis le matin. D'où ce bain improvisé en milieu de journée.

— Pauvre maman… Mais ça n'explique pas pourquoi elle est tombée. Quand même ! Notre mère n'est pas vieille à ce point. Elle n'est pas sénile, à ce que je sache, elle est encore solide sur ses deux jambes.

— Voyons donc, Émilie ! Est-ce que j'ai besoin de te faire un dessin pour que tu comprennes pourquoi notre mère a glissé ?

Un silence chargé d'une certaine animosité avait alors interrompu la conversation. C'est Émilie qui avait repris, elle aussi sur un ton sec.

— Si tu veux faire allusion à son ancien problème d'alcool, je te dirais que c'est inutilement méchant. Tout le monde sait que ça fait longtemps que maman n'a pas…

— Pauvre Émilie ! Il n'y a que toi pour ne pas voir ce qu'il y a à voir !

Cette fois-ci, Émilie avait eu clairement l'impression qu'il y avait un peu de dérision dans la voix de sa sœur aînée.

— … et je ne parle pas que du problème d'alcool de notre mère, avait poursuivi Charlotte sur le même ton. Il y a tant d'autres problèmes que tu refuses encore de regarder avec lucidité. Anne me disait justement, l'autre jour, que…

— On ne reviendra pas là-dessus, d'accord ?

Depuis quelques instants, c'était un vent glacial qui s'était glissé dans la conversation. Charlotte était restée silencieuse durant un long moment avant de poursuivre d'une façon un peu précipitée.

— D'accord, Émilie, on ne reviendra pas sur ce sujet. On perdrait notre temps, de toute façon. Donc, tout cela pour te dire que je pars à l'instant pour rejoindre l'oncle René qui a accompagné notre chère mère à l'hôpital Notre-Dame. Je te demanderais simplement de prévenir Anne. À cette heure-ci, normalement, elle devrait être à la procure. Dès que j'ai des nouvelles plus précises, je te rappelle et tu pourras ainsi faire le suivi avec notre petite sœur.

Sans plus de détails, Charlotte avait raccroché sur ces quelques mots porteurs d'inquiétude pour Émilie, mais aussi de colère envers sa sœur qui n'avait manifesté aucune empathie pour leur mère. Que des mots froids dictés par les circonstances et débités avec une sorte de lassitude exaspérée dans la voix. De la part d'Anne, Émilie s'y serait attendue, mais venant de Charlotte…

Émilie se releva en soupirant, avec une grande lassitude

dans le geste. Tout ce qui touchait sa mère la rejoignait par ricochet. Bien sûr, elle n'était pas idiote et elle savait fort bien que Blanche Gagnon n'était pas un modèle de vertu. Souvent malade, de nature dépressive, sa mère était une femme fragile. Émilie n'avait aucun problème à l'admettre. Mais justement, à cause de cette fragilité, elle était prête à pardonner bien des choses, ce que ses deux sœurs refusaient de faire.

Le temps d'installer sa petite dernière devant la télévision avec une légère collation et Émilie reprenait le téléphone pour tenter de joindre Anne. Charlotte avait raison : en milieu d'après-midi, sa jeune sœur était toujours à la procure.

Néanmoins, et fort curieusement, ce fut une voix inconnue qui lui répondit. Anne était absente et ne reviendrait que le lendemain matin.

— Pauvre vous ! Madame Anne est pas là.

Alertée par ce changement inattendu à la routine particulièrement immuable de sa jeune sœur, Émilie pensa aussitôt au mari d'Anne, depuis si longtemps alité.

— Il est arrivé quelque chose à monsieur Canuel ?

Un rire cristallin fit écho à cette inquiétude, l'anéantissant du coup.

— Pantoute ! Aux dernières nouvelles, je dirais même que ça allait un peu mieux. Entécas, c'est ça que madame Anne m'a dit. Non, si a' l'est pas là, c'est juste que le jeudi, astheure, en fin de journée pis en soirée, a' donne des cours de musique, précisa la voix qu'Émilie ne reconnaissait pas.

— Ah bon… Première nouvelle que j'en ai… Et vous ? Sans vouloir être indiscrète, ça fait longtemps que vous travaillez à la procure ? Vous aussi, vous faites de la musique ?

L'état d'esprit d'Émilie valsait entre le soulagement de savoir Robert Canuel en meilleure condition, la curiosité de connaître celle qui remplaçait Anne et la déception de voir que cette dernière n'avait même pas songé à lui parler du fait qu'elle donnait dorénavant des cours.

— Moé, connaître la musique ?

Un second rire tout aussi joyeux que le premier apporta une forme de réponse.

— À part les chanteurs d'aujourd'hui, comme Janis Joplin, les Rolling Stones pis Jean-Pierre Ferland, non, je connais rien à la musique. Moé, ce que j'aime, c'est les vues au cinéma. Mais c'est pas grave. L'important, comme dit madame Anne, c'est que le magasin soye ouvert pour la clientèle.

— Ah bon…

— Ouais, moé, chus la colocataire à madame Anne, poursuivait la voix inconnue comme si Émilie lui avait posé une série de questions. Moé pis mon gars, comme de raison.

— Colocataire ?

— Ben oui…

Il y eut une légère hésitation dans la voix de la jeune femme qui parlait à Émilie.

— Me semble que c'est de même qu'on appelle ça, què-qu'un qui vit dans la même maison qu'un autre. Pis c'est en plein ce que je fais. Moé pis Steve, lui, c'est mon p'tit, on vit chez madame Anne depuis une couple de semaines. Ça fait ben mon affaire, vous saurez, pis j'ai l'impression que ça fait l'affaire de madame Anne aussi. Pis celle de Laura pis de Bébert, comme de raison, rapport que…

— Hé bien ! coupa Émilie qui n'avait pas l'intention de perdre son temps à écouter la longue confession d'une interlocutrice qu'elle ne connaissait ni d'Ève ni d'Adam. Tout un changement…

— Comme vous dites… Astheure, va falloir m'excuser, y a une cliente qui attend après moé pour passer à la caisse. Si c'est urgent, votre affaire, vous pouvez petête appeler madame Anne chez elle. C'est là qu'a' donne ses cours, vous saurez. Quant à moé, ça m'a faite plaisir de vous parler, madame. Madame qui, au fait ?

— Émilie. Je suis la sœur d'Anne.

— Sa sœur ? Me semblait aussi que votre voix me disait quèque chose. A' ressemble à celle de madame Anne, justement. Dans ce cas-là, c'est ben certain que vous pouvez appeler direct chez eux ! A' sera sûrement pas fâchée de vous parler. Pis moé, je vous dis bonjour.

Suivit un déclic qui mit un terme subit à cet appel.

Émilie raccrocha, songeuse et indécise. Puis elle se releva.

Finalement, elle ne tenterait pas de joindre sa sœur chez elle. Comme elle connaissait Anne, être interrompue en plein cours de piano ne lui plairait sûrement pas. Surtout pour un appel concernant leur mère.

— Même si j'avais à lui annoncer que maman est morte, je crois bien qu'Anne serait de mauvaise humeur d'être dérangée, soupira Émilie en se dirigeant vers le salon pour rejoindre sa fille. Curieux quand même qu'elle ait décidé de prendre une colocataire avec un enfant à charge, elle qui clame sur tous les toits qu'elle n'a pas la fibre maternelle… Et en plus, elle donne des cours privés sans même nous en avoir parlé… À moins que Charlotte, elle, n'ait été au courant. Ça, ça ne me surprendrait pas.

À cette constatation, Émilie s'arrêta de marcher, envahie

brusquement par un petit coup de cafard. Ce n'était pas d'hier qu'entre ses sœurs et elle, les relations étaient plutôt fraîches, voire tendues par moment, et rien n'indiquait que c'était pour changer dans un proche avenir.

— Dommage, murmura Émilie au moment où elle arrivait à la porte du salon où quelques jouets et jeux éparpillés rappelaient sans équivoque que la maison était habitée par une ribambelle d'enfants de tous les âges.

Détestant le désordre, Émilie regarda autour d'elle, de plus en plus déprimée par cette journée où rien n'avait été à la hauteur de ses attentes. Puis elle repensa à Anne, à qui elle n'avait toujours pas parlé.

À qui, Émilie se l'avoua intérieurement sans la moindre hésitation, elle n'avait pas particulièrement envie de parler, compte tenu des circonstances.

Tant pis pour la promesse faite à sa sœur aînée. Elle attendrait de recevoir des nouvelles de sa part avant de donner signe de vie. Pour l'instant, elle essaierait de briser l'attente en compagnie de son bébé pour oublier qu'il fut une époque où elle aurait pu rejoindre Charlotte à l'hôpital au lieu de se morfondre à la maison.

Quand Émilie Deblois était une peintre reconnue, la famille bénéficiait d'une certaine aisance financière et de ce fait, Émilie possédait sa propre auto, profitant alors d'une évidente liberté d'action qu'elle n'avait plus.

Malheureusement, ce temps-là était révolu, et depuis un bon moment déjà…

L'idée de joindre son mari pour lui demander de revenir plus tôt du travail lui traversa l'esprit. Aussi tentante soit-elle, Émilie la repoussa aussitôt. Marc non plus n'appréciait pas être dérangé durant ses heures de bureau, d'autant plus qu'à titre de notaire, il arrivait régulièrement qu'il soit en compagnie d'un client.

Et apprendre que sa belle-mère était encore une fois à l'hôpital n'était sûrement pas une raison suffisante pour revenir chez lui en catastrophe.

Émilie ferma les yeux durant une fraction de seconde, contrariée. Malgré l'affection qu'elle ressentait et avait toujours ressentie pour sa mère, elle était néanmoins obligée d'admettre que ce qui se passait présentement était la banale répétition d'un événement moult fois vécu au fil des années.

Émilie poussa un long soupir bien malgré elle. Puis elle s'obligea à passer à autre chose. Alors, du seuil de la porte où elle s'était arrêtée, elle dessina un sourire pour sa fille qui, assise en tailleur sur le tapis du salon, regardait attentivement *Bobino*. La petite ne méritait sûrement pas de partager sa maman avec des inquiétudes et des déceptions qui ne la regardaient pas.

Après tout, c'est Émilie qui avait choisi la vie qu'elle menait, et les enfants qui accompagnaient son quotidien, chacun d'eux sans exception, elle les avait voulus plus que tout au monde.

Émilie laissa donc ses tracas dans le corridor. Sa mère, ses sœurs, Antoine et la peinture devraient attendre qu'elle soit disponible s'ils voulaient revenir hanter son esprit. Pour l'instant, c'est la mère en elle qui était sollicitée.

Quand elle entra pour de bon dans le salon, de cœur et d'esprit, Émilie était tout entière consacrée à sa fille.

— Alors, cocotte? Est-ce que Bobinette est toujours aussi malcommode?

CHAPITRE 15

Un enfant,
Ça vous décroche un rêve
Ça le porte à ses lèvres
Et ça part en chantant

Un enfant
JACQUES BREL, 1968

Québec, mardi 5 décembre 1972

Cécile dans sa chambre
Cécile n'avait pu résister à la tentation et profitant du fait qu'elle était seule à la maison, elle avait sorti du fond d'un tiroir la petite photo un peu défraîchie qui restait l'unique lien la rattachant à un passé qu'elle ne pourrait jamais oublier.

Juliette…

Sur un bout de carton, en noir et blanc, une gamine de trois ans lui souriait à l'infini.

Juliette, sa fille…

Cela faisait un bon moment déjà que Cécile n'avait pas éprouvé ce besoin irrépressible de contempler cette photo. Au fil des années, Francine et Laura, chacune à sa façon, avaient réussi à combler le vide que Cécile ressentait parfois à la place du cœur, et avant leur arrivée dans sa vie, il y avait eu la tante Gisèle, avec qui la jeune femme qu'elle était à l'époque avait pu partager ses tristesses et ses espoirs.

— Ben voyons donc, ma poulette ! Que c'est ça, c'te petite face-là triste comme un jour sans pain ?

Combien de fois la tante Gisèle l'avait-elle accueillie ainsi le matin quand elle descendait pour déjeuner ?

— Laisse aller la vie un peu, conseillait-elle invariablement. Apprends à faire confiance. En toi, c'est bien certain, mais dans les autres aussi. Dis-toi bien que ce qui doit arriver finit toujours par arriver, d'une manière ou bien d'une autre.

La tante Gisèle et son gros bon sens. La tante Gisèle et sa tendresse un peu bourrue qui lui manquait tant.

Cécile laissa échapper un long soupir.

L'oncle Napoléon aussi avait été un témoin privilégié de ce passé que bien peu de gens connaissaient. Un témoin silencieux, certes, c'était dans sa nature de l'être, mais l'oncle Napoléon était capable de certains regards affectueux qui avaient su réchauffer Cécile jusqu'au fond de l'âme quand elle en avait eu besoin.

Malheureusement, en quelques années à peine, la tante Gisèle et l'oncle Napoléon étaient décédés, emportant avec eux dans leur tombe ce lien unique que Cécile entretenait avec eux. Ce lien particulier qui s'était tissé entre le présent et un certain passé qu'elle continuait de regretter.

Qu'elle continuerait toujours de regretter, d'une certaine façon.

Du bout de l'index, avec une infinie douceur, comme on caresse la joue rebondie d'un bébé, Cécile suivit l'arrondi du visage de la petite fille qui lui souriait. Pour Cécile, Juliette était encore un bébé, son bébé. Elle ne savait rien d'autre de la vie de sa fille que ce moment où, dans la douleur, elle l'avait mise au monde. Hormis pour cette photo d'amateur sans grande qualité, Cécile ne savait rien de son enfant. Elle n'avait même pas eu la chance de la voir à sa naissance puisqu'à son réveil après l'accouchement, sa petite fille était déjà partie rejoindre sa famille d'adoption. Seule la tante Gisèle avait pu lui en parler: la petite avait les cheveux noirs, tout bouclés, et un joli minois.

Comme sur la photo que Cécile avait réussi à obtenir quelques années plus tard, la petite Juliette avait gardé sa tête bouclée. Cécile osait croire que sa fille, encore aujourd'hui, ressemblait à son père.

Parce que penser à Juliette, c'était inévitablement penser à Jérôme Cliche.

Jérôme, le fiancé disparu à la guerre, était l'homme qu'elle avait follement aimé à l'aube de ses dix-huit ans, celui de qui elle avait porté l'enfant, en cachette, ici à Québec, chez la tante Gisèle, parce qu'ils n'étaient pas mariés.

Jérôme Cliche, celui qu'elle aurait dû marier si sa mère à elle n'était pas décédée, quelques mois après la naissance de sa fille, laissant un nouveau-né prématuré et toute une famille à élever. C'est alors que Cécile avait pris la décision de prendre la relève même si ce faisant, elle repoussait son mariage et obligeait ainsi Jérôme à se présenter à l'armée.

Même si ce faisant, elle risquait de détruire à jamais les minces chances qu'elle avait de retrouver sa fille, leur fille.

Jérôme avait donc fait son service militaire. Puis, il était parti pour l'Angleterre comme tant d'autres jeunes Canadiens.

Au printemps suivant, le 6 juin 1944, il disparaissait sur une plage de Normandie au moment du débarquement.

Cécile n'oublierait jamais cette date.

Elle avait prié, pleuré, crié. Elle avait espéré un retour improbable jusqu'à longtemps après la fin de la guerre. En vain.

De nombreuses années plus tard, alors qu'elle terminait son cours de médecine, elle avait rencontré Charles, celui qui allait finalement devenir son mari.

Avec cet homme, en bâtissant une famille, Cécile pourrait enfin se réconcilier avec la vie.

Tristement, les années avaient passé et les enfants n'étaient jamais venus. Comprenant que son mari était fort probablement à l'origine de ce problème, Cécile n'avait pourtant jamais parlé de sa petite Juliette. Elle ne voulait surtout pas humilier son mari. La venue du petit Denis dans leur vie, un enfant que Charles et elle avaient finalement adopté, avait permis de croire que le meilleur était à venir et dans un certain sens, c'était ce qui s'était passé.

Cécile avait enfin goûté aux joies de la vie de famille, elle qui avait toujours rêvé d'une ribambelle d'enfants autour d'elle.

Mais elle n'oubliait pas pour autant. Quelque part, bien à l'abri au fond de son cœur, il y avait encore Juliette et Jérôme.

Il y aurait toujours Juliette et Jérôme. Toujours.

Puis, un matin d'été, en visite chez son frère Gérard à Montréal, Cécile avait croisé Laura, qui n'avait alors que dix ou onze ans. Pour Cécile, le coup de foudre avait été immédiat et irrévocable. Laura était à l'image de ce que sa fille aurait pu être. Comme la gamine pleurait, assise sur le bord d'un trottoir, Cécile s'était approchée d'elle.

Et pour une fois, la vie s'était faite clémente. Les liens qui l'unissaient à Laura, encore aujourd'hui, étaient de la trempe de ceux qu'elle aurait pu avoir avec sa Juliette. La confiance et l'abandon, entre elles, avaient été d'un naturel désarmant, à un point tel qu'à mots couverts, au soir des funérailles de l'oncle Napoléon, Cécile avait osé entrouvrir un pan de son passé et confier qu'il fut un jour où elle avait connu un homme qui n'était pas son mari et de qui elle avait eu un enfant. Laura avait probablement compris que le secret entourait cette confidence, car elle n'en avait jamais reparlé.

Alors, oui, pour cette raison et pour tant d'autres, Cécile avait l'impression de vivre une relation particulière avec Laura. À une exception près, cependant : si elle-même pouvait voir une fille dans la personne de Laura, celle-ci n'avait jamais vu une mère en Cécile. Pour jouer ce rôle, il y avait Bernadette et elle s'en acquittait merveilleusement bien.

Et puis, il y avait eu Francine. Avec la grande jeune femme venue, elle aussi, cacher une maternité coupable à Québec, Cécile avait revécu sa propre jeunesse. Que dire des angoisses et des indécisions de la belle Francine sinon qu'à travers elles, Cécile retrouvait une partie de son passé ? Combien de fois avait-elle eu la tentation de tout confier à Francine, de lui parler à cœur ouvert ? Elles étaient si nombreuses que Cécile n'arrivait pas à en faire le décompte. Pourtant, elle avait tenu bon et elle avait gardé son secret par crainte de blesser son mari Charles. En effet, comment expliquer qu'elle puisse avoir envie de parler à Francine, alors qu'avec lui, elle n'y arrivait pas ?

Aujourd'hui, Cécile avait quarante-huit ans. En septembre dernier, son fils Denis avait quitté la maison pour poursuivre ses études et Laura venait d'avoir une petite fille à son tour. Même si la jeune femme l'avait gentiment associée à son bonheur, la grand-mère, celle à qui Laura confiait ses interrogations et ses questionnements, c'était Bernadette.

Et voilà que Francine, à son tour, s'était éloignée d'elle. Sur une pirouette, en quelques jours à peine, Francine avait chambardé sa vie en quittant Québec avec son fils pour se rapprocher de sa famille à Montréal. Autant son père lui avait montré la porte d'un index accusateur quand il avait appris sa grossesse, autant aujourd'hui Pierre-Paul Gariépy se faisait l'ardent défenseur de sa fille et de son petit-fils qu'il avait pris sous son aile. Gare à quiconque oserait parler contre Francine !

Et Cécile comprenait que c'était normal, que c'était très bien qu'il en soit ainsi.

L'éternelle inquiète qui sommeillait en Francine allait enfin peut-être connaître une certaine stabilité dans sa vie.

En contrepartie, malgré un métier qu'elle adorait, Cécile se sentait bien seule. Sa tante et son oncle décédés, Denis au loin, Francine partie et Laura fort occupée, Cécile avait du temps à revendre. Comme son mari, médecin et chercheur, passait le plus clair de son temps dans son laboratoire, elle pouvait tout à loisir se rappeler le passé et se demander ce que sa vie serait devenue si jamais…

Les épaules de Cécile s'affaissèrent. Elle détestait quand elle se sentait mélancolique comme en ce moment, incapable d'écarter ses souvenirs, mais il y avait eu trop de bouleversements autour d'elle récemment pour qu'elle puisse se sentir sereine.

Aujourd'hui, il ne restait plus que son frère Gérard avec qui elle pouvait partager ce passé qui lui faisait mal, mais dont elle n'arrivait pas à se détacher. À l'exception de la mère de Jérôme qu'elle ne voyait plus que très occasionnellement, seul son frère pouvait parler avec elle de cette portion de vie qui fut, à ses yeux, la plus belle et la plus douloureuse en même temps.

— Mais comme le passé ne reviendra pas, murmura-t-elle en se relevant, la photo pressée contre sa poitrine, ça ne donnerait rien d'en reparler jusqu'à demain. Même avec Gérard, qui a bien connu Jérôme !

Cécile glissa alors la photo sous une pile de vêtements.

— Comme l'aurait probablement dit matante Gisèle, regarde donc en avant, ma poulette, au lieu de te morfondre dans le passé et tu vas voir que le soleil n'a pas fini de briller !

Sur ce, Cécile referma le tiroir en esquissant un petit sourire.

— Voilà que je parle toute seule maintenant ! Décidément...

C'est à ce moment que le téléphone sonna. Ce fut plus fort qu'elle : Cécile éclata de rire. Elle se précipita vers l'escalier pour descendre à la cuisine en lançant vers le plafond :

— Merci, matante ! Je le savais bien que je pouvais encore compter sur toi pour me changer les idées !

Cécile ne pouvait si bien dire. À l'instant où elle reconnut la voix de Laura, elle fronça les sourcils, replongée brutalement dans un présent on ne peut plus immédiat. Son cœur se mit à battre à tout rompre quand elle pensa involontairement à la petite Alice.

Car, à l'autre bout de la ligne, la jeune femme s'étouffait dans ses larmes.

Alors, le médecin en Cécile prit le contrôle de la situation. Si Laura l'appelait ainsi, c'est qu'elle avait besoin d'elle.

— Une minute, Laura, demanda-t-elle d'une voix calme et apaisante. Essaie de reprendre sur toi, je n'ai rien compris.

Cécile entendit une longue inspiration à l'autre bout de la ligne, suivie d'un reniflement.

— C'est popa…

À ces mots, Cécile ressentit un véritable soulagement. La petite Alice n'avait rien ! Puis elle porta attention à ce que Laura lui disait.

— Tout va trop vite, Cécile. Bien que trop vite… Mon père vient de partir pour l'hôpital… Il étouffait, Cécile. Il avait de la difficulté à respirer… J'ai peur, si tu savais comme j'ai peur ! Ça se peut-tu, une maladie qui emporte quelqu'un en quelques semaines à peine ? Il avait tellement l'air d'avoir mal ! Le sais-tu, toi, si mon père va mourir ? Après tout, tu es médecin, non ?

CHAPITRE 16

T'es tellement tellement tellement belle
J'vas bénir la rue, j'vas brûler l'hôtel
Coudon
Tu m'aimes-tu ?
Tu m'aimes-tu ?

Tu m'aimes-tu ?
RICHARD DESJARDINS, 1990

Montréal, mercredi 13 décembre 1972

Marcel, dans une chambre d'hôpital

De son lit, en tournant légèrement la tête, Marcel avait une jolie vue. Non qu'il y attachait une importance particulière, mais c'était mieux qu'une cheminée d'usine. C'est ce qu'il avait rétorqué à Bernadette qui, pour occuper le temps et le silence embarrassé qui se dressait entre eux, avait fait remarquer qu'il avait une jolie vue.

— Calvaire, Bernadette ! J'ai-tu déjà porté attention au paysage, moé ? Chus pas du genre à m'arrêter sur le bord du chemin pasque c'est beau ! C'est petête mieux qu'une cheminée d'usine, mais pour le reste…

Un second silence, lourd et opaque, avait suivi ces quelques mots.

Le reste, comme Marcel venait de dire, l'un comme l'autre, ils ne savaient pas vraiment de quoi il serait fait.

Tout avait commencé la semaine dernière, par un matin tout blanc d'une première neige. Un peu avant dix heures, Bernadette avait entendu depuis son bureau une quinte de toux particulièrement violente. Elle s'était précipitée à la boucherie pour retrouver Marcel assis sur le petit banc au bout de l'étal, la porte de la chambre réfrigérée grande ouverte, ce qui n'arrivait habituellement jamais. Visiblement paniqué, Marcel passait un doigt agité entre son cou et le col de sa chemise détachée. Quelques clientes au regard horrifié contemplaient la scène depuis le comptoir des viandes en se tordant les mains d'impuissance. Bernadette était passée devant elles sans s'excuser à l'instant où son mari, plié en deux, tentait de reprendre un souffle qu'il n'avait plus. Son visage, cramoisi, virait au bleu.

Bernadette n'avait pas eu à lui proposer d'aller à l'hôpital; c'est lui qui l'avait demandé dès qu'il avait été capable d'articuler un mot.

— L'hôpital, Bernadette. Emmène-moé à l'hôpital.

Le temps d'enfiler le manteau que Bernadette lui tendait et Marcel avait ajouté:

— J'étouffe, avait-il haleté. Maudit calvaire, je sais pas ce qui se passe à matin, mais j'arrive pas à reprendre mon souffle. Depuis t'à l'heure que j'ai l'impression de manquer d'air. Ça va un peu mieux que t'à l'heure, mais je pense pareil que je serais mieux d'aller voir le docteur. Appelle Charles à la maison pour qu'y' s'en vienne tusuite. Dis-y de lâcher le pelletage pour astheure. Pis toé, après, tu vas venir me reconduire tusuite. Une chance que Laura est icitte…

On avait gardé Marcel à l'urgence pour un premier vingt-quatre heures, puis on l'avait transféré dans une chambre privée.

— Ben ouais… On a une assurance pour ça! Calvaire, Bernadette! Chus pas du genre à faire des caprices qui pourraient nous mettre dans le trouble!

Dans un premier temps, Bernadette n'avait rien trouvé à riposter parce qu'il n'y avait pas grand-chose à riposter. Elle ignorait tout simplement l'existence d'une telle assurance. Puis, revenant sur sa position, elle avait fixé Marcel avec insistance avant de demander:

— T'en as-tu ben des cachettes comme celle-là, Marcel Lacaille?

— Pas trop. Juste une couple. Pis je t'en reparlerai quand ça sera le temps.

Quand ça sera le temps…

Personne, dans la famille, ne savait trop ce que voulait dire cette expression maintenant que Marcel était à l'hôpital et qu'il ne tempêtait plus pour retourner chez lui. À croire qu'il avait décidé de finir ses jours là-bas, confortablement installé dans ce lit d'hôpital qui avait une jolie vue sur la rue transversale, laquelle était bordée par quelques arbres centenaires, endimanchés d'une belle capuche blanche. Depuis qu'il était connecté à une bombonne d'oxygène, Marcel semblait avoir retrouvé tout son allant et il continuait de mener son monde et son épicerie à la baguette comme si de rien n'était.

Bernadette, quant à elle, partageait son temps entre la maison, l'épicerie et l'hôpital, tandis qu'Évangéline faisait de son mieux pour l'aider.

— Avec Roméo, on va s'en sortir. Tu vas voir, Bernadette! Roméo!

Évangéline n'avait plus que ce nom à la bouche depuis qu'elle avait confié à Bernadette, en demandant la discrétion la plus absolue, qu'à l'été, Roméo et elle avaient décidé de se marier. La grande demande avait été faite en bonne et due forme, et acceptée avec un plaisir évident.

— Au Ritz-Carlton, toé! C'est là que mon Roméo m'a demandé ça. J'en reviens pas encore! T'aurais dû voir ça, toé, comment c'était chic pis plein de verre taillé là-dedans! Comme dans les vues, c'est pas mêlant! Mais pour la noce, par exemple, on va faire ça ben simplement. Pas de gros hôtel ni même un traiteur à la maison. À nos âges, c'est plusse convenable comme ça. Juste les proches parents pis c'est toute. Avec Noëlla, comme de raison. Pour moé, c'est quasiment une sœur, cette amie-là! Pis c'est aussi une bonne amie de Roméo. Après toute, c'est elle qui nous a présentés l'un à l'autre!

— Vous avez ben raison, la belle-mère. Noëlla, a' fait partie de la famille.

— C'est ce que je me disais, avec! On va attendre que Marcel revienne à la maison pour rendre ça officiel. À Noël, quin! Que c'est t'en penses, Bernadette? Me semble que c'est pas rêver en couleur, d'oser croire que notre Marcel va être revenu icitte à Noël. Ça nous donne encore dix jours. Ça devrait suffire pour le remettre sur le piton. Après toute, y' a jamais été malade avant son problème de poumons. Hein, Bernadette, Marcel va être revenu avec nous autres pour Noël? De toute façon, y' est toujours ben pas pour passer le reste de sa vie plogué sur sa bombonne à air, viarge!

— C'est ce que je me dis, moé avec!

Alors, à travers l'inquiétude suscitée par l'état de santé de Marcel, il y avait aussi de belles joies en perspective et des raisons d'espérer la venue de jours meilleurs. La petite Alice grandissait en sagesse et en beauté, Antoine avait annoncé, la semaine dernière, qu'il viendrait passer la période des fêtes avec eux en compagnie de Donna, bien entendu, et Évangéline se mariait à l'été.

— Mais ça, Marcel, t'en parles à personne !

Assise sur le bord du lit de Marcel, Bernadette parlait avec une voix de conspiratrice.

— Ta mère me l'a confié en demandant le secret. A' veut faire son annonce elle-même en personne à Noël, devant toute la famille. Mais toé, je me suis dit que c'était pas pareil !

Bernadette n'avait pas osé ajouter que les circonstances avaient justifié ce privilège. Elle se doutait bien que Marcel l'avait compris.

— Promis, je dirai rien en toute, promit Marcel sur le même ton. N'empêche que ça fait drôle en calvaire de penser que la mère va se remarier. Ben drôle.

Ce soir-là, Marcel avait enfin pu oublier ses inquiétudes. Il avait passé de longues heures à tenter d'imaginer la vie dans l'appartement avec monsieur Roméo, en pyjama, assis à leur table du déjeuner…

Et tandis que Marcel avait un peu l'impression de vivre en marge de la société, une routine différente commença à s'établir sous le toit des Lacaille. Une routine que personne n'aurait pu prévoir il y avait de cela quelques mois à peine, mais à laquelle tout le monde souscrivait sans trop rechigner.

Laura réservait le plus de temps possible pour l'épicerie, ce qui s'avérait relativement facile, puisque c'était Francine qui voyait à sa fille depuis son retour à Montréal.

— Avec Francine comme gardienne, laisse-moi te dire, popa, que je ne suis pas inquiète, avait expliqué Laura lors d'une de ses visites à l'hôpital. Elle a une patience d'ange avec les enfants, et Steve est en amour avec sa petite cousine !

Pis en plusse, le vendredi, c'est Francine qui se déplace pour venir garder chez nous et elle fait mon ménage !

— C'est ben pour dire, hein, ma fille ? Qui aurait pu imaginer qu'un jour, une Gariépy élèverait une p'tite Lacaille !

— Faudrait pas oublier que ma fille, c'est aussi une Gariépy !

— Calvaire, Laura ! Coupe pas les cheveux en quatre comme ta mère, ça m'énarve ! Tu dois ben comprendre ce que je veux dire, non ?

Charles aussi y mettait une bonne volonté surprenante. Levé tôt, couché tard, il tentait de remplacer Marcel du mieux qu'il le pouvait malgré une formation inachevée.

— T'aurais pas pu attendre encore une couple de mois pour faire ta crise, popa ? lançait-il à la blague quand il venait visiter son père, deux ou trois fois par semaine. Y a encore plein d'affaires que je sais pas.

— Fais-moé pas choquer, toé ! J'ai pas faite exprès pis tu le sais.

— Je le sais !

— Ben arrête de chialer pis fais de ton mieux, mon gars. Quand j'vas revenir à la boucherie, on prendra les bouchées doubles. De toute façon, t'as appris le principal à savoir, c'est ça qui compte.

— Non, ce qui compte, c'est que chus pus obligé d'aller à l'école. Tu peux pas savoir comment c'est que je me sens ben ! Juste pour ça, chus prêt à me débrouiller tuseul pour le temps ousque t'es pogné icitte.

— Crains pas ! Le jour ousque j'vas être capable de respirer dans le sens du monde sans c'te calvaire de machine-là, tu vas me voir apparaître à la boucherie.

— J'ai hâte ! J'ai ben hâte !

— Pis moé, don !

Et le sourire qui accompagnait ce souhait était empreint de plaisir anticipé, de part et d'autre.

Dix-sept, dix-huit, dix-neuf décembre...

La neige recouvrait désormais toute la ville, les décorations lumineuses avaient repris du service et le médecin traitant de Marcel ne parlait toujours pas d'un retour éventuel à la maison.

— Maudit calvaire, Bernadette! Quand j'essaye d'y parler, au docteur, on dirait qu'y' fait semblant de pas m'écouter. Pis amanché comme chus là, je peux même pas penser m'en aller sans sa permission. Tu pourrais pas t'essayer, toé?

Marcel en perdait le sommeil. Comment Charles allait-il s'en sortir avec Noël et le jour de l'An à la porte? Il n'avait plus le choix! Quelqu'un devait faire comprendre au médecin que les vacances à l'hôpital, c'était fini pour Marcel Lacaille.

— Demandes-y don, toé, Bernadette, si y aurait pas des pelules qui pourraient remplacer la bombonne. Me semble que je pourrais petête recommencer à prendre celles qu'on m'avait prescrit l'été passé. Si je me rappelle ben, ça avait fait un certain effet, non?

Malheureusement, le médecin n'était jamais là quand Bernadette se présentait à l'hôpital, après des journées bien remplies à l'épicerie.

Puis, hier, à l'heure du souper, le front de Bernadette, habituellement strié par les soucis, avait cédé la place à un sourire éclatant.

— Devine qui c'est qui s'est pointé à l'épicerie à matin?

Tout en parlant, Bernadette avait enlevé son manteau et l'avait déposé sur le dossier d'une chaise sous le regard mauvais de Marcel qui commençait à en avoir sérieusement assez de ronger son frein.

— Comment c'est que tu veux que…

Sans tenir compte de l'évidente impatience de Marcel, Bernadette lui avait coupé la parole pour lancer, tout enjouée, en se tournant vers lui :

— Monsieur Perrette !

Marcel avait ouvert tout grand les yeux avant de froncer les sourcils.

— Monsieur Perrette ? Benjamin Perrette, l'ancien propriétaire de l'épicerie ?

— En plein ça ! De toute façon, toé pis moé, on connaît juste un monsieur Perrette pis c'est celui-là.

— Veux-tu ben me dire ce qu'y' fait à Montréal, lui ? Me semble qu'aux dernières nouvelles, y' était en Floride.

— Ouais, y' était en Floride. Mais quand y' a appris que t'étais à l'hôpital, y' a décidé de revenir.

Une certaine perplexité troubla le regard de Marcel.

— On parle de moé jusqu'en Floride ? Hé ben…

Un léger silence succéda à ces quelques mots. Puis Bernadette précisa.

— C'est par Jos Morin, l'ancien propriétaire du garage de Bébert, que monsieur Perrette a su pour toé.

— A su pour moé, a su pour moé… Chus juste à l'hôpital en attendant d'aller mieux, maudit calvaire. Chus pas encore mort, à ce que je sache.

— Ben d'accord avec toé, mon Marcel. Pis à te voir l'allure pleine de ressentiment comme astheure, je dirais que c'est pas demain la veille… Mais admets avec moé que ça s'éternise un brin, ton affaire. Pis mettons que notre Charles, lui, y' était pas mal content de faire sa connaissance, à monsieur Perrette. Une boucherie, à veille de Noël, quand t'as pas fini de toute apprendre, ça peut vite devenir un verrat de cauchemar. Mais avec monsieur Perrette, lui-même boucher de son métier, ça va aider.

— Ça va aider ?

La respiration de Marcel s'était faite de plus en plus bruyante, presque sifflante derrière le masque.

— T'es-tu en train de me dire que c'est Perrette qui a pris ma place en arrière du comptoir pis dans la chambre froide ?

— Ça ressemble à ça !

— Maudit calvaire !

Marcel avait alors regardé tout autour de lui, comme s'il cherchait un petit trou par où s'évader, son masque à oxygène de plus en plus embué par la colère.

— Calvaire de calvaire, c'est le boutte de la marde ! Astheure qu'on a travaillé comme des nègres pour améliorer notre sort, le v'là qui se pointe le nez dans nos affaires. Ça me tente pas pantoute de voir Perrette reprendre sa place à l'épicerie, tu sauras. Pas pantoute. Je sais pas à quoi t'as pensé en…

— Pogne pas les nerfs, Marcel, y a jamais été question qu'y' reprenne sa place à l'épicerie. De toute façon, tu le verras pas dans ta boucherie, Ben Perrette, rapport que t'es cloué icitte, dans ta chambre d'hôpital. Pis quand tu vas sortir de l'hôpital pour nous revenir à la maison, lui, y sera pus là.

— T'es ben sûre de ça ?

— Sûre comme chus là devant toé, mon homme. C'est pas un Ben Perrette qui va venir remplacer mon mari dans notre épicerie, laisse-moé te dire ça. Tant que moé j'vas être là, t'as rien à craindre. De toute façon, on parle pour rien dire, pasque c'est pas dans ses intentions de revenir. Y' veut juste nous rendre service, c'est toute. C'est de même qu'y' a dit ça quand y' s'est présenté à la porte de mon bureau: j'veux vous rendre service en souvenir du bon vieux temps. Pis y' a pas tort. En attendant que tu reviennes, y' peut nous être ben gros utile, rapport que c'est le temps des fêtes qui arrive.

— Ouais, vu de même...

— Pis en plusse, y' demande même pas à être payé !

— Ah non ? Hé ben... M'as dire comme toé: y' veut juste nous rendre service... Comme quoi, ma femme, y' reste encore du bon monde autour de nous autres. D'abord, tu pourras y dire de venir me voir, à Ben Perrette. Je pense que ça va me faire plaisir de jaser avec lui. Pis ça va faire passer le temps. Calvaire que c'est long, toute une journée à rien faire !

Vingt décembre, vingt et un, vingt-deux...

Antoine venait d'arriver par avion, puisqu'il repartirait vers Los Angeles dans une semaine. Bernadette, tout heureuse de revoir son fils, avait pris un petit congé de l'épicerie pour venir le chercher à l'aéroport.

— Pis tu vas voir que ton père va pas pire !

— Justement, en parlant du père... Penses-tu qu'on pourrait arrêter à l'hôpital en passant ? J'ai ben hâte de le voir !

— Pas de trouble, mon Antoine. J'vas en profiter pour faire ma visite de la journée. Comme ça, à soir, m'en vas pouvoir retourner à l'épicerie au lieu d'aller à l'hôpital. Avec Noël dans deux jours, on a de l'ouvrage en verrat... J'ai ben hâte que tu me dises ce que t'en penses.

— De quoi ?

— De ton père, voyons ! De qui c'est tu veux que je te parle, bâtard ? Tu vas voir ! Avec son oxygène, on dirait même pas qu'y' est malade.

Ce ne fut pas l'avis d'Antoine. Amaigri, le souffle court,

Marcel n'était que l'ombre de celui dont il gardait le souvenir. En juin dernier, quand il avait assisté à son mariage, Marcel Lacaille avait encore fière allure, tandis que maintenant...

Malgré cela, Antoine ne laissa rien voir de son désarroi.

La visite fut brève; c'était l'heure du dîner.

— On se revoit demain, le père!

— Pis si tu revenais tuseul, pour un boutte? On pourrait jaser entre hommes.

La proposition eut l'air de plaire à Antoine, car il se mit aussitôt à rougir comme une pivoine.

— Ben on va faire comme tu dis!

— Parfait! Je t'attends en début d'après-midi, rapport que j'ai des examens demain matin. Ça serait-tu le fun, un peu, que le docteur me dise que je peux sortir d'icitte! Pis, toé, Antoine, gêne-toé pas pour prendre mon char à ta guise pour tes déplacements. Je pense pas que j'vas en avoir besoin!

Marcel se voulait drôle, mais personne n'eut le cœur à rire.

Le lendemain, tandis que Donna prêtait main-forte à Évangéline dans la cuisine pour confectionner les traditionnels beignes qu'on saupoudrerait de sucre avant de les manger, Antoine en profita pour faire un saut à l'hôpital, se promettant ensuite d'aller saluer madame Émilie.

Assis dans le fauteuil de cuirette rouge, Marcel regardait par la fenêtre. Malgré l'épaisse robe de chambre qui enveloppait son père, Antoine devina que sa musculature avait fondu. Il en eut le cœur gros. Même si les relations n'avaient jamais été très cordiales entre eux, cet homme-là était son père, et Antoine tenait à lui.

Intimidé, Antoine resta un moment dans l'embrasure de la porte.

Comment dit-on à son père qu'on l'aime malgré tout ce qui a pu se passer, et ce, sans donner l'impression d'être une mauviette? Antoine aurait tellement voulu connaître les mots qui parlent, les gestes qui disent ces choses du cœur. Mais Antoine ne les savait pas; on avait oublié de les lui montrer. Alors, il se contenta de toussoter pour signaler sa présence. Marcel se tourna aussitôt vers lui.

— Antoine!

De toute évidence, Marcel était heureux de voir son fils, et le sourire qu'il dessina derrière le masque aida à dénouer le nœud qu'Antoine ressentait à hauteur de cœur, à hauteur de gorge.

— Rentre, mon gars, rentre. Ça me fait plaisir d'avoir un peu de visite. Les journées sont longues en calvaire, tu sauras.

— Je m'en doute un peu.

— Tire-toé une chaise. Tu dois ben avoir une couple de menutes pour moé, hein?

— J'ai plus que ça! En autant qu'y' me reste une petite heure pour aller saluer madame Émilie, mon ancien professeur de dessin, c'est toute ce que j'ai besoin.

— Ben tant mieux.

Curieusement, Marcel avait avalé son sourire, et le regard qu'il leva vers Antoine était empreint de gravité.

— Faut que je te parle, Antoine. Ferme la porte pis viens t'assire pas trop loin. J'ai quèques affaires à te raconter. À commencer par la visite du docteur à matin.

Antoine devina alors qu'il n'aimerait probablement pas ce qu'il allait entendre. Il repoussa la porte avec l'épaule et tandis qu'elle se refermait en chuintant, il s'installa tout près de la fenêtre, à côté de son père.

Ce que Marcel avait à confier tenait en une phrase. Pour

lui, c'était la fin. Ce matin, à la visite, le médecin avait parlé de semaines.

— Je ressortirai pas d'icitte vivant, Antoine.

— Ben voyons donc !

— Non, non, Antoine ! Fais pas comme ta mère, y en a pas, des *voyons don*. Le docteur était ben clair : les dernières radiographies laissent voir que mes poumons sont finis. Sans c'te calvaire de bombonne-là, je serais déjà mort.

À ce mot, Antoine tiqua.

— Faut pas avoir peur des mots, Antoine, rétorqua alors Marcel devant le geste de recul de son fils. Chus en train de mourir. Faut savoir dire les choses comme a' sont. C'est de même que ma vie à moé va se finir, icitte dans une chambre d'hôpital, pis j'ai pas le choix de l'accepter, en plusse. Les batailles, pour moé, c'est fini. Ça fait une couple de semaines que je m'en doute pis j'ai eu toute mon temps pour ben y réfléchir. C'est petête un peu plusse vite que ce que j'aurais voulu, mais c'est de même. J'ai compris que ça me donnerait rien de rester assis à journée longue en braillant comme un veau. Pour le peu qu'y' me reste à vivre, on va essayer de faire ça en homme. Ta mère pis ta grand-mère ont pas besoin d'une chiffe molle.

— T'as jamais été une chiffe molle.

— J'ai juste essayé de faire de mon mieux, Antoine. Ni plusse ni moins. Pis malgré ça, j'ai faite ben des erreurs. Ouais, ben des erreurs… Ça avec, j'ai eu le temps d'y penser depuis les derniers jours.

— On en fait tous, des erreurs, non ?

— Petête, ouais…

Un fin silence se glissa dans cette chambre d'hôpital froide et impersonnelle où, à sa façon, un peu malhabile mais tellement sincère, Marcel tentait de se réconcilier avec son fils aîné et avec lui-même. Désormais, le temps lui était compté et il ne pouvait plus remettre les choses à demain.

— Mettons, Antoine, qu'y a certaines erreurs qui sont petête plus difficiles à pardonner que d'autres, ajouta Marcel sur un ton songeur. Ouais, c'est de même que je pourrais dire ça. Mettons, pour être plusse clair, que j'aurais dû voir ce que j'ai pas vu...

Antoine ne répondit pas, intimidé par les mots qu'il pressentait, ceux que son père avait de la difficulté à exprimer. Devant le silence qui s'incrustait péniblement entre eux et qui ressemblait à un profond malaise, Marcel se reprit.

— Toute ce que je veux dire, toute ce que je veux que tu saches, finalement, c'est que je regrette ben gros de rien avoir vu aller quand t'étais encore un p'tit gars.

À ces quelques mots, même pudiques, même terriblement évasifs, Antoine comprit qu'il ne s'était pas trompé. Bien qu'il ait longtemps refusé de révéler son terrible secret d'enfance, avant son départ vers les États-Unis, Antoine avait demandé à Évangéline d'expliquer à sa famille les raisons qui le poussaient à s'exiler, et son drame de jeunesse y était pour quelque chose. Évangéline avait donc tenu sa promesse. Il ne saurait probablement jamais comment sa grand-mère s'y était prise, mais elle avait fini par parler à ses parents de tous ces mois où monsieur Romain, son professeur de dessin, avait abusé de l'ascendant qu'il avait sur son élève.

Avait abusé de son élève.

À cette pensée, une image, une seule, envahit l'esprit d'Antoine, et il se sentit aussitôt rougir jusqu'à la racine des cheveux.

— C'est pas grave, rassura-t-il d'une voix chevrotante tout en détournant la tête, gêné par la désagréable sensation que son père pouvait lire dans ses pensées et apercevoir ce que son fils voyait à travers ses souvenirs. C'est du passé maintenant.

Mais Marcel n'entendait pas s'en tenir à ces mots sans véritable consistance. Il n'en était plus là, à se contenter d'effleurer les vérités.

— Ouais, c'est grave, Antoine. J'étais ton père. J'aurais dû me douter que quèque chose allait de travers dans ta vie. Ben non ! J'étais juste choqué de voir que t'aimais pas les sports, que t'étais ben tranquille, trop tranquille pour un gars, pis je me donnais pas la peine de regarder plusse loin que ça.

Les deux hommes étaient assis côte à côte au point de se frôler, mais ils ne se touchaient pas. Regardaient-ils le même arbre alors que leurs regards, maintenant, se perdaient le long de l'avenue, exactement dans la même direction ?

— Remarque que j'ai vraiment tout faite pour que ça paraisse pas, nota Antoine dans un murmure, comme s'il cherchait une excuse pour justifier le comportement de son père, alors qu'enfant, il lui en avait tellement voulu.

— N'empêche, s'entêta Marcel, essoufflé. Ta grand-mère a ben vu de quoi elle, non ?

— Ouais, c'est vrai… Mais grand-moman est faite de même : a' devine ce que les autres ne voient même pas. Pis c'était correct comme ça, popa. C'est à ça que ça sert une famille : ce que d'aucuns ne voient pas, il y en a un autre pour s'en apercevoir pis essayer d'apporter une solution.

À ces mots, Marcel hocha la tête dans un geste d'approbation.

— C'est ben dit, ça. T'es comme Laura, toé, tu sais trouver les bons mots quand vient le temps d'expliquer les choses. Vous devez tenir ça de votre mère… Mais t'as pas tort quand tu dis qu'une famille, ça sert un peu à ça. Faudra pas l'oublier le jour ousque tu seras un père à ton tour. Moé, par bouttes, même si j'ai toujours travaillé fort pour vous autres, ça m'arrivait de l'oublier.

— Mais on a jamais manqué de rien.

Cette remarque faite avec conviction sembla rassurer Marcel tout en lui faisant plaisir. Ça rejoignait tellement bien ce qu'il avait toujours pensé de son rôle de père. Il esquissa un sourire, le regard perdu dans quelque repli du passé.

— C'est vrai que vous avez jamais manqué de rien, approuva-t-il.

— Ça aussi, c'est important.

— Ouais, là encore t'as raison: ça avec, c'est important. Pis en calvaire, à part de ça… Tu te rappelles-tu le jour ousque chus arrivé avec mon vieux Dodge beige et brun?

Cette fois-ci, ce fut Antoine qui étira un large sourire. Sur l'écran de ses souvenirs, la vieille auto de son père venait de se substituer à l'image de Jules Romain qui s'éloignait, pâlissante, de plus en plus diffuse.

— Comment, si je m'en rappelle! fit-il avec un enthousiasme qui n'était pas feint. Je pense que j'ai jamais trouvé un char aussi beau que celui-là. Dans ma tête de p'tit gars, c'était la huitième merveille du monde.

— C'est vrai que c'était un calvaire de beau char… dans le temps. Pasqu'astheure, y' fait pas mal démodé.

— Mais y' roule encore.

— Y' roule encore, t'as raison. De peur, par bouttes, mais pour se rendre à l'épicerie, ça peut toujours aller.

— Pis toi, te souviens-tu du jour où t'es arrivé chez nous avec une télévision ? J'en croyais pas mes yeux !

— La télévision ! C'est ben que trop vrai ! Maudit calvaire que j'étais fier de mon coup ! Faut dire, avec, que c'était un ben beau meuble. Ouais, ben beau... Y' s'en fait pus des comme ça, de nos jours. C'est ben de valeur. Les nouveaux modèles portatifs, je trouve que ça a moins de classe.

— Mais c'est en couleurs !

— Ah, pour ça... C'est vrai qu'en couleurs, ça fait plusse vrai.

Cette fois-ci, le silence qui s'étendit sur la pièce avait un petit quelque chose d'aérien et quand Marcel se remit à parler, sa voix avait perdu toutes ses aspérités naturelles. Elle coula sur le cœur d'Antoine comme l'eau d'une fontaine par jour d'été.

— Je veux que t'oublies jamais, mon gars, que chus fier de toé pis de tes peintures. C'est ta mère qui a toujours eu raison de t'encourager : t'as un talent rare. Pis en plusse, t'es un gars fiable. Ça, c'est une belle qualité. Faut la garder durant toute ta vie... Moé avec, tu sauras, j'ai été un gars fiable. Pas toujours ben parlable mais fiable. Une fois que j'ai donné ma parole à quèqu'un, je la reprends pas. Jamais. Même si des fois la vie te fait des coches mal taillées pis que t'aurais envie de toute laisser tomber, t'as pas le droit de reprendre ta parole. Ça vaut pour les chums. Ça vaut aussi pour la famille.

Le ton était grave, les mots importants.

— J'oublierai pas, assura Antoine d'une voix éraillée. Promis.

— Pis j'aimerais que tu voyes à ton frère, une fois que je

vas être… Une fois que je serai pus là.

Antoine eut la nette impression que son père était en train de lui livrer une sorte de testament moral. Les engagements que lui, Antoine Lacaille, prendrait envers cet homme seraient donc parmi les plus importants de sa vie.

Le jeune homme fit un effort incroyable pour retenir les larmes qui lui montaient aux yeux. Son père n'avait pas à être le témoin de son profond désarroi.

Comment Marcel avait-il dit ça, encore, quelques minutes auparavant ? Qu'il voulait finir sa vie en homme ?

Antoine allait donc lui prouver que lui aussi était devenu un homme, et même s'il n'était pas nécessairement d'accord avec cette façon de le démontrer, il garderait ses larmes pour lui afin de faire plaisir à son père.

— Je le sais ben que tu demeures pas à la porte d'à côté, poursuivait Marcel d'une voix de plus en plus éteinte, brisée par l'effort, mais un coup de téléphone à Charles, de temps en temps, pour l'encourager ou pour y sonner les cloches, ça ferait pas de tort. À ta mère non plus, ça ferait pas de tort un appel de temps en temps. Ça sera pas facile pour elle, tu sais. Ni pour ta grand-mère. C'est pour ça que je compte sur toé.

— Tu peux compter sur moi.

— Merci… Une dernière chose… Ce qui s'est dit icitte, après-midi, j'aimerais ben que ça reste entre nos deux. Y a pas personne qui a besoin de savoir de quoi on a parlé… Pas pour tusuite avec Noël qui s'en vient. Bon ben… Astheure que j'ai toute dit ce que j'avais à dire, si tu veux t'en aller, t'as ben beau, Antoine. Je le sais que…

— Pis si je veux rester ?

— Ben là… C'est sûr que ça me ferait plaisir.

Le sourire de Marcel avait rarement été aussi sincère.

Même l'éclat bleu acier de son regard s'était réchauffé.

Alors, Antoine repoussa ses larmes dans une longue inspiration. Il redressa les épaules, s'efforça de respirer calmement. De toute façon, jamais il n'aurait pu quitter la chambre de son père sur une note aussi grave que celle qui avait soutenu la conversation qu'il venait d'avoir avec lui. Partir maintenant aurait été une erreur magistrale, tant pour lui que pour Marcel, et Antoine savait qu'il l'aurait regretté pour le reste de sa vie.

— Ben, installe-toi confortablement, conseilla-t-il enfin à Marcel.

Antoine était déjà debout, heureux de faire diversion. Sans hésiter, il souleva son manteau et se mit à fouiller dans les poches.

— J'ai des photos à te montrer, expliqua-t-il. Des photos de Boston, là où je demeure avec Donna. Pis j'en ai aussi de mes nouvelles peintures. Tu vas voir que mon style a un peu changé… J'aimerais ben ça que tu me dises ce que t'en penses.

Et tandis qu'Antoine et son père s'apprêtaient à finir l'après-midi plus légèrement, permettant aux émotions de décanter, Laura et Bernadette prenaient les bouchées doubles pour pouvoir affronter la journée du lendemain avec une certaine marge de manœuvre.

— Si y' faut courir à droite pis à gauche pour contenter les clients, on va virer folles ! Mais si toutes les tablettes sont ben remplies pis en ordre, par exemple, on va y arriver ! Bâtard, oui, on va y arriver, même si demain c'est le 24 décembre pis qu'habituellement, c'est la journée la plusse occupée de l'année.

— C'est sûr, moman, qu'on va y arriver.

La voix de Laura était ferme de conviction.

— D'autant plus qu'avec monsieur Perrette pour donner un coup de main à Charles à la boucherie, on n'a pas à s'inquiéter de ce côté-là.

— Une chance qu'y' est là, lui ! Mais chus pas sûre que c'est monsieur Perrette qui donne un coup de main à Charles, par exemple ! Ça serait le contraire que je serais pas surprise !

Sur ce, Bernadette laissa filer un petit rire, satisfaite de sa petite blague.

— C'est vrai que dans notre malheur, on a quand même un peu de chance, analysa-t-elle tout en plaçant quelques conserves. Sans monsieur Perrette, je vois pas pantoute comment c'est qu'on aurait pu s'en sortir.

— Tu as bien raison ! Sais-tu que dans le fond, c'est grâce à Bébert si monsieur Perrette est venu nous aider ? lança Laura en se redressant, grimaçante parce qu'elle avait mal au dos. Moi, je ne voulais pas alerter tout le monde avec nos problèmes pis si Bébert m'avait écoutée, expliqua-t-elle en s'étirant, jamais il n'aurait parlé de la maladie de popa à Jos Morin qui lui, en a parlé à son tour à monsieur Perrette.

— Bon point pour ton Bébert, d'abord ! Astheure, assez placoté, ma fille ! Va me chercher une caisse de pâté de foie gras. C'est le temps ou jamais d'essayer d'en vendre un peu plusse. On dirait que le monde connaît pas ça, bâtard ! Pourtant, c'est tellement bon !

Il était déjà plus de sept heures quand Bernadette jugea que Laura et elle avaient suffisamment travaillé.

— C'est l'heure d'aller voir les nôtres, ma fille ! Toé, t'as une p'tite Alice qui doit s'ennuyer sans bon sens de sa maman pis moé, j'ai un mari qui doit commencer à disputer après tout le monde pasque chus pas encore arrivée ! On se revoit demain matin.

Sans prendre le temps de passer par la maison pour se changer, Bernadette fila directement à l'hôpital. Depuis quelques heures, une neige lourde et dense tombait sans relâche, donnant aux maisons des allures de cartes de souhaits.

Marcel l'attendait à la fenêtre et pour une fois, son impatience semblait teintée de bonne humeur.

— Enfin, te v'là ! Ça fait longtemps que c'est pas arrivé, mais à soir, calvaire, j'ai une bonne nouvelle à t'annoncer ! Viens, viens t'assire, ma femme.

Le cœur de Bernadette s'emballa et la fatigue accumulée tout au long de la journée s'envola aussitôt.

— Verrat, mon Marcel ! T'as ben l'air énervé !

Bernadette enleva son manteau à gestes saccadés, puis elle secoua son chapeau couvert des gouttelettes de la neige qui avait fondu.

— Y a de quoi, je pense ! Y a de quoi ! Approche-toé !

Marcel attendit que Bernadette se soit assise tout près de lui avant d'annoncer :

— C'est à propos de Noël, Bernadette. Imagine-toé don que le docteur est d'accord pour que j'aille à maison pour fêter avec vous autres.

— Toé, à maison ?

Bernadette joignit ses mains à hauteur du cœur en inspirant profondément pour ensuite jeter un regard dubitatif en direction de la bombonne d'oxygène qui suivait son mari comme son ombre.

— Pis elle ? demanda-t-elle finalement en pointant le lourd cylindre en acier.

— Elle, comme tu dis, répondit Marcel en suivant le regard de sa femme, a' vient avec moé. J'ai pas vraiment le choix.

— Ça marche pas, Marcel! Ça rentrera jamais dans le char, c'te grosse affaire-là!

— M'en vas y aller en ambulance.

— Ben voyons don, toé!

— C'est comme je te dis! J'vas avoir l'impression d'être en limousine. Pour une fois que j'vas pouvoir faire mon important!

— Marcel Lacaille! Tu dis n'importe quoi. Pis ton docteur, lui? Y' est-tu vraiment d'accord avec ça?

— Coudon, toé! On dirait que t'es pas contente de ma nouvelle. Moé qui m'imaginais que t'allais sauter jusqu'au plafond.

— Sauter au plafond!

Ce furent les yeux que Bernadette porta au plafond avant de répondre sévèrement:

— Chus ben que trop grosse pis ben trop vieille pour sauter au plafond, Marcel Lacaille. Pis tu le sais! Astheure, réponds à ma question: t'es ben sûr que ton docteur est d'accord avec une emmanchure de fou comme celle-là?

— C'est sûr qu'y' veut. C'est lui-même en personne qui me l'a proposé.

— Hé ben...

Lentement, l'idée faisait son chemin dans l'esprit de Bernadette.

— Pis pour monter l'escalier? fit-elle au bout d'un court silence, question d'être bien certaine d'avoir fait le tour des objections possibles.

Elle ne voulait surtout pas se retrouver devant une

énorme déception. Ni causer de déceptions autour d'elle en annonçant quelque chose qui ne se réaliserait finalement pas.

— C'est sûr qu'à rien faire de mes grandes journées, j'ai les jambes en coton, admit Marcel en jetant un coup d'œil au pantalon de son pyjama. Pis que l'escalier chez nous, y' est pas mal à pic. Mais avec nos deux gars, pis Bébert au besoin, je devrais pas avoir trop trop de misère à me rendre jusqu'à l'appartement.

— T'es ben sûr de toé, mon homme ?

— Ouais.

Puis, sur un ton que Bernadette ne lui avait jamais entendu, Marcel ajouta d'une voix tout en retenue :

— J'y tiens, Bernadette. Ben gros. Ça fait que, toé pis moé, on va s'arranger pour que ça marche. OK ?

— Ben, si tu vois ça de même…

Bernadette était intimidée par l'homme qu'elle devinait derrière le regard habituel. Un homme d'émotion comme Marcel ne l'avait jamais laissé entrevoir.

— C'est sûr que tu peux compter sur moé, assura-t-elle, émue. Comme ça, on va pouvoir passer Noël chez nous, en famille, comme d'habitude.

— Ça m'en a tout l'air…

Bernadette était bouleversée. Elle renifla, prit une main de son mari entre les siennes et la serra très fort.

— Ben, t'avais raison, mon Marcel ! Pour une bonne nouvelle, c'est une verrat de bonne nouvelle ! Pis en plusse, c'est le premier Noël de notre petite Alice ! Pis Antoine est là avec sa Donna… Ensemble, on va être toutes ensemble pour Noël. C'est le plus beau cadeau que je pouvais pas avoir. Pis c'est ta mère qui va être contente. Comme ça, a' va pouvoir annoncer sa grande nouvelle devant tout le monde, comme a' voulait le faire… Pis quand c'est que tu vas pouvoir sortir ?

— Le jour de Noël avant le dîner. Comme ça, je pourrais manger avec vous autres. Me semble que ça serait bon de la dinde avec des patates pilées pis des p'tits pois. Meilleur que le manger de l'hôpital, en tout cas !

— J'espère ben que mon manger est meilleur que celui d'icitte ! Que c'est tu dirais si je te faisais du pâté à viande, Marcel ? Comme t'aimes…

— Ça serait gentil.

— Ben, c'est comme si c'était faite, mon Marcel. Avec ta dinde, tu vas avoir du pâté… Bâtard que chus contente, moé là ! Tu parles d'un beau Noël qu'on va avoir là ! Pis si le docteur veut que tu sortes, c'est comme rien que ça va mieux, non ?

Heureusement que Bernadette ne portait plus tellement attention à Marcel, excitée qu'elle était à prévoir la fête, et qu'elle ne vit pas le brusque malaise qui envahit son mari. Ce dernier en fut soulagé, car ainsi, il n'aurait pas à répondre à sa dernière question et il n'aurait pas besoin de lui mentir.

Parce qu'en réalité, Marcel n'allait pas mieux du tout. Bien au contraire. C'était d'ailleurs précisément pour cette raison qu'il avait la permission de retourner chez lui.

Ce serait son dernier Noël.

Marcel le savait, le médecin le savait.

Et maintenant, Antoine aussi le savait.

Quant aux autres, ils l'apprendraient bien assez vite.

DERNIÈRE PARTIE
DES
MÉMOIRES D'UN QUARTIER

Hiver 1972 – 1973

CHAPITRE 17

En nous éveillant demain matin
Suppose que nous n'ayons plus rien
Même si je n'ai plus de voix pour t'appeler
J'aurai encore mes mains pour te chercher
Et si je n'ai plus de mains pour te guider
J'aurai toujours mon cœur pour te garder

Mon cœur pour te garder
NOËLLE CORDIER, 1977

Montréal, mardi 26 décembre 1972

Marcel, de retour à sa chambre d'hôpital
Le médecin l'avait prévenu: une sortie, dehors dans le vent froid de l'hiver, même avec le visage couvert, même si c'était pour quelques minutes à peine, risquait de précipiter les choses. Marcel avait quand même insisté. Aujourd'hui, il en payait chèrement le prix.

Une violente quinte de toux le laissa brisé.

Péniblement, au bout de longues minutes, Marcel arriva à reprendre son souffle. Mais peu importe la douleur et l'essoufflement, il était heureux.

Voir la petite Alice commencer à se traîner un peu partout dans le salon lui avait fait oublier, pour un court moment, que la vie s'éloignait de lui inexorablement.

— Me semble qu'est ben p'tite pour faire ça, non?

Comme sa mère, calvaire! Toujours pressée d'aller voir plus loin!

Quand, un peu plus tard, une fois les cadeaux donnés, Évangéline, rougissant comme une jeune femme, avait annoncé qu'à l'été prochain, Roméo et elle se marieraient, Marcel avait compris qu'il n'aurait pu manquer un tel moment.

— À la fin du mois de juin, avait précisé Évangéline. Pour que Michelle pis Adrien soyent là, avec nous autres. Hein, Roméo?

Le regard échangé entre la vieille dame et son promis faisait plaisir à voir tandis que des applaudissements fusaient de toutes parts dans le salon.

Puis Évangéline s'était tournée vers son fils.

Peut-être avait-elle la même conviction que Bernadette et le fait de voir Marcel assis avec eux suffisait pour entretenir la pâle illusion qu'il était en voie de guérison? Peut-être bien, après tout, car, soutenant son regard, elle lui avait dit:

— Si ça te dérange pas trop, mon Marcel, si ça te met pas trop mal à l'aise, comme de raison, j'aimerais ben ça que tu soyes mon témoin. Après toute une vie passée un à côté de l'autre, je vois pas à qui c'est que j'aurais pu demander ça à part toé.

Le message était à peine voilé: de ses deux fils, Évangéline avait choisi Marcel. Ce dernier avait dû fournir un effort quasi surhumain pour arriver à répondre le plus naturellement possible, se donnant la peine d'écarter son masque pour le faire:

— C'est toute un honneur que vous me faites là, la mère! Présenté de même, c'est sûr que je peux pas dire non.

Il ne pouvait pas refuser, il ne voulait pas refuser. Pourtant, il savait qu'il ne serait pas de cette fête.

Bernadette, arrivant à point nommé, avait convié tout le monde à passer à table avant que la soupe ait refroidi, créant ainsi une heureuse diversion. Marcel avait donc pu cacher son désespoir.

Même si le repas était à la hauteur de ses souvenirs, Marcel avait peu mangé. Il était beaucoup trop occupé à regarder tous les siens pour avoir faim. C'était probablement la dernière fois qu'ils étaient tous réunis sous un même toit et il en était cruellement conscient.

Puis, épuisé, dès le café terminé, avant même que la vaisselle soit faite, il avait demandé à retourner à l'hôpital.

— Faudrait petête téléphoner pour avoir mon transport.

— Déjà ?

— Faut pas abuser des bonnes choses, mon Charles ! Parles-en à ta grand-mère, c'est elle qui m'a appris ça quand j'étais p'tit ! Mais comme ça s'est ben passé aujourd'hui, on pourra petête se reprendre une autre fois ?

La question se voulait porteuse d'espoir, et tous ceux qui l'avaient entendue avaient choisi de la voir comme telle.

Avant de refermer la porte derrière lui, Marcel avait cependant lancé un regard nostalgique sur le long corridor sombre qui scindait l'appartement en deux.

Tout cela avait passé trop vite. La vie comme ce dernier repas.

Puis Marcel s'était détourné brusquement. En lui, la rupture venait de se faire. Cette maison se classerait désormais parmi ses souvenirs même si Évangéline avait toujours proclamé qu'elle serait l'héritage de son fils Marcel.

Bientôt, sa mère allait devoir se trouver un autre héritier.

Dès son arrivée à l'hôpital, Marcel avait demandé un somnifère qu'on ne lui avait pas refusé, et en quelques minutes à peine, il sombrait dans un mauvais sommeil.

Toute la nuit, il avait mal dormi et ce matin, alors que la clarté du petit jour effleurait les murs de sa chambre, Marcel faisait le bilan de ce qui avait été son dernier passage dans le monde.

Un dîner de Noël chez lui avec sa famille.

Bernadette lui avait offert une robe de chambre, Laura un pyjama et Antoine, une paire de pantoufles.

— Comme pour un p'tit vieux, calvaire !

Pourtant, toutes ces petites attentions l'avaient touché.

C'était comme certains cadeaux offerts par Adrien, de longues années auparavant, qui avaient fait le bonheur de Laura et Antoine. À cette époque-là, Marcel avait refusé de voir que l'intention avait plus de poids et d'importance que le nom de celui qui donnait le cadeau. Aujourd'hui, il comprenait que Bernadette avait eu raison de lui tenir tête et il ne lui en voulait plus. Le seul qu'il n'était pas prêt à revoir, c'était Adrien, et ce, pour bien des raisons.

Depuis qu'il vivait ici, coincé dans une chambre d'hôpital, la sensibilité que Marcel avait tenté d'endiguer tout au long de sa vie s'était imposée, et sans vergogne, elle se montrait la plus forte. Les larmes faisaient désormais partie du quotidien de Marcel.

Mais ça n'avait plus tellement d'importance, tout ça !

À partir de ce matin, le compte à rebours pouvait bien commencer; Marcel était prêt. Il était fatigué de se battre. Il ne lui restait plus qu'à faire le point avec Bernadette et après, il pourrait se reposer. Depuis quelques jours, chaque inspiration était un effort conscient et douloureux. Comme si un rocher lui écrasait la poitrine, comme si une main brutale était posée en travers de sa gorge, l'empêchant de respirer à fond et le laissant essoufflé entre chaque respiration.

Depuis hier soir, c'était encore pire...

Si le médecin, avant-hier encore, parlait de semaines, Marcel, lui, savait instinctivement que c'était plutôt une question de jours. Non qu'il le souhaitât, car personne de son âge n'a envie de mourir.

— Mais on peut avoir envie de se reposer, par exemple, murmura Marcel tandis que le soleil se levait au-dessus des toits voisins. Pis en calvaire, à part de ça !

Quand Bernadette vint le rejoindre, un peu avant l'heure du dîner étant donné qu'elle avait une épicerie à ouvrir pour l'après-midi, Marcel constata qu'elle n'avait probablement pas mieux dormi que lui.

Pourtant, il la trouva belle. C'est à ses côtés qu'il avait vécu sa vie d'homme et finalement, il n'aurait pas voulu qu'il en soit autrement.

— Chus content de te voir, Bernadette. Pas trop fatiguée à cause d'hier ?

— Non... Chus pas fatiguée pantoute même si j'ai pas trop dormi. Mais toé, Marcel ? Me semble que t'as les traits tirés.

— Oh, moé...

— C'était petête surestimer tes forces que de venir à la maison.

— Petête. Mais ça m'a rendu heureux, c'est ça l'important. Au point ousque chus rendu, je les prends toutes, les p'tites affaires qui font plaisir.

— Ouais, vu de même...

Curieusement, Bernadette n'émit nulle objection au sous-entendu que Marcel avait laissé échapper. À force de vivre ensemble durant des années, il y avait peut-être de ces choses qui n'avaient plus besoin d'être dites pour être comprises.

Par contre, il y en avait d'autres que Marcel voulait exprimer clairement. Pour que, d'une certaine façon, Bernadette aussi puisse trouver la paix. Quand on reste dans le doute, avec des coins d'ombre au fond du cœur, on ne peut jamais être vraiment heureux.

Et la vie de Bernadette allait continuer. Il fallait donc qu'elle puisse être heureuse.

Selon son habitude, Bernadette avait retiré son manteau et son chapeau pour les déposer sur le dossier d'une chaise avant de prendre l'autre à deux mains pour l'approcher du lit. D'un geste las, à peine esquissé, Marcel lui désigna le bord du matelas.

— Laisse la chaise ousqu'a' l'est, pis viens t'assire icitte, sinon faut que je me penche pour te voir pis c'est inconfortable.

— Si c'est ça que tu veux…

Prenant appui sur le petit tabouret à moitié caché sous le lit, Bernadette grimpa près de son mari qui ébaucha un sourire.

— Si y a une garde-malade qui vient, a' va petête se faire des idées!

— Pis ça? T'es toujours mon mari, à ce que je sache!

— Ouais… Pour un boutte, chus encore ton mari.

— Parle pas de même, Marcel, ça m'arrache le cœur… Je…

Ce fut plus fort qu'elle: Bernadette détourna les yeux

vers la fenêtre, incapable de soutenir le regard de son mari. Autrement, elle risquait d'éclater en sanglots, et personne, pas plus Marcel qu'elle, n'avait besoin de ses larmes pour le moment.

— Je le sais ben, va, que ta maudite maladie guérira jamais, avoua-t-elle à voix basse en mordant dans chacun des mots qu'elle prononçait. On joue toutes à faire semblant, ta mère, moé, les enfants, mais dans le fond, y a pas personne d'assez stupide pour aller croire que ça va aller mieux. C'est pas facile de l'accepter, mais que c'est tu veux qu'on fasse d'autre ? Toé-même, mon homme, tu te tiens droite comme un piquet face à tout ça... Je t'admire, ben gros, tu sais, ben gros. Mais y a une chose, par exemple, que je veux que tu saches, Marcel Lacaille, c'est que même le jour ousque tu seras pus là, tu seras encore mon mari. C'est-tu assez clair ? C'est comme pour ta mère avec son Alphonse.

— Mais ça l'empêchera pas de se remarier.

— Ouais, pis ? L'un empêche pas l'autre, tu sauras. C'est pas pasqu'aujourd'hui a' l'aime monsieur Roméo que ta mère aime moins celui qu'a' l'avait marié à dix-huit ans pis qui a été ton père. C'est elle-même qui me l'a dit. Ça y a pris du temps pour le comprendre pis l'accepter, mais là c'est faite, pis a' regrette rien de ses décisions.

— Même si ça me fait encore ben drôle de penser que la mère va se remarier, chus ben d'accord avec elle. C'est pas pasque mon père est mort que sa vie à elle s'est arrêtée en même temps. Si toé t'es d'accord avec ça, c'est que dans le fond, on pense pareil, toé pis moé.

Bernadette esquissa l'ombre d'un sourire.

— Finalement, malgré les apparences, c'est arrivé assez

souvent qu'on a pensé pareil, toé pis moé, murmura-t-elle, songeuse.

— Ouais, si on veut... Surtout quand on parlait de l'épicerie. N'empêche que j'ai pas toujours été ben fin avec toé.

— Pis moé non plus, trancha catégoriquement Bernadette qui avait depuis longtemps dépassé le stade des rancunes. Je t'ai faite étriver une fois pis une autre, non ? T'avais petête raison de me ramener à...

— Non, non, Bernadette. Ta manière d'être pis la mienne, ça se compare même pas... Je, je... Calvaire que c'est dur ! Laisse-moé finir, Bernadette, sans m'arrêter tout le temps. C'est pas facile à dire, toute ça, pis tu le sais comment c'est que je me sens, moé, là-dedans. Je le sais que durant ben des années, j'ai été tout croche avec toé, pis pour certaines affaires, calvaire, ça a pas changé. Trouver les mots, ça a jamais été ben ben mon fort. Pourtant, je voudrais tellement que ça sorte.

Marcel avait le souffle court. Sa respiration était sifflante et du poing, il frappa durement sa poitrine.

— C'est petête toute ce que j'ai pas dit durant ma vie qui est resté coincé icitte pis qui est en train de me faire mourir... Non, j'ai pas toujours été correct avec toé, répéta-t-il après quelques courtes inspirations. Mais ça change rien au fait que j'ai aimé la vie avec toé... Je te l'ai jamais dit, je trouvais pas ça important de dire ces choses-là, mais c'est vrai: la vie a été ben agréable avec toé. Pis a' continue de l'être, même si c'est plate en calvaire d'être pogné icitte. Quand je te vois arriver, après ta journée d'ouvrage, avec de la broue dans le toupet, ça me fait plaisir. Ça me donne l'impression que rien a changé dans ma vie pis ça me fait du bien en calvaire. Je voulais que tu le saches.

— Merci de le dire, mon homme. Pis si ça peut te rassurer, dis-toé que ce que tu viens de dire là, ça vaut toutes les paroles que t'aurais oublié de prononcer durant notre vie. Ouais, toutes les paroles…

De toute évidence, Bernadette était émue. Elle renifla bruyamment.

— Pis c'est quand même pas fini, bâtard ! Y' doit ben nous rester une couple de semaines, non ?

Les larmes que Bernadette avait désespérément retenues s'étaient mises à couler. Rondes comme des perles, elles glissaient le long de ses joues.

Malhabile, Marcel tendit la main pour en essuyer quelques-unes.

— Faut pas pleurer à cause de moé, Bernadette. Je regrette que ça se passe de même, mais que c'est tu veux que j'y fasse ? C'est pas de ma faute, c'est pas de la tienne non plus. C'est la vie qui a voulu ça de même, maudit calvaire !

— Je le sais ben. Mais tu pourras pas m'empêcher de trouver ça dur, Marcel Lacaille. Ben dur. Pis y a les enfants, aussi.

— Ouais, les enfants…

Ce fut Marcel cette fois-ci qui détourna les yeux, mal à l'aise. Ce qui allait suivre, ça faisait des jours et des jours qu'il y pensait, qu'il le préparait.

— Je le sais qu'avec toé, nos enfants manqueront jamais de rien, commença-t-il à mots lents. Tu me l'as dit assez souvent : les enfants, c'est un contrat pour la vie pis je sais que toé, c'te contrat-là, tu vas le respecter jusqu'au boutte. J'ai pas de crainte. Pour moé, par contre, on dirait ben que l'entente arrive à sa fin pis c'est pas mal plusse vite que ce que j'aurais voulu. Je trouve ça ben plate à dire, mais me semble que j'ai pas eu le temps de finir ma job…

D'une pression de la main sur celle de Bernadette, Marcel l'empêcha de l'interrompre.

— Malgré toute, poursuivit-il de sa voix essoufflée, malgré le fait que je sais que tu vas continuer de faire de ton mieux avec les enfants, j'aurais une dernière faveur à te demander vis-à-vis d'eux autres.

— Une faveur ?

— Ouais, une faveur. C'est à propos de Charles.

Brusquement, peut-être à cause du ton, Bernadette eut l'intuition de ce qui allait suivre. Sa main, emprisonnée sous celle de son mari, se mit à trembler.

— Charles ? demanda-t-elle la gorge nouée par l'émotion. Que c'est que tu veux me demander à propos de Charles ? Je le sais qu'y' est encore un peu jeune, crains pas, pis que c'est celui de nos enfants qui va…

— Ça a rien à voir avec son âge, coupa Marcel, d'une voix calme et ferme, sa main se faisant de plus en plus lourde sur celle de Bernadette. Pis ça a rien à voir avec son caractère non plus, même si y' est pas facile… Non, ce que je voudrais te demander, c'est de garder pour toé le fait que chus pas son père. Me semble qu'y' a pas besoin d'apprendre ça.

Un long silence suivit ces quelques mots.

Bernadette avait baissé les yeux, retenant son souffle, tendue. Il y avait de quoi être tendue, et pourtant, en même temps, elle se sentait soulagée. La conception de cet enfant-là était le seul secret qui subsistait entre Marcel et elle. Il venait de tomber. Alors, oui, Bernadette se sentait libérée, car par son silence, elle venait de tout avouer à son mari.

Nerveusement, le pouce de Bernadette caressa l'index de Marcel qui, toujours aussi haletant, se remit à parler.

— Toute y dire, ça changerait rien dans les faits sauf petête qu'y' se sentirait trahi. Autant par moé que par toé pis ça, chus pas capable de le supporter. Notre Charles, je l'ai aimé comme un père pis je pense que c'est ça, l'important, pour lui. Juste ça.

Notre Charles…

Bernadette était figée, ne sachant ce qu'elle devait répondre. C'était à elle, maintenant, que les mots faisaient cruellement défaut. Curieusement, elle eut, à ce moment précis, une pensée intempestive pour l'épicerie qui risquait d'ouvrir ses portes plus tard que prévu. Tant pis ! Laura avait une clé, elle ouvrirait le commerce sans elle, devinant sans doute que sa mère s'était attardée à l'hôpital. Puis la voix grave de Marcel la rejoignit dans un dédale de pensées confuses au moment où il disait :

— Je pense que c'est petête ben mieux pour Charles d'avoir de la peine pasque son père vient de mourir que d'avoir du ressentiment pour le reste de sa vie pasqu'on y a menti. C'est ça que je voulais te dire, Bernadette. Je sais ben que je serai pus là pis que tu vas pouvoir faire à ta tête, mais je te le demande pareil : dis rien à Charles. Je pense que c'est important pour lui. Pis pour moé avec, par le fait même, à cause des souvenirs qu'y' va garder.

Ainsi, Marcel savait…

Il savait tout et probablement depuis fort longtemps déjà, et jamais Bernadette ne s'en était doutée.

Évangéline avait-elle parlé ?

Imperceptiblement, Bernadette secoua la tête, incrédule, pour se raisonner dans la seconde suivante. C'était impossible. Sa belle-mère était de celles qui ne brisent jamais leurs promesses, jamais, et comme elle avait promis de se taire…

Bernadette exhala silencieusement un long soupir.

Qu'importe la raison, Marcel savait ce qui s'était passé et il n'avait rien dit. Pas un mot, ni une remarque, ni même de recul face à elle. Jamais.

Même s'il savait qu'un jour, entre son frère Adrien et elle...

Bernadette ferma les yeux précipitamment comme si, ce faisant, elle se mettait, elle et ses souvenirs, à l'abri des regards indiscrets.

Mais était-ce aussi nécessaire qu'elle le croyait ? C'était si loin tout ça. Si loin...

— Pourquoi, demanda-t-elle enfin d'une voix enrouée, pourquoi t'as rien dit ?

Marcel souleva les épaules dans un geste de grande indécision. Le savait-il lui-même, pourquoi il n'avait rien dit ?

— Comme ça... Faut dire que ça faisait quand même un boutte que Charles était né quand je me suis aperçu qu'y' avait la même tache qu'Adrien sur une fesse... Pis je l'aimais, c't'enfant-là. Petête ben tout croche, comme c'est mon habitude, mais une chose est sûre, par exemple : je l'aimais. Pis en calvaire, à part de ça !

Comme si Bernadette pouvait avoir des doutes ! Elle savait bien que Marcel avait aimé Charles. Tout comme il avait aimé Laura et Antoine : à sa manière, rustre et bourrue. Mais, pour Bernadette, cela ne faisait aucun doute : Marcel Lacaille tenait à sa famille. Il n'avait pas travaillé comme un forcené durant toute sa vie motivé uniquement par l'appât du gain ou par indifférence.

— Face à Charles, je peux petête comprendre, fit-elle finalement, hésitante. Mais avec moé, Marcel ? Face à moé, comment t'as faite pour rien dire ?

Encore une fois, Marcel souleva une épaule chargée d'hésitation.

— Me semble que ça faisait partie de la *game*, non? Quand je t'ai dit oui, Bernadette, au matin des noces, c'était pour la vie. Ça, pour moé, c'était clair comme de l'eau de roche. Je t'avais donné ma parole, pis une parole, ça se reprend pas. Je le savais-tu, moé, comment c'est que tu te sentais en dedans de toé quand c'est arrivé, hein? Non, je le savais pas, enchaîna précipitamment Marcel, se répondant ainsi à lui-même avant que Bernadette puisse le faire. Pis je me suis dit que j'aimais mieux pas le savoir. C'est pour ça que j'ai rien dit. Entre nos deux, à cette époque-là, c'était pas facile, on se chicanait souvent pis ça me faisait peur. Ouais dans le fond, même si je parlais fort des fois, j'avais peur de te perdre, Bernadette... Je pense que c'est pour ça que j'ai rien dit: j'avais une calvaire de peur de te perdre.

Si jamais Bernadette avait déjà eu des doutes quant à la sincérité des sentiments de Marcel à son égard, ces quelques mots venaient de les effacer pour l'éternité.

Elle leva les yeux vers lui et durant un long moment, elle soutint son regard, comme si elle voulait plonger dans le bleu intense de ses yeux avant qu'il ne soit trop tard.

Avant même que sa faute ait été avouée, elle avait déjà été pardonnée...

Le geste qui suivit fut spontané de part et d'autre.

Marcel se poussa un peu contre le rebord du lit et Bernadette se glissa à côté de lui, le corps de l'un épousant étroitement la forme de l'autre, avec cette facilité donnée par une longue habitude.

Et ainsi, blottis l'un contre l'autre, un bras de Marcel entourant la taille de Bernadette, ils se contentèrent d'écouter les battements de leurs cœurs qui pleuraient à l'unisson devant une vie qu'ils commençaient à peine à partager, le regard tourné vers un ciel au bleu si intense qu'il tirait les larmes.

CHAPITRE 18

Quand j'y retourne ça m'fait assez mal
Y est tombé une bombe su'a rue principale
Depuis qu'y ont construit le centre d'achats

La rue principale
ANDRÉ FORTIN (LES COLOCS), 1993

Bastrop (Texas), mardi 9 janvier 1973

Adrien, chez lui, dans la cuisine
Durant un court moment, Adrien fixa intensément le combiné téléphonique, comme si l'appareil était personnellement responsable de la terrible nouvelle qu'il venait d'apprendre, puis lentement, il raccrocha. Michelle, toujours aussi sensible aux ondes que les gens émettaient autour d'elle, avait levé les yeux dès les premiers mots prononcés par son père quand il avait répondu.

— C'était Montréal, n'est-ce pas ? demanda-t-elle, son crayon devenu inutile pointant le plafond.

Assise à la table, Michelle faisait ses devoirs. En fait, même si elle était toujours à l'école primaire, Michelle n'était plus si petite que cela. Depuis l'été, elle avait beaucoup changé et la fillette qu'elle était se transformait peu à peu en une jolie jeune fille.

— Papa! Qu'est-ce qui se passe ? On dirait que t'as vu un fantôme!

Michelle avait haussé le ton, et Adrien sursauta. Il se tourna vers elle.

— Je, non… Qu'est-ce que tu veux ?

— Le téléphone ! fit Michelle en pointant maintenant son crayon vers l'appareil. C'était Montréal, n'est-ce pas ? Tu parlais français !

— Oui, c'était Montréal… Je… Mon frère vient de mourir, Michelle. C'est Laura qui appelait pour me l'apprendre.

Adrien aurait voulu dire les choses plus doucement, préparer le terrain, comme il le disait, mais les mots s'étaient échappés d'eux-mêmes.

Michelle avait blêmi en entendant le mot *mourir*. Ayant déjà fait face au décès de sa grand-mère maternelle quelques années auparavant, après s'être heurtée surtout aux chicanes de toutes sortes qui avaient suivi, elle anticipait ce qui allait suivre.

— Ton frère, c'est l'oncle Marcel, n'est-ce pas ?

— Oui, c'est l'oncle Marcel… Je n'en reviens pas… Marcel est mort.

Michelle laissa passer un bref moment de silence, voyant à quel point son père semblait bouleversé. Puis, gentiment, elle demanda :

— Quand est-ce que c'est arrivé ? Comment c'est arrivé ? J'ai toujours cru qu'il était plus jeune que toi !

— Il était plus jeune que moi…

Adrien avait répondu d'une voix évasive tout en s'approchant de la table. Il se tira machinalement une chaise et il s'y laissa tomber en murmurant pour lui-même :

— Ça ne se peut pas… Pas Marcel.

— Pourquoi tu dis ça ? Qu'est-ce qui se peut pas, papa ?

Michelle regardait son père en fronçant les sourcils dans ce geste naturel chez elle qui n'était pas sans rappeler celui que faisait sa grand-mère Évangéline quand elle réfléchissait intensément.

— Tout le monde doit mourir un jour, non ? poursuivit Michelle sur sa lancée, toujours aussi curieuse de tout, avide de tout comprendre. C'est toi qui me l'as dit quand grand-mère Eli est morte.

— C'est vrai, soupira Adrien tout en reportant les yeux sur sa fille. Tout le monde doit mourir un jour, c'est inévitable. En fait, c'est l'unique vraie justice ici-bas. Mais quand on perd quelqu'un qu'on aime, on trouve toujours que c'est arrivé trop vite.

Michelle opina pour exprimer son accord avec ce que son père venait de dire.

— Et tu aimais l'oncle Marcel ? demanda-t-elle en même temps.

— Bien sûr ! C'était mon frère.

— Ah bon…

Michelle esquissa une moue, comme si elle doutait des paroles d'Adrien.

— Ça paraissait pas, conclut-elle au bout d'un bref silence.

— Pourquoi tu dis ça ?

— Comme ça… Quand on allait à Montréal, tu lui parlais jamais ou presque. Quand on aime quelqu'un, il me semble qu'on veut être avec lui, non ?

— Parfois, oui. Mais pas nécessairement, tu sais.

— Ben moi, si j'avais un frère ou une sœur, je pense que j'aimerais ça être souvent avec lui ou avec elle. C'est plate, des fois, être toute seule.

— C'est vrai…

Le regard vague, fixant probablement quelque souvenir d'un passé lointain qui venait de refaire surface, Adrien ajouta:

— Tu sais, je me souviens très bien du jour où mon frère est né, raconta-t-il sur un ton songeur. J'étais dans la cour chez grand-maman Évangéline. C'était l'été et il faisait très beau. Je jouais avec des amis quand mon père m'a appelé pour rentrer. Je n'étais pas de bonne humeur parce que je m'amusais bien avec mes amis. Ça, je m'en souviens comme si c'était hier. On s'arrosait avec une chaudière parce qu'il faisait très chaud. Mais quand mon père m'a dit de me dépêcher et de ne pas faire de bruit parce que mon petit frère venait d'arriver, c'est moi qui ai dit à mes amis de s'en aller. Tout d'un coup, du haut de mes cinq ans, je venais de décider que je n'avais plus besoin d'eux pour m'amuser. Je venais d'avoir un petit frère!

Pendant qu'Adrien parlait, Michelle s'aperçut que son menton tremblait. Comme cela lui arrivait à elle aussi quand elle avait de la peine ou qu'elle était en colère. Du bout du doigt, timidement, elle caressa le bras de son père.

— Tu as de la peine, n'est-ce pas? demanda-t-elle d'une petite voix.

— Oui, beaucoup. C'est arrivé trop vite.

— Comment c'est arrivé? Est-ce que c'est un cancer comme grand-mère?

— Non, pas vraiment. Ton oncle Marcel souffrait d'une maladie des poumons.

— Ah bon… Et tu savais qu'il était malade, ton frère?

— Oui, je le savais. Mais je ne savais pas, par contre, qu'il pouvait mourir d'un jour à l'autre. Ça, on ne me l'avait pas dit. Si j'avais su, je serais…

— C'est juste parce que c'est arrivé trop vite, observa vivement Michelle, interrompant son père. Tu viens tout juste de le dire ! De toute façon, même si tu avais su, qu'est-ce que ça aurait changé ? Tu ne pouvais rien faire, papa ! Tu n'es pas docteur, toi !

Cette constatation arracha un petit sourire à Adrien.

— Je sais, je ne suis pas docteur et tu as raison, Michelle, quand tu dis que je n'aurais pas pu guérir Marcel. Mais j'aurais pu au moins le voir une dernière fois. J'aurais aimé le voir une dernière fois.

— Oui, peut-être… Et pourquoi tu ne m'en as pas parlé ? Je ne le savais pas, moi, que le papa de Laura était malade.

— Pour ne pas t'inquiéter.

— Est-ce qu'il était déjà malade quand on l'a vu au mariage d'Antoine ?

— Oui, mais à ce moment-là, moi non plus, je ne le savais pas. Marcel avait choisi de ne pas en parler tout de suite. Je l'ai su uniquement à la fin de l'été.

— Ah bon… Et si ça avait été grand-maman Vangéline qui avait été malade, est-ce que tu m'en aurais parlé ?

— Oui.

Adrien était catégorique.

— Et nous serions sûrement allés la voir, renchérit-il sans la moindre hésitation. Je sais à quel point tu l'aimes.

— C'est vrai, je l'aime beaucoup. Son monsieur Roméo aussi est très gentil… Est-ce que grand-maman va se marier pareil, maintenant que l'oncle Marcel est mort ?

Cette idée d'un mariage à Montréal, l'été suivant, enthousiasmait Michelle au plus haut point. Depuis une semaine qu'elle avait appris l'heureuse nouvelle, la gamine ne tarissait pas sur le sujet, feuilletant les revues de mode.

Apprendre que la cérémonie était annulée serait une grande déception.

— Laura n'en a pas parlé. Je suppose que le mariage va avoir lieu quand même, oui, la rassura Adrien. Ce n'est pas parce que quelqu'un décède que la vie des autres est nécessairement chamboulée durant des mois ! Ceci étant dit, je crois que c'est un peu prématuré de parler comme ça du mariage de ta grand-mère. À Montréal, pour l'instant, les gens doivent avoir bien autre chose en tête.

— Peut-être, oui. Mais il faut quand même que quelqu'un y pense, à ce mariage de grand-maman. Non ?

Michelle et son entêtement ! Adrien la laissa dire.

— Peut-être, oui. Alors, je te confie ce devoir : c'est toi qui vas penser au mariage de grand-maman avec Roméo. Moi, pendant ce temps, je vais penser à me trouver rapidement un billet d'avion.

— Tu vas à Montréal ?

— Bien sûr, Michelle ! C'est mon frère qui est mort, pas une vague connaissance. Je dois y aller, je n'ai pas le choix. De toute façon, je veux être là, avec ma famille. Dis-toi bien que ta grand-mère et Bernadette vont sûrement avoir besoin de moi pour mille et une choses. Et quand bien même ça serait juste pour le soutien…

— C'est vrai.

Michelle approuva d'un vigoureux hochement de tête. Puis, elle leva les yeux vers son père pour demander :

— Moi aussi, j'y vais ?

— Je ne crois pas, non.

— Pourquoi ? Moi aussi, je pourrais consoler grand-maman.

— Aucun doute là-dessus. Mais comme je dois faire

vite, il n'est pas question d'y aller en auto. Je vais donc prendre l'avion, comme je viens de te le dire, et je n'ai pas l'argent pour deux billets. C'est aussi simple que ça !

Michelle balaya l'objection de son père d'un haussement d'épaules insouciant.

— Tu n'as qu'à demander à grand-père ! rétorqua-t-elle sans hésiter. Il en a des sous, lui ! Tout plein !

— Michelle !

— Ben quoi ? C'est vrai ! Il vient de vendre son grand terrain. Moi aussi, je veux voir grand-maman et Laura, et Charles, et matante Bernadette. Elle aussi, je l'aime beaucoup. Je pourrais peut-être la consoler parce qu'elle doit avoir de la peine, elle. Encore plus que toi, tu sais !

— Ça ne se mesure pas, de la peine, Michelle. Ça se ressent.

— Je le sais... Mais ça se mesure quand même, tu sauras. C'est comme pour la mort de grand-mère Eli ! Je me souviens très bien que maman a beaucoup pleuré parce qu'elle avait beaucoup de peine et que moi, je n'ai pas vraiment pleuré parce que j'avais juste un peu de peine.

Adrien repoussa sa chaise pour se relever. Avec la manie de Michelle de toujours tout analyser, la discussion risquait de s'enliser.

— Tu as peut-être raison, c'est vrai, mais je n'ai pas le temps d'en discuter. On reparlera de tout ça plus tard, veux-tu ? proposa-t-il avec un peu plus d'impatience dans la voix qu'il ne l'aurait voulu, sur un ton surtout qui n'avait rien d'interrogatif. Pour l'instant, j'ai quelques appels à passer et une valise à préparer.

— Mais je veux y aller ! s'entêta Michelle tout en frappant le barreau de sa chaise avec son talon.

Ces gestes de colère, bien qu'anodins, étaient de plus en plus fréquents quand Michelle devait argumenter ou insister pour obtenir quelque chose et ils horripilaient Adrien au plus haut point. Ce n'était surtout pas ainsi qu'elle allait l'amadouer. Quoi qu'il en soit, il n'avait pas du tout l'intention d'emmener Michelle à Montréal.

— J'ai dit non, Michelle. Rappelle-toi quand grand-mère Eli est morte ! Ça va être exactement la même chose : il va y avoir beaucoup de monde, ça va être fatigant, tu vas finir par t'ennuyer et moi, je n'aurai pas le temps de m'occuper de toi.

— T'occuper de moi ! Comme si j'étais encore un bébé.

— Je n'ai pas dit ça et je ne le pense pas non plus.

— Alors, laisse-moi venir avec toi !

— Je me répète : pas question.

— Papa !

— N'insiste pas, c'est non ! Au mieux, je peux peut-être demander à Chuck et Maria si tu peux t'installer dans leur maison le temps où je serai parti. Ça va faire plaisir à ton grand-père de s'occuper de toi. Depuis son retour de voyage et avec le terrain vendu, il se plaint qu'il n'a rien à faire ! De toute façon, avec ses réunions de toutes sortes, ta mère n'est pas souvent là. Mais tiens-toi-le pour dit : ma bonne volonté n'ira pas plus loin.

Un long soupir ostentatoire fut la réponse de Michelle, mais c'est à peine si Adrien en prit conscience. Tandis que sa fille ramassait bruyamment ses choses, Adrien consultait déjà l'annuaire pour trouver le numéro de la principale compagnie d'aviation qui desservait Austin, la ville d'importance la plus proche.

Si, de corps, Adrien semblait toujours chez lui au Texas,

en esprit, cependant, il était déjà à Montréal, dans une cuisine éclaboussée de soleil et qui sentait toujours bon la tarte aux pommes.

Il était déjà auprès d'une femme qu'il chérissait depuis longtemps, à défaut d'avoir pu l'aimer.

Une femme qui venait de perdre son mari et qui aurait probablement besoin de lui.

CHAPITRE 19

Une chance que je t'ai
Je t'ai, tu m'as
Une chance qu'on s'a

Une chance qu'on s'a
JEAN-PIERRE FERLAND (A. LEBLANC), 1995

Montréal, samedi 13 janvier 1973

Dans la cuisine chez Anne Deblois
— J'en reviens pas encore comment ça s'est faite vite, toute ça.

Affairée à préparer du café, Francine s'adressait à Anne par-dessus son épaule.

— Ça se peut-tu ? C'est comme si mon père à moé venait de partir, sainte bénite ! Y' était ben trop jeune pour mourir, monsieur Lacaille !

— C'est bien vrai…

Le sifflement de la bouilloire interrompit la conversation durant un court moment.

— C'est triste, toute ça, reprit Francine dès qu'elle se mit à verser l'eau bouillante dans les tasses, c'est ben triste. Déjà que c'est jamais ben ben le fun quand quèqu'un meurt, pis j'en sais quèque chose avec le départ de la tante Gisèle pis celui de monsieur Napoléon, me semble que c'est encore pire quand la personne est jeune… Bon c'est prêt ! Ça va nous faire du bien. J'ai jamais eu frette comme t'à l'heure au cimetière.

Francine déposa délicatement deux tasses de café fumant sur la table tandis qu'Anne lui offrait un sourire reconnaissant.

Gourmande comme jamais, heureuse d'avoir pu trouver quelqu'un à qui confier la gouvernance de ses armoires de cuisine, Anne saisit aussitôt une tasse qu'elle enveloppa de ses deux mains pour se réchauffer tandis que Francine continuait de monologuer.

— C'est dur à comprendre, une affaire de même. Des fois, on se demande ce que le Bon Dieu peut ben penser. Y' avait pas encore cinquante ans, le père à Laura, poursuivit-elle tout en mettant du sucre dans sa propre tasse de café. Avez-vous vu, vous, comment c'est qu'a' pleurait, la pauvre Laura?

— Tout le monde pleurait, Francine. Tout le monde. Je pense que je n'ai jamais vu autant de gens rassemblés pour des funérailles.

— C'est vrai, l'église était pleine.

En pensée, Francine revit tous ces gens qui s'étaient empilés à qui mieux mieux dans une église vite devenue suffocante. Les amies d'enfance qu'elle avait revues, quelques cousines perdues de vue, des proches de la famille Lacaille, des parents, des voisins, des connaissances, des clientes… Même Cécile était venue de Québec avec son mari et son fils Denis.

En cette froide journée de janvier, dans l'église où le défunt avait été baptisé, l'odeur de laine mouillée s'était emmêlée à celle de l'encens pour un dernier adieu à Marcel Lacaille.

— Faut dire, avec, reprit Francine, qu'y' connaissait à peu près tout le monde dans le quartier, Marcel Lacaille! On rit pus, ça faisait au-delà de trente ans qu'y' travaillait comme boucher. Comme le curé l'a dit, y' avait servi trois générations de clientes. Ça fait du monde, ça, trois générations!

— Le curé Ferland... Ça faisait longtemps qu'on ne l'avait pas vu, lui. On dirait qu'il ne vieillit plus. As-tu remarqué comment madame Lacaille, Évangéline, je veux dire, semblait heureuse de le voir? Je crois bien que la présence de l'ancien curé a mis un peu de baume sur sa tristesse.

— Pasque pour être triste, madame Évangéline, était triste! A' l'avait les yeux tout rouges pis gonflés.

Francine leva les yeux au plafond, comme si, à travers le bois des planches, elle pouvait apercevoir son Steve qui lisait dans sa chambre.

— Mais je peux comprendre sa peine, à madame Évangéline! Si y' fallait que le Bon Dieu m'enlève mon p'tit, c'est pas mêlant, je pense que je mourrais, moé avec.

Elle n'y connaissait peut-être rien, mais Anne approuva tout de même d'un petit hochement de tête avant d'ajouter:

— Ma mère a toujours dit qu'on ne mettait pas un enfant au monde pour le voir partir avant soi, et pour une des rares fois dans ma vie, je suis entièrement d'accord avec elle.

— C'est sûr, ça. C'est juste normal que ça soye de même. Pis on a pas besoin d'avoir d'enfants pour comprendre ça.

Comme toutes les deux, chacune à sa façon, avaient besoin de réfléchir à ces derniers mots, à cette journée dense en émotions, un long silence suivit la tirade de Francine.

Par la fenêtre mal calfeutrée, on entendait le vent qui s'infiltrait en sifflant. Une planche craqua comme si elle sentait le besoin de riposter au froid intense qui régnait sur la ville depuis quelques jours. Francine revit alors le cimetière et la tombe qu'on plaçait dans un caveau, là où Marcel Lacaille devrait attendre jusqu'au printemps pour être mis en terre. Elle entendait encore les pleurs et les gémissements des proches, et ce vent, omniprésent, qui soufflait dans les arbres, glacial…

Un long frisson secoua ses épaules.

— Faudrait pas qu'y' en aye trop trop souvent, des journées de même, murmura-t-elle alors. Je trouve ça ben dur, moé, voir le monde que j'aime avoir autant de peine.

— C'est toujours difficile de voir souffrir ceux qu'on aime, répéta Anne dans un souffle. Tellement difficile.

Francine comprit aussitôt qu'Anne Deblois parlait de son mari. Cette journée sous le signe du deuil avait dû lui rappeler certains moments difficiles.

Jusqu'à maintenant, Anne avait été plutôt discrète sur le sujet. Francine savait que Robert Canuel était placé dans un foyer, une sorte d'institution pour grands malades parce qu'il était, justement, très malade. C'est à peu près tout ce qu'Anne lui avait donné comme explication au fait qu'elle vivait seule depuis un long moment.

Elle savait aussi qu'Anne acceptait la situation avec beaucoup de difficulté. Certains regards désabusés, certaines phrases un peu dures, lancées sèchement, ne pouvaient mentir: cette femme-là avait beaucoup souffert et continuait de souffrir.

Mais que pouvait-elle y faire, elle, la pauvre Francine Gariépy qui arrivait tout juste à faire vivre son fils décemment ? De plus, elle n'était ni médecin ni même psychologue comme Laura. Comment pourrait-elle aider Anne sans risquer de faire plus de mal que de bien ? C'est ce que Francine se répétait chaque fois qu'elle était grandement tentée d'aborder le sujet avec Anne. « Mêle-toé de tes affaires, ma grande, pis toute va ben aller ! »

Alors, Francine se contentait d'entretenir la maison, de préparer de bons repas et de semer un peu de bonne humeur autour d'elles quand la petite Alice se faisait garder ici et que Steve jouait avec elle. Créer un semblant de vie normale, de vie familiale, c'était la manière que Francine avait choisie pour dire merci à Anne de l'avoir acceptée sans condition, avec son fils, sa couture et la petite Alice qu'elle gardait ici trois jours par semaine, au grand soulagement de Laura qui avait pu ainsi retourner au travail l'esprit tranquille. Depuis, aux yeux de Francine, tenir maison, c'était sa façon à elle, discrète mais efficace, d'essayer de rendre Anne Deblois un peu plus heureuse.

C'est pourquoi, quand Anne le lui avait timidement demandé, Francine avait accepté sans hésitation de donner aussi quelques heures à la procure pour qu'Anne, de son côté, puisse donner des cours. Ce jour-là, le jeudi en après-midi, la petite Alice se faisait garder par sa grand-mère Gariépy, et le vendredi, Francine se déplaçait chez Laura. Ainsi, elle pouvait voir au ménage de son amie qui, en ce qui concernait les corvées ménagères, tout comme Anne, avait déclaré forfait.

— J'haïs ça, Francine, faire du ménage. À m'en confesser !

— Et de deux ! Bonté divine, que c'est vous avez toutes ? Madame Anne non plus, a' l'aime pas ça, faire du ménage.

Pourtant, me semble que c'est agréable quand toute est propre pis que ça sent bon !

D'une chose à l'autre, du ménage à faire ici et chez Laura jusqu'aux réparations de vêtements et parfois même à la confection de jolies robes, en passant par la vente de partitions musicales, depuis son arrivée à Montréal, Francine arrivait à tirer son épingle du jeu avec une certaine élégance. Quant à la petite Alice qu'elle gardait à la journée, Francine le voyait uniquement comme un plaisir même si Laura et Bébert s'entêtaient à vouloir la rémunérer.

C'est ainsi que le vendredi soir, maintenant, Steve et elle pouvaient même se permettre un repas au casse-croûte de monsieur Albert, suivi d'un programme double au cinéma, ce qui n'arrivait vraiment pas souvent quand ils habitaient Québec.

Mais pour Francine, ça ne suffisait pas. Elle s'était mise en tête de ramener le sourire sur le visage de celle qu'elle s'entêtait à appeler madame Anne, tant elle la jugeait supérieure à elle.

— Quand on joue de la musique aussi bien que ça pis qu'on parle comme dans les livres que les sœurs nous faisaient lire au couvent, c'est qu'on est une grande dame, tu sauras, avait-elle expliqué à Laura en s'efforçant elle aussi de mieux parler. Je peux pas y dire « tu » comme si c'était n'importe qui, voyons don ! Quand madame Anne s'installe devant son piano, c'est pas mêlant, a' m'intimide comme tu peux pas t'imaginer. C'est tellement beau, la musique qu'a' joue ! Même moé, sainte bénite, chus en train d'apprendre à aimer ça, la grande musique.

Mais ce qu'elle préférait, Francine, et de loin, c'était quand Anne jouait du jazz, ou ce qu'elle appelait, dans son langage de novice, des chansons modernes : Ferré, Aznavour, Brel, Ferland, même les Beatles, parfois…

— C'est quand a' joue de la musique comme ça que madame Anne a l'air heureuse, se disait-elle régulièrement. Pis c'est comme ça que je voudrais qu'a' soye tout le temps.

Mais comment le dire sans risquer de fermer la porte des confidences à tout jamais ? Comment amener Anne à se confier ?

Pourtant…

Il y a quelques instants à peine, d'une façon bien timide, presque détournée, Anne avait semblé vouloir parler. Du moins, c'est ce que Francine avait cru comprendre. Alors, sur un ton tout en retenue, un ton respectueux, elle osa demander :

— Vous, madame Anne, c'est votre mari, hein, qui vous rend triste ?

Francine s'attendait à se faire rabrouer ; il n'en fut rien. Tournant et retournant la tasse entre ses doigts délicats de pianiste, Anne soupira longuement avant d'acquiescer.

— Oui. C'est lui, d'abord et avant tout. Ma vie a basculé en même temps que la sienne, un certain 18 janvier. Dans cinq jours, ça va faire exactement cinq ans. Il y a des dates, comme ça, qu'on n'oublie jamais.

— Ça, c'est ben vrai ! approuva Francine avec un enthousiasme qui aurait pu paraître déplacé si ce n'était de sa bonne volonté évidente, car elle voulait tout simplement montrer qu'elle comprenait ce qu'Anne voulait dire. Prenez moé, par exemple ! C'est la naissance de mon Steve qui a eu le plusse d'importance dans ma vie. Quand on met un p'tit au monde, c'est comme…

Devant la visible indifférence d'Anne, Francine se tut

brusquement, comprenant qu'encore une fois, elle allait se mettre à trop parler au lieu d'écouter.

— Pis c'est pas ben ben important, la naissance de mon gars, ajouta-t-elle précipitamment sur un ton d'excuse. Pas pour astheure... Mais votre mari, par exemple... Vous dites que ça va faire cinq ans ? Sans vouloir être indiscrète, si jamais vous avez envie d'en parler, comme de raison, j'aimerais ça savoir c'est quoi qui s'est passé au juste...

Anne leva les yeux. De l'autre côté de la table, en face d'elle, Francine la regardait et lui souriait gentiment.

Cette Francine, Anne l'avait vue grandir. C'était sa voisine d'en face. Puis un jour, elle avait disparu du quartier. On avait alors entendu dire à travers les branches qu'elle avait fui le quartier pour cacher une grossesse illégitime et durant des années, on ne l'avait pas revue. L'automne dernier, cette même Francine avait sonné à sa porte. La femme qui se tenait devant Anne n'avait plus rien à voir avec la gamine un peu gauche dont elle gardait souvenir.

Anne avait pu lire, surtout, une farouche, une inébranlable détermination dans le regard qui la scrutait.

Du pouce, Francine avait montré sa pancarte installée à la fenêtre et elle avait tout simplement déclaré :

— Le « s » à chambres, ça veut-tu dire qu'y en a deux ? Pasque si c'est le cas, moé pis mon Steve, on serait intéressés.

La semaine suivante, Francine et son fils emménageaient dans la maison à lucarnes.

Le cœur d'Anne se gonfla d'un trop-plein de solitude qu'elle n'arrivait plus à supporter. Était-ce le fait d'avoir vu Antoine aux côtés de sa jeune épouse, ce matin aux funérailles, qui avait enfin ouvert une brèche ? Une entaille par où les secrets trop longtemps retenus réussiraient à se faufiler ?

Anne se redressa imperceptiblement et à ce geste, Francine tendit l'oreille.

Alors, Anne essaya de raconter les événements.

Un mot, une phrase, puis, tout à coup, un souvenir plus précis.

Une goutte, un ruisseau, la mer…

Anne se mit à raconter tout ou presque.

Sur un ton dans lequel Francine entendit une libération.

Il n'y eut aucun nom de prononcé — Anne aurait été incapable de le faire —, mais Francine, dont le sens intuitif avait été exacerbé par les mois vécus aux côtés de Jean-Marie, devina de qui il s'agissait. Des jeunes voisins, à l'exception de Bébert et Antoine, il n'y en avait pas des milliers dans le quartier.

Et comme Bébert avait le cœur occupé par Laura depuis des années…

Mais Anne parla d'un jeune voisin suffisamment proche pour venir faire la pelouse, suffisamment habile pour effectuer certaines réparations, suffisamment disponible pour venir prendre un café, suffisamment seul pour…

Anne se vida le cœur. Elle parla de ce sentiment de culpabilité qui ne l'avait jamais complètement quittée.

— Et pas seulement à cause de ce jeune homme dont je parle, confia-t-elle dans un soupir. S'il n'y avait que lui… Non, si Robert a fait sa crise, c'est en partie à cause de moi, j'en suis certaine. Il voulait tellement avoir un enfant, tandis que moi…

Anne parla alors de son enfance. De sa mère qui la traitait d'insignifiante, de son père trop longtemps absent, de ces années où elle donnait des concerts un peu partout en Amérique, de ces petites salles enfumées où elle jouait des soirées durant, de ses cours de piano avec madame Mathilde, de Charlotte qui l'avait abandonnée quand elle n'était qu'une toute petite fille encore…

Anne raconta sa vie dans le désordre, avec hargne, avec tendresse, avec nostalgie, avec désespoir, pour en venir à ce quotidien nouveau où elle, Francine Gariépy, avait commencé à mettre un peu d'ordre. Cette vie décousue reprenait son fil.

— Vois-tu, Francine, tu es probablement la meilleure chose qui me soit arrivée depuis longtemps.

— Ben voyons don, vous ! Ça se peut pas, ça là. Pas avec moé. J'ai même pas fini mon secondaire ! Chus juste une…

— Les études ne remplaceront jamais le cœur. Et toi, tu es une femme de cœur comme il n'y en a pas beaucoup.

Francine s'était mise à rougir comme une pivoine.

— Bonté divine ! C'est vraiment ce que vous pensez de moé ?

— Oui, c'est vraiment ce que je pense de toi. D'une certaine façon, tu remplaces Robert en apportant un certain équilibre à ma vie.

— Justement, Robert…

Intimidée par toutes ces belles choses qu'Anne venait de lui dire, Francine détourna la conversation et en profita pour revenir à celui qu'elle aurait voulu mieux connaître.

— Justement, votre mari… Comment c'est qu'y' va maintenant ?

Anne hésita avant de répondre. Elle-même n'arrivait pas vraiment à dire comment se portait Robert.

— Bien, admit-elle finalement. Dans la mesure du possible, il va bien.

— Ah ouais ? Ben d'abord, je comprends pas.

— Qu'est-ce qu'il y a à comprendre, Francine ?

— Toute, sainte bénite, toute ! S'il va bien, votre mari, pourquoi c'est faire qu'y' est encore dans un hôpital ? Y' pourrait pas revenir vivre icitte ?

Cette fois, il n'y eut aucune hésitation avant qu'Anne réponde.

— Pas vraiment. Il va mieux, c'est certain. Mais il a encore besoin de soins. Il va toujours avoir besoin de soins.

Francine garda les sourcils froncés sur son idée.

— Quelle sorte de soins ? Des soins que juste un docteur ou ben une garde-malade peut donner ?

— Pas vraiment, non. En fait, mon mari est plus handicapé que malade… Mais n'empêche que Robert aura toujours besoin d'aide pour les gestes les plus simples du quotidien. Il ne pourra plus jamais envisager de vivre seul et comme je dois subvenir à nos besoins, je ne peux rester avec lui pour m'en occuper.

— Pis moé ?

Ce fut au tour d'Anne de froncer les sourcils.

— Comment, toi ? Je ne vois pas…

— Ben moé, je vois…

Francine s'emballait, comme souvent quand elle croyait détenir une solution.

— On parle pour parler, comme le dirait Laura, fit-elle un peu fébrile. Mais faut que je vous dise, comme ça en passant, que durant les dernières années, je me suis occupée d'un malade comme votre mari. Monsieur Napoléon qu'y' s'appelait… Ouais, monsieur Napoléon, un ben bon monsieur. Lui non plus, y' était pus capable de descendre l'escalier tuseul. Y' avait besoin d'aide pour se rendre à la salle de toilettes, pis besoin de moé pour s'assire dans son bain.

Fallait aussi que je coupe sa viande, que je prépare son café pis que je l'aide des fois pour le boire. Fallait que je l'installe devant la télé le matin, après l'avoir aidé à s'habiller, pis fallait que je refasse toute ça à l'envers quand c'était le soir. C'était pas toujours facile, mais grande pis forte comme chus, on finissait toujours par y arriver. Pis laissez-moé vous dire que par bouttes, on a pas mal ri, lui pis moé. Ouais, on a ri sur un temps rare quand ça marchait pas exactement comme on l'avait prévu.

Anne, les yeux écarquillés, semblait tombée des nues.

— Tu as fait ça, toi?

— Je vous le jure! Monsieur Napoléon, c'était le mononcle à Cécile la docteure, pis c'est elle qui m'a montré comment m'occuper de lui quand c'est que la tante Gisèle est morte. Vous avez juste à y demander, si vous me croyez pas. C'est justement pour éviter que monsieur Napoléon se retrouve dans une maison de soins comme votre mari que je me suis occupée de lui.

Si le visage d'Anne s'était illuminé durant quelques instants en écoutant Francine parler, ça n'avait pas duré. Dès que Francine se tut, elle détourna les yeux.

— Mais qu'est-ce que ça changerait dans mon cas? murmura-t-elle alors, fuyant délibérément le regard de Francine. Robert ne veut même plus me parler. Je sais qu'il arrive à le faire avec les autres, mais jamais avec moi.

À ces mots, Francine redevint sérieuse. Si elle comprenait le mal de vivre d'Anne Deblois, surtout après tout ce qu'elle venait de lui dire, elle venait brusquement de comprendre ce qui se passait dans la tête et le cœur de Robert Canuel.

Parce qu'à son corps défendant, durant de longs mois en

compagnie de Jean-Marie, Francine Gariépy avait appris à reconnaître toutes les facettes du silence. Pas besoin de faire de longues études pour apprendre ce qu'il pouvait vouloir dire, ce qu'il sous-entendait, ce qu'il cachait d'espoir comme de rancune.

Ce qu'il cachait de détresse aussi.

Francine leva alors la tête et se heurta au regard hermétique d'Anne. Un regard malgré tout incroyablement triste.

— Y a rien de mieux que le silence quand on veut éloigner quèqu'un, vous savez, suggéra alors Francine sur un ton très doux.

— Mais pourquoi m'éloigner? rétorqua Anne sans prendre le temps d'analyser ce que Francine venait de dire. J'étais prête à l'aider, à l'accompagner. C'était mon mari! Quelles qu'aient été les discordes et les divergences entre nous, Robert était mon mari et je l'aimais. Durant des mois et des mois, j'étais là tous les jours. Pour qu'il sache que jamais je ne le laisserais tomber.

— Justement.

— Comment ça, justement?

— Peut-être bien que votre mari vous aime assez pour pas vous demander c'te sacrifice-là.

— Voyons donc!

— Pourquoi pas? Vous me l'avez dit t'à l'heure! Vous êtes encore jeune alors que lui y' est pas mal plus vieux… C'est petête pour ça que votre mari a arrêté de vous parler. Juste pour vous pousser à boutte! Chus pas psychologue comme Laura, je le sais, pis je connais pas grand-chose dans toutes ces affaires-là, les affaires du comportement humain, comme y' disent dans certains programmes à la télévision, mais me semble que ça se tient, ce que je dis là. Moé, en tout cas, si je voulais éloigner quèqu'un, c'est sûr que c'est de même que je ferais : j'arrêterais d'y parler ! Ben net !

Pour Francine, le silence qu'Anne lui renvoya fut plus éloquent qu'une longue tirade. C'est pourquoi elle se donna le droit d'ajouter :

— Je le sais pas, ce que vous, vous voulez vraiment face à votre mari. Y a juste vous qui peut répondre à ça. Mais si un jour ça vous tente d'essayer de le ramener icitte, chez lui, chez vous, ben je serai là pour vous aider. C'est toute ce que j'ai à dire pour le moment. La suite, ben, c'est vous qui la déciderez quand vous serez prête à le faire. Dans un sens ou ben dans un autre, ça me regarde pas. Je voulais juste vous dire que je peux être là en cas de besoin. Astheure, si ça vous dérange pas, j'vas monter voir mon Steve.

CHAPITRE 20

Seigneur, Seigneur, qu'est-cé qu'tu veux que j'te dise ?
Y a plus rien à faire j'suis viré à l'envers
[...]
Lucifer, Lucifer, t'as profité d'ma faiblesse
Pour m'faire visiter l'enfer

Seigneur
Kevin Parent, 1995

Montréal, samedi 7 avril 1973

Évangéline dans son salon
Le chagrin à l'état brut et les dures larmes devant l'absence commençaient tranquillement à s'estomper.

C'est probablement pour cette raison qu'hier soir, après des semaines de discussions parfois épiques, Bernadette avait enfin arraché à Évangéline la promesse qu'elle se marierait quand même.

— Mais demande-moé pas quand, par exemple, je le sais pas pantoute.

— Pourquoi changer la date ?

— Pasque...

— Toute une réponse, ça !

— Viarge, Bernadette ! Tu fais exprès ou ben quoi ? Peux-tu faire juste un p'tit effort pour comprendre comment c'est que je me sens, en dedans de moé ?

— Pas de problème, la belle-mère. J'ai même pas d'effort à faire pasque je me sens probablement comme vous.

— Ben, c'est ça! Fait que pas question de choisir une date tusuite. On verra quand c'est qu'on se sentira mieux. Pis si toé, tu comprends pas, mon Roméo, lui, y' comprend très bien que j'aye pas le goût de fêter pour astheure. De toute façon, y' me reste une couple de petits détails à régler avant de prendre une décision finale rapport à la date.

— Des détails? Quel genre de détails?

— Des détails! Tu verras ben dans le temps comme dans le temps.

Impossible de lui arracher autre chose: Évangéline s'était refermée comme une huître et, devant l'entêtement de Bernadette qui continuait à la harceler avec ses questions, la vieille dame s'était relevée pour venir monter le son de la télévision, qui était devenu suffisamment fort pour empêcher toute discussion.

Bernadette avait alors quitté le salon d'un pas lourd.

Depuis, Évangéline ne cessait de penser à ce mariage. Elle n'en avait presque pas dormi la nuit dernière.

Heureusement, on était samedi, et ceux qui restaient encore avec elle avaient quitté la maison relativement tôt. C'était toujours une grosse journée à l'épicerie, le samedi.

— Tant mieux, marmonna Évangéline en portant une tasse de thé tiède à sa bouche, un œil en permanence sur la rue qui étincelait sous la gadoue parce que l'hiver avait tenu bon jusqu'en avril avec une dernière tempête au début du mois. J'ai pas envie de parler à personne pour le moment! À personne, viarge! Remarque qu'y' reste pus grand monde icitte avec qui m'ostiner! Une fois Bernadette pis Charles partis, la maison est vide…

Évangéline laissa échapper un long soupir.

— Jamais j'aurais pu imaginer que le malcommode à Marcel allait me manquer à c'te point-là.

Si le chagrin s'estompait, la tristesse veillait, et la pauvre Évangéline avait le cœur en charpie même si, la plupart du temps, les larmes étaient taries.

— Comment veux-tu, astheure, que j'aye le cœur à me marier ? C'est avec mon gars que je voulais monter à l'autel. Avec Marcel.

Bien sûr, elle avait maintes fois tenté de visualiser la situation avec Adrien à la place de Marcel. Peine perdue ! Pour la vieille dame, l'image était discordante.

C'était là, entre autres choses, un des détails qu'elle avait à régler avant de fixer une date définitive pour son mariage.

— Y' a ça à régler, pis ma maison, viarge !

Maintenant que Marcel était décédé, Évangéline n'arrivait pas à se décider. À qui donnerait-elle cette maison acquise à la sueur de son front ?

À cette pensée maintes fois ressassée, les mains toutes tremblantes devant l'incertitude et les questionnements, Évangéline déposa sa tasse à côté d'elle pour ne rien renverser. Depuis le décès de Marcel, une sorte de frisson intérieur la rendait souvent toute tremblante.

— Ma maison ! fit-elle avec une pointe d'alarme dans la voix. Je la donnerai sûrement pas à Adrien, y' a rien faite pour ! C'est Marcel qui l'a entretenue, c'te maison-là, pas Adrien... Antoine, lui, y' a décidé de faire sa vie ailleurs, pis c'est correct de même. Y' a l'air tellement heureux avec sa Donna qu'on peut pas y en vouloir. Laura, elle, a' parle juste des maisons qu'a' visite en banlieue avec Bébert, pis a' l'a le droit ! Elle avec, viarge, même si ça m'agace encore un brin, a' l'a l'air heureuse avec son Bébert Gariépy, pis c'est ça l'important. Pis Charles, ben y' est encore trop jeune pour s'occuper d'un bien comme celui-là, des fois que je déciderais de faire comme Marcel pis que je me retrouverais les pieds devant dans un proche avenir. De toute façon, je vois pas notre Charles passer le reste de sa vie icitte ! Y' a assez disputé après notre vieille cour, notre vieille entrée, nos vieux murs, nos vieux chars... Non, une maison comme la mienne, c'est pas faite pour un gars moderne comme Charles.

Tout en énumérant les noms de ceux qui, selon elle, méritaient sa maison, Évangéline calculait sur le bout de ses doigts.

— Pis Roméo, ajouta-t-elle en arrivant à l'auriculaire et ne voyant personne d'autre à qui léguer son bien, même si je l'aime ben gros, y' a rien à voir là-dedans. C'est un Lacaille qui va hériter de la maison bâtie par Alphonse Lacaille. Un point c'est toute !

Brusquement, Évangéline était atterrée. Toute une vie de labeur qui risquait de se retrouver dans des mains étrangères.

— Maudit Marcel aussi ! lança-t-elle sur un ton colérique en levant les yeux au plafond. Voir que t'avais d'affaire à partir avant moé. T'avais pas le droit de me faire ça, mon gars ! Pas le droit pantoute...

Une maison silencieuse fut la seule réponse qu'Évangéline put obtenir. Alors, celle-ci ajouta, d'une voix mouillée :

— Quand on est ben élevé, Marcel Lacaille, on répond au monde qui s'adresse poliment à nous autres. Surtout à sa mère !

Puis, d'un long soupir chevrotant suivi d'un reniflement

bruyant, Évangéline repoussa encore une fois certaines larmes qui menaçaient de déborder.

La vieille dame respira à fond à deux, trois reprises avant de se relever pour se rendre à la cuisine. Elle allait refaire du thé, bien fort et bien chaud, pour se remettre de ses émotions. C'est à ce moment qu'Évangéline aperçut la jeune femme qui se dirigeait vers la maison, poussant un carrosse devant elle. Son cœur tressaillit aussitôt de plaisir. Elle cligna des yeux, s'approcha de la fenêtre et repoussa le rideau.

Pas de doute, c'était bien Laura et sa fille !

Évangéline se redressa vivement. Si elle venait de proclamer aux murs qu'elle ne voulait voir personne, cette consigne ne s'appliquait pas à la petite Alice. Oubliant du coup le mariage et la maison, l'arrière-grand-mère jeta un regard consterné à ses vieux chaussons et à sa jaquette défraîchie.

— Chus toujours ben pas pour recevoir du monde attriquée de même !

Déposant sa tasse sur la table basse, Évangéline trottina jusqu'à sa chambre, estimant qu'elle avait tout juste le temps de s'habiller avant l'arrivée de Laura.

Finalement, ce samedi matin se terminerait de façon moins déprimante qu'il avait commencé !

— M'en vas les garder à dîner, quin ! Ça va me faire de la compagnie avant que Roméo se pointe le boutte du nez !

C'était à la demande de Bernadette que Laura avait boudé l'épicerie même si on était samedi et qu'habituellement, elle y travaillait jusqu'à midi.

— Au lieu de venir travailler, va don voir ta grand-mère demain matin, avait-elle demandé, la veille, tandis que Laura s'apprêtait à quitter l'épicerie. A' continue de filer un mauvais coton, tu sauras. Un rien la met sur les nerfs.

— C'est peut-être normal dans les circonstances.

— C'est sûr, ma fille. Pis je comprends ça. Mais c'est pas une raison de pas essayer de l'aider ! La pauvre Évangéline a pas la chance comme nous autres de se désennuyer. Moé pis ton frère Charles, on vient icitte à tous les jours. Pis toé, ben, si t'es pas avec nous autres, t'es dans ton bureau de psychologue ou t'es avec ta famille. On voit du monde, on est occupés... La belle-mère, elle, quand son Roméo est reparti chez eux, a' reste tuseule à se morfondre. Ça nous empêche pas d'avoir de la peine, c'est sûr, mais au moins, on peut l'oublier durant quèques heures, chaque jour, tandis que ta grand-mère, elle... Me semble que si a' voyait à l'organisation de son mariage, a' s'ennuierait moins. Que c'est t'en penses, toé ?

Laura n'avait pu faire autrement que d'approuver, car d'un regard posé sur sa fille, elle avait compris que pour une mère, perdre un de ses enfants devait être terriblement douloureux.

Une diversion ne pourrait donc pas faire de tort.

C'est pourquoi, en ce moment, Laura se dirigeait vers la grosse maison grise au bout de la rue cul-de-sac où elle avait grandi, cette rue que tout le monde continuait d'appeler l'« Impasse ». Passant devant la maison des Gariépy, elle lança à sa fille:

— Quand on va revenir, Alice, on arrêtera pour dire un petit bonjour à grand-maman Gaétane. Pis petête aussi à matante Francine, ajouta-t-elle en tournant brièvement la tête vers la petite maison à lucarnes.

Puis elle reporta les yeux devant elle tout en ralentissant le pas pour profiter de la promenade.

La journée était belle et le soleil gagnait en hardiesse.

Laura regarda tout autour d'elle.

Ici, c'était chez elle depuis toujours. Elle souhaitait que ça soit aussi un petit coin de la ville important pour Alice puisque ses grands-parents y vivaient.

Laura sentit son cœur se serrer à la pensée que sa fille n'aurait aucun souvenir de son grand-père Marcel, hormis quelques photos où elle était blottie contre lui.

Pourtant, malgré cela, elle souhaitait que sa fille garde un bon souvenir de cette rue. Le souvenir d'un trottoir où l'on pouvait sauter à la corde. Le souvenir d'une cour poussiéreuse où, sur une balançoire fabriquée par son grand-père Pierre-Paul, elle aurait la permission de manger un cornet de crème glacée :

— Ou un popsicle à deux bâtons, murmura Laura, nostalgique, tout en ramenant les yeux sur sa fille.

Indifférente aux états d'âme de sa mère, la petite Alice regardait autour d'elle en gazouillant de joie et brusquement, Laura se sentit irrémédiablement heureuse.

Oh ! Ce fut une sensation fuyante, à peine perceptible. Pourtant, ce fut à cet instant-là que Laura comprit qu'elle finirait par guérir de sa peine un jour.

Elle n'oublierait jamais, certes — il y avait trop eu de ces beaux moments d'importance entre son père et elle —, mais elle pourrait être, à nouveau, pleinement heureuse.

Et c'est ce qu'elle allait répéter à sa grand-mère. Un jour, Évangéline aussi pourrait dire qu'elle était heureuse.

Alors, pourquoi ne pas donner un petit coup de pouce au destin en fixant tout de suite une date pour ce mariage qui, de toute évidence, serait un moment de bonheur pour tout le monde ?

Quand Laura arriva enfin devant la demeure de sa grand-mère, elle marchait d'un bon pas, d'un pas plus léger.

Évangéline l'attendait à la porte. Son chemisier boutonné de travers, la vieille dame était toute souriante. Laura en fut heureuse.

— Je t'avais aperçue par la fenêtre.

Déjà l'arrière-grand-mère tendait les bras.

— Passe-moé ça, c'te beau brin de fille-là! D'icitte à pas longtemps, a' va vouloir marcher tuseule, c'te jeune fille-là, expliqua Évangéline tout en se dirigeant vers le salon. Pis quand ça va arriver, je pourrai pus la prendre à ma guise!

— Fais attention, elle est de plus en plus lourde. Et toi, tu es boutonnée en jalouse!

Évangéline jeta un bref regard sur son chemisier en haussant les épaules.

— Y a des choses pires que ça dans la vie! répliqua-t-elle. Astheure que t'es là, tu vas me dire ce que t'as envie de manger pour dîner. Un vieux restant de jambon avec des patates routies, ça te dirait-tu quèque chose?

Ce fut plus fort qu'elle et Laura éclata de rire.

— Si tu me prends par les sentiments, je ne peux pas dire non… D'autant plus que Bébert travaille jusqu'à une heure.

— Ben tant mieux, j'haïs ça manger tuseule, pis le samedi matin, Roméo fait ses commissions. Pis demandes-y surtout pas de changer ça! De toute ma vie, j'ai jamais vu quèqu'un plusse à l'ordre que lui! Son appartement pis sa vie sont toutes ben rangés, tu sauras, tirés au cordeau, comme disait mon père.

— Et qu'est-ce que tu en penses? Est-ce une qualité ou bien un défaut?

Évangéline hocha la tête, dessina une moue incertaine avant d'esquisser son inimitable sourire croche.

— Pour répondre à ça, va falloir que je vive un p'tit boutte avec lui.

Elle n'avait pas fini de répondre qu'Évangéline comprit qu'elle venait de s'engager sur une pente glissante. Devant le sourire moqueur de Laura qui n'osait pas croire à quel point il avait été facile d'amener le sujet du mariage sur le tapis, Évangéline eut l'impression d'entendre un piège se refermer.

— Pis pour vivre avec lui, répliqua Laura du tac au tac, sans se départir de son petit sourire en coin, va ben falloir que tu te décides à te marier !

Et voilà !

Exaspérée, Évangéline ferma les yeux une fraction de seconde. Il semblait bien qu'elle n'y échapperait pas.

Sous ses sourcils en broussaille, elle lança finalement un regard mauvais à Laura.

— Tu serais pas icitte en délégation, toé là ?

— En délégation ?

— Ouais, ouais, en délégation ! En mission, si tu veux. Fais pas ta smatte avec moé, Laura Lacaille, ça prend pas. Ça serait ta mère qui t'aurait envoyée que je serais pas surprise.

Laura rendit aussitôt les armes.

— D'accord, tu as vu clair. Mais n'empêche que je suis d'accord avec elle, sinon je ne serais pas là. Moi non plus, je ne comprends pas ce qui…

— Écoute-moé ben, Laura…

Le sourire d'Évangéline avait disparu.

Elle déposa alors la petite Alice par terre. Elle avait

besoin de toute sa concentration. La fillette en profita pour filer vers le long corridor qui semblait la fasciner. Chaque fois qu'elle venait ici, elle passait un temps infini à l'arpenter.

— C'est pas ben ben compliqué, reprit alors Évangéline. J'arrive pas à m'imaginer à l'église sans ton père. C'est toute. J'ai beau revirer ça dans toutes les sens, j'y arrive juste pas. Comme de raison, j'ose pas en parler à ta mère. Je veux surtout pas y faire de peine, a' l'en a ben assez comme ça. Mais pour moé, c'est clair : j'aurais voulu que Marcel soye là avec nous autres.

Un voile de tristesse presque palpable enveloppa les deux femmes.

— Moi aussi, grand-moman, j'aurais voulu me marier avec popa à mes côtés, arriva à articuler Laura au bout de quelques instants.

Elle avait la gorge nouée par l'émotion.

— Comme pour Antoine, ajouta-t-elle dans un souffle.

Le reproche était à peine voilé et Évangéline le reçut comme tel.

— Tourne pas le fer dans la plaie, veux-tu ? Je le sais que j'ai pas été ben fine dans toute ça. Pas besoin de m'en faire encore le reproche.

— C'était pas mon intention.

— Petête ben, mais pour moé, le résultat reste pareil. Toute est ben assez dur de même, ma p'tite-fille. Ben assez dur.

— Ben justement… Si on essayait de se faire un petit peu de joie, grand-moman ? Si on essayait de se faire un peu de bonheur ? Juste un peu. Juste pour nous.

— Pis tu vois ça comment, toé, un peu de bonheur ?

Laura hésita. Puis, prenant une longue inspiration, elle proposa :

— Je le vois avec votre Roméo, c'est bien certain. Mais avec mon Bébert aussi.

Laura y avait pensé à quelques reprises, rejetant l'idée chaque fois qu'elle se présentait. Mais ce matin, dans l'espoir et le besoin d'atténuer une douleur qui était la leur, celle de leur famille, il lui semblait que tout devenait possible et permis.

Évangéline jeta un regard en coin à sa petite-fille.

— J'ai-tu ben compris, moé là ? Tu serais-tu en train de parler d'un mariage double comme dans le temps de la guerre ?

— Pourquoi pas ?

— Ben voyons don ! Toé pis moé, en même temps ? C'est un peu fou, tu trouves pas ?

La question n'en était pas vraiment une. C'était plutôt une constatation étonnée qui n'appelait aucune réponse. Alors, Laura resta silencieuse, laissant sa grand-mère décanter tout ce qu'elle venait d'entendre.

— Malheureusement, ça ramènera pas ton père, ma pauvre enfant, constata Évangéline après un long moment de réflexion. Pis si moé, je peux toujours demander à Adrien de me servir d'escorte, toé tu…

— Antoine, grand-moman, coupa Laura avec une certaine fébrilité. On a juste à demander à Antoine. Il peut très bien nous servir de témoin à toutes les deux, avec moman qui suivrait juste en arrière.

— Antoine… C'est fou, mais j'avais pas pensé à lui.

Évangéline hocha la tête, soupesant la solution que Laura venait de proposer.

— Pourtant, poursuivit la jeune femme d'une voix très douce, c'est peut-être Antoine qui serait le plus proche de popa. Plus que mononcle Adrien ne le sera jamais.

— Antoine...

Évangéline, qui fixait le mur du salon depuis un bon moment déjà, ramena les yeux sur Laura.

— Antoine... Plusse j'y pense et plusse je trouve que ça a plein d'allure ce que tu viens de proposer.

Puis, de but en blanc, comme elle savait si bien le faire, Évangéline demanda :

— C'est-tu encore une idée de ta mère, ça là ?

— Non, grand-moman. Ça vient de moi. De toute façon, j'ai toujours voulu me marier. Tu le sais, n'est-ce pas ?

— Ben ouais, bougonna Évangéline, émue. Je le sais.

— Alors, à défaut d'être au bras de popa, c'est avec toi et Antoine que je voudrais remonter la grande allée de l'église.

Évangéline se détourna pour cacher les quelques larmes qui venaient de rouler sur ses joues parcheminées. Que l'on tourne la situation dans tous les sens, ça ne ramènerait pas Marcel. Par contre, ce que Laura venait de suggérer permettrait de faire de cette journée un moment d'accalmie dans leur tristesse.

Peut-être.

Évangéline resta songeuse une seconde fois durant un long moment. Puis, comme si elle sentait le besoin de reprendre le contrôle de la conversation, elle ronchonna :

— Mais moé, je veux une noce toute simple, par exemple ! Pas de flafla. Pas question de bouquetière pis de grand cortège.

— Je n'ai jamais parlé d'un grand mariage, non plus.

— N'empêche... Va falloir inviter les Gariépy.

— Ça, on n'y échappera pas ! Mais on peut s'en tenir au strict minimum, tu sais. Comme pour le baptême d'Alice.

— Tant qu'à ça… Pis j'y pense… Ça devrait faire plaisir à ta mère, voir à une noce. À elle aussi, ça devrait changer les idées.

— C'est sûr que ça ferait plaisir à moman. Pis à Bébert, aussi.

— Ouais, Bébert. C'est vrai que pour un Gariépy, y' est gentil… Dans ce cas-là, j'vas y penser ben soigneusement. Pis quand on aura pris notre décision, Roméo pis moé, j'vas t'en reparler.

— Merci grand-moman.

— Pas de quoi.

Évangéline était déjà debout comme si elle était pressée de quitter le salon pour échapper à un cataclysme quelconque.

— Astheure, m'en vas aller peler des patates, annonça-t-elle le plus sérieusement du monde. Trouve ta fille pis viens me rejoindre dans la cuisine. On va mettre la table ensemble.

— En parlant du mariage ? demanda Laura, taquine.

L'hésitation d'Évangéline fut à peine perceptible mais bien réelle, à la fois dans sa démarche alors qu'elle se dirigeait vers la porte et dans sa voix qui laissa échapper :

— Si tu veux…

Puis, sur un ton plus léger, la vieille dame lança depuis le corridor :

— En parlant du mariage, viarge ! Pourquoi pas ?

CHAPITRE 21

Sentir ta main sur ma joue
Ne pas la perdre comme on perd tout
Les temps sont fous, aide-moi
Pour que demain s'empare de nous
Souffle, souffle dans mon cou
Les temps sont fous, aide-moi

Les temps fous
DANIEL BÉLANGER, 1996

Bastrop (Texas), samedi 2 juin 1973

Adrien dans sa chambre à coucher
Trois grosses valises trônaient sur le lit. Trois valises qu'Adrien emplissait au petit bonheur la chance avec tout ce qu'il trouvait et qu'il pouvait lui paraître utile d'emporter, en plus des habituels vêtements.

Demain, puisqu'ici au Texas, les classes étaient déjà terminées, Michelle et lui prendraient la route pour Montréal. Même si sa fille ne le savait pas encore, Adrien n'avait pas l'intention de revenir habiter au Texas un jour.

Entre Maureen et lui, c'était fini. Une demande en divorce avait été déposée.

— Pourquoi avoir tant attendu? avait murmuré Maureen quand, à son retour des funérailles, Adrien avait manifesté son intention de s'établir pour de bon à Montréal.

Fallait-il vraiment que ton frère soit mort pour me laisser voir tes véritables intentions ?

— Je ne comprends pas. Veux-tu insinuer par là que je suis le seul fautif dans ce gâchis qui est notre vie à deux ? Je ne…

— *Stop, please !* Si tu cherches à berner quelqu'un, c'est toi et uniquement toi que tu vises. Moi, ça fait longtemps que j'ai tout compris… Et Michelle, dans tout ça ?

— Quoi, Michelle ? J'espère que tu n'auras jamais le culot d'en demander la garde ! Après tout, c'est toi qui voulais la placer à sa naissance, pas moi !

Maureen n'avait pas répondu. Elle avait tout simplement soutenu le regard d'Adrien durant un très long moment puis elle s'était détournée pour quitter lentement la pièce.

La semaine suivante, Adrien recevait une lettre d'avocat, lui signifiant la demande de dame Maureen Prescott pour un divorce rapide. Raison invoquée : adultère.

Adrien n'avait rien contesté, se contentant d'exiger la plus grande discrétion face à Michelle dont il demandait la garde.

Maureen avait acquiescé sans autre forme de procès.

C'est pourquoi, en ce moment, Adrien remplissait trois grosses valises en prévision de son départ du lendemain. Pour l'instant, seuls Chuck et Maria étaient au courant de ses projets. Le vieil homme et son épouse les approuvaient même si Michelle allait terriblement leur manquer.

— Tu vas revenir, n'est-ce pas ?

— Comment pouvez-vous imaginer le contraire ? Je tiens à vous deux. Et Michelle vous aime tellement !

C'est ainsi qu'Adrien préparait son départ, attristé d'avoir à quitter Chuck et Maria et anxieux devant l'avenir qui s'ouvrait devant lui. Aux yeux de Michelle, cependant, ils allaient tout bonnement passer l'été à Montréal, comme ils l'avaient si souvent fait avec, en prime cette année, un mariage double dont elle rêvait tout éveillée.

— Et en plus, je vais être demoiselle d'honneur ! Te rends-tu compte, papa ? Demoiselle d'honneur ! C'est grand-moman elle-même qui en a eu l'idée ! Je suis tellement contente et j'ai tellement hâte de voir la robe que l'amie de Laura a dessinée pour moi !

Adrien souriait devant l'exubérance de sa fille, l'esprit encombré par les mille et un tatillonnages occasionnés par ce départ. Pour lui, ce n'était pas que des vacances estivales qui commençaient, c'était une autre vie qui s'amorçait dans le doute et les questionnements, car, si dans un sens, à l'exception de Michelle qui le relierait à son passé, Adrien avait l'impression de tout reprendre à zéro, il était conscient que ce n'était pas lui qui tenait les ficelles de son avenir, mais bien Bernadette.

Pourtant, entre eux, rien n'avait été dit clairement.

Rien n'avait été dit du tout !

Ni au moment des funérailles, quand Bernadette s'était jetée dans ses bras, secouée de larmes, ni par après quand il avait appelé à Montréal pour prendre des nouvelles d'Évangéline et de toute la famille. Depuis le retour d'Adrien au Texas, il n'y avait eu que des formules un peu guindées, entre Bernadette et lui, des mots empesés et polis pour parler d'un quotidien qui avait brutalement changé pour tous.

Dans un certain sens, c'était normal. Lui non plus, il n'avait pas dévoilé ce qui se passait réellement entre Maureen et lui.

Certaines choses ne se disent pas au téléphone.

Mais Adrien osait espérer que l'avenir prendrait enfin tout son sens quand il annoncerait aux siens que Michelle et lui comptaient, désormais, vivre à Montréal.

Il n'était pas pressé et ne voulait brusquer personne. Il voulait juste reprendre sa place dans une famille qu'il avait peut-être trop négligée.

Au même instant, avec trois heures de décalage horaire, Bernadette, elle, ne pensait pas du tout à son avenir. Pourquoi y penser puisqu'il était tout tracé? Elle s'apprêtait tout simplement à fermer un commerce qui lui appartenait désormais sans la moindre trace de crédit. C'était là l'autre surprise dont Marcel lui avait parlé peu de temps avant son décès: une assurance vie dont elle était l'unique bénéficiaire et qui devrait suffire à liquider toutes les dettes et emprunts reliés à l'épicerie.

— Ben voyons don, Marcel! T'as ça, toé, une assurance vie?

— Ouais, j'ai ça.

Tout malade qu'il était, Marcel affichait une petite vanité qui faisait plaisir à voir.

— J'en reviens pas... T'avais pensé à ça?

— Ben... Mettons que le gérant de banque m'a aidé à y penser... Mais j'étais d'accord avec lui, par exemple. Ben d'accord, tu sauras! Tu vas trouver toutes les papiers dans une boîte à souliers, sur la tablette du fond dans notre garde-robe. C'est la boîte noire que j'ai fermée avec un gros élastique brun.

— OK. Une boîte à souliers avec un élastique dans notre garde-robe... Astheure que c'est dit, c'est pas une raison pour partir tusuite, Marcel Lacaille. Accroche-toé, maudit verrat, accroche-toé ! J'aime ben mieux travailler comme une damnée avec toé à mes côtés, même malade comme t'es, que d'être riche tuseule !

Malheureusement, cinq jours plus tard, Marcel avait lâché prise, épuisé.

Et c'est la semaine dernière, une fois les tracasseries administratives réglées, que Bernadette avait pu toucher l'argent des assurances. Un chèque, émis à son nom, était arrivé par la poste.

— Donné de main à main par le facteur en personne, tu sauras !

Le regard d'Évangéline brillait de curiosité.

Bernadette s'était empressée de décacheter l'enveloppe. Elle s'attendait au montant puisqu'elle l'avait lu dans le contrat. De le voir inscrit sur un chèque délivré à son nom lui avait donné quelques palpitations.

— Maudit verrat ! C'est ben que trop gros.

Bernadette s'éventait avec l'enveloppe, totalement renversée.

— Regardez-moé ça, la belle-mère ! Ça se peut-tu ? Faut que je passe tusuite à la banque pour déposer ça, j'ai pas le choix, sinon j'arriverai jamais à dormir cette nuit. J'aurais ben trop peur de me faire voler… Grouillez pas ! Je reviens dans quèques menutes.

Le chèque avait été déposé dans la demi-heure, mais Bernadette n'avait pas plus trouvé le sommeil une fois la nuit venue. Elle en avait profité pour régler mentalement tous ses problèmes d'argent sous l'œil complaisant d'une lune complètement pleine et lumineuse.

Et elle avait longuement pleuré en pensant à Marcel. Elle l'avait toujours dit : avec lui, sa famille n'avait jamais manqué de quoi que ce soit. Même mort, Bernadette avait l'impression qu'il continuait de veiller sur eux.

Le lendemain, les traits tirés et les yeux bouffis, Bernadette s'était présentée à la porte de la banque dès l'ouverture. Une heure après, elle en ressortait soulagée de quelques dizaines de milliers de dollars, mais l'épicerie n'avait plus aucune dette.

Jamais Bernadette ne s'était sentie aussi riche !

— Astheure, un bon café pour me remettre les idées ben en place pis j'vas pouvoir aller travailler !

À croire qu'Évangéline ne l'entendait pas de la même oreille, car Bernadette n'avait pas si tôt mis les pieds dans la cuisine que la vieille dame l'appelait depuis le salon.

— Quand t'auras deux menutes, viens me voir, Bernadette. Faut que je te parle… C'est à propos des noces !

Les noces !

Depuis que Laura avait réussi à convaincre sa grand-mère d'organiser un mariage double, on n'entendait plus que ces deux mots dans la maison : les noces !

Un invité de plus par-ci, une suggestion de salade par-là, un essayage le matin, une larme le soir en pensant à Marcel…

Pourtant, la date n'avait toujours pas été fixée, au grand désespoir de Bernadette qui ne voyait pas comment elle allait pouvoir tout orchestrer à la dernière minute.

— Faut toujours ben envoyer les invitations avec un p'tit mois d'avance, non ?

Évangéline balayait invariablement l'objection du bout des doigts.

— C'est juste un p'tit mariage, laissait-elle tomber systématiquement. Y aura pas une grosse gang d'invités, pis tout le monde sait que ça s'en vient. Inquiète-toé pas, Bernadette, inquiète-toé pas! Toute notre monde va être disponible. C'est comme rien qu'y' attendent juste ça pour faire le bonheur de leur été!

Découragée, Bernadette laissait dire. Mais ce matin-là, au retour de la banque, partagée entre la tristesse qu'avait fait naître la réception du chèque, lui rappelant sournoisement que son mari était toujours bel et bien décédé, et l'euphorie de se savoir désormais à l'abri du besoin, Bernadette était entrée dans le salon d'un pied ferme, précédée d'une tasse de café fumant et déterminée à arracher une date à sa belle-mère.

— Pis, la belle-mère? Que c'est qu'y a de si important à dire à propos des noces? Vous auriez pas une date à me fournir, par hasard?

— Ça se pourrait ben, Bernadette, ça se pourrait ben. Mais d'abord…

De la main, Évangéline tapotait le bras du fauteuil à côté d'elle.

— Viens t'assire pas trop loin de moé, Bernadette. Ce que j'ai à te dire, j'ai pas envie de le crier sur les toits rapport que ça regarde personne d'autre que toé pour astheure. Plus tard, t'en feras ben ce que tu voudras.

Déconcertée, Bernadette s'était empressée d'obéir.

Ce qu'Évangéline avait à dire ne tenait qu'à quelques mots.

— M'en vas te donner ma maison, Bernadette.

Durant un long moment, Bernadette était restée sans voix devant une Évangéline qui, de toute évidence, jubilait de voir un tel effet de surprise.

— Votre maison? avait finalement articulé Bernadette,

la gorge nouée par une curieuse émotion qu'elle n'arrivait pas à définir clairement.

— Ouais, ma maison.

La vieille dame n'avait pas souvent paru aussi déterminée.

— Pis j'ai pas envie d'attendre que tu lises ça dans mon testament. Ça fait qu'on va régler ça avant le mariage.

— Avant le…

— Ouais, avant le mariage. Rapport que Roméo va devenir mon mari pis qu'on sait jamais comment c'est que le monde du gouvernement pourrait décider d'arranger ça au cas je mourrais avant lui, ben vite après le mariage.

— Ben voyons don, vous !

— C'est comme ça !

— Pis Adrien, lui ?

— Y' a rien à voir là-dedans, Adrien. C'est pas lui qui était là quand c'était le temps d'y voir, à la maison. C'est pas lui qui l'a entretenue, c'est Marcel. Marcel pis toé, viarge ! T'as toujours secondé mon Marcel. Même si y' était pas toujours d'adon, tu l'as jamais laissé tomber.

— C'était juste normal, la belle-mère.

— Petête ben, mais c'était pas toujours facile.

— Si vous voulez, ouais… Pis les enfants, eux autres ? Vous avez pas pensé aux enfants pour votre maison ? Me semble que…

— Me semble que rien pantoute ! Les enfants ont encore toute leur avenir devant eux autres pour s'acheter une maison. Tandis que toé, ma pauvre fille, sans vouloir t'offenser, le plus gros de ton avenir, y' est déjà en arrière de toé. Ça fait que mardi matin prochain, toé pis moé, on est attendues chez mon notaire pour régler ça dans les règles de l'art, comme dit maître Vachon. Je sais pas trop ce que ça veut dire, mais ça doit être correct, rapport que c'est un notaire qui le dit. Une fois que la maison sera à ton nom, je te demanderais juste de nous garder une place, à Roméo pis moé.

— Ben voyons don! Voir que c'est à moé de décider pour vos deux! C'est sûr que vous aurez toujours une place icitte!

— Ben, si c'est de même, on va pouvoir décider d'une date pour le mariage.

Les deux mains croisées sous son opulente poitrine, Évangéline exultait. D'un coup de talon sur le tapis élimé, elle avait mis en branle la chaise berçante qu'elle avait fait installer dans le salon puisque cette année, le printemps se faisait tirer l'oreille.

— Que c'est tu dirais du 2 juillet? avait-elle proposé d'un même souffle. Comme ça, tu l'aurais, ton mois d'avis pour les invitations!

— Le 2 juillet? Mais c'est pas un lundi, ça là? Me semble que c'est ce que j'avais remarqué quand...

— Ouais, c'est un lundi, avait coupé Évangéline. Mais comme le congé de la fête du Canada va être ce jour-là, pis que d'habitude l'épicerie est fermée c'te jour-là, j'ai pensé que ça ferait l'affaire de tout le monde.

— Pis le curé, lui?

— Quoi, le curé? C'est pas supposé prendre des vacances pis des jours de congé, un curé! Y' aura juste à faire le mariage c'te matin-là au lieu du samedi. C'est toute. Depuis le temps que j'vas à ses messes plates sans dire un mot, c'est à son tour de faire son smatte pour moé. Pis? Ça a-tu du bon sens, ce que je dis là?

Bernadette avait alors jugé que ça avait effectivement plein de bon sens et depuis, on ne parlait plus que des noces à la maison. C'est ainsi qu'en cette fin de journée, elle s'apprêtait à fermer l'épicerie jusqu'au lundi. Dans un mois, jour pour jour, on célébrerait le mariage d'Évangéline avec son Roméo et celui de Laura avec son Bébert.

Bernadette esquissa un sourire en insérant la clé dans la serrure de la porte.

Évangéline qui allait se marier en même temps qu'un Gariépy ! Qui l'eût cru ?

Et demain, son fils Charles revenait de vacances.

Un spasme de plaisir serra l'estomac de Bernadette.

Après de longs et pénibles pourparlers, Bernadette avait fini par admettre que les temps avaient changé et que, peut-être bien, oui, Charles méritait des vacances.

— C'est pus comme dans ton temps, moman !

— Le travail, ça restera toujours ben le travail, Charles Lacaille. Pis la boucherie, elle, a' prend pas des vacances.

— Ouais, pis ? C'est un peu niaiseux, ce que tu viens de dire là ! J'ai rien contre ça, le travail, pis j'ai rien dit contre non plus. Mais l'un empêche pas l'autre. C'est pas pasque chus prêt à travailler aussi fort que popa que j'ai pas besoin de me reposer de temps en temps.

L'allusion était à peine voilée, et ça avait été à ce moment-là que Bernadette avait rendu les armes. Si Marcel avait pensé à se reposer, peut-être bien qu'il aurait encore été là...

— C'est beau, Charles, avait-elle concédé. Tu peux prendre une semaine de vacances.

— Deux semaines ! Mes amis pis moé, on veut aller au bord de la mer. Ça prend deux semaines pour faire un voyage qui a de l'allure !

— OK. Deux semaines. Mais je veux que tu me reviennes en pleine forme après ça ! Pis tu vois à te trouver un remplaçant. J'ai pas le temps de m'en occuper.

Le sourire radieux de Charles avait fait comprendre à Bernadette qu'elle avait pris la bonne décision. Il lui fallait quand même reconnaître que depuis le décès de son père, le jeune homme n'avait compté ni les efforts ni son temps.

En fin de compte, Charles était un bon garçon.

Marcel et elle avaient tout simplement oublié de s'adapter au nouveau rythme de vie qui soufflait sur le monde, et c'est ce qui avait posé problème entre eux. Depuis quelques années, les choses ne fonctionnaient plus tout à fait de la même façon que dans leur temps.

— Ben dommage que tu soyes pas là pour voir ton gars, Marcel, murmura Bernadette en regagnant la ruelle où était stationnée sa vieille auto qu'elle entendait bien changer dès l'automne. Tu serais fier de ton Charles… Ouais, tu serais ben fier de notre garçon !

CHAPITRE 22

Tel est mon destin
Je vais mon chemin
Ainsi passent mes heures
Au rythme entêtant des battements de mon cœur

Destin
CÉLINE DION (JEAN-JACQUES GOLDMAN), 1995

Montréal, lundi 2 juillet 1973

Bernadette, assise au bout de la table de la cuisine à l'ancienne
place de Marcel
On avait prédit du soleil, et c'est exactement ce qu'il faisait.
Le ciel était d'un bleu limpide, sans le moindre nuage. Une
brise tout en douceur secouait mollement les feuilles des
arbres et la nappe immaculée que Bernadette avait mise sur
la table à cartes qui avait repris du service, accotée contre le
hangar, comme elle l'avait fait, un an auparavant, lors du
baptême de la petite Alice.

Cependant, ce serait là la seule contribution que
Bernadette aurait à faire pour la réception qui suivrait la
cérémonie. Roméo avait été formel sur le sujet.

— Pas question, chère Bernadette, que vous passiez
votre journée aux fourneaux ! Après tout, vous êtes la mère
d'une des mariées ! On va engager un traiteur.

— Ben voyons don, vous !

— J'y tiens !

Sans l'avouer ouvertement, Bernadette s'était aussitôt sentie soulagée.

— Ben si c'est de même… Je veux faire ma part, par exemple ! Vous venez de le dire : chus la mère d'une des mariées. Pis Marcel aurait jamais accepté que ça se fasse autrement.

— Si vous y tenez vraiment !

— Ben quin ! Ça va être moitié-moitié ! Mais c'est vous qui vous en occupez, par exemple. Choisir le traiteur, le menu, toute ! Moé, avec l'essayage des robes, le ménage ici dedans plus l'ordinaire de l'épicerie à tous les jours, j'y arriverais pas.

— Ça va être un plaisir, chère Bernadette !

C'est ainsi que ce matin, Bernadette avait tout son temps pour prendre un dernier café qui, l'espérait-elle, lui remettrait l'estomac à l'endroit. Elle n'avait jamais été aussi nerveuse qu'en ce moment. Pas même au matin de son propre mariage ou à celui des funérailles de Marcel ! Il faut dire, de plus, que son mari lui manquait terriblement tandis que cachée derrière le paravent du journal déployé devant elle, elle faisait semblant de lire tout en portant une oreille attentive à ses fils qui finissaient de déjeuner.

Hier, quand Antoine était entré dans la cuisine, arrivant de Boston avec Donna, le choc avait été brutal pour Bernadette.

C'était la première fois qu'elle prenait conscience à quel point les deux frères se ressemblaient malgré tout.

C'était un peu comme Marcel et Adrien qui s'étaient ressemblé tout au long de leur vie avec cette légère différence dans la carrure des épaules et un certain reflet dans le regard. Celui d'Antoine était plus chaleureux comme l'était celui d'Adrien. Par contre, c'est aussi lui qui avait hérité des épaules de son père, tandis que Charles avait celles d'Adrien. Mais pour le reste…

Quand Antoine était entré dans la cuisine et s'était retrouvé à côté de Charles, Bernadette s'était excusée brusquement, prétextant un vif besoin d'aller à la salle de bain où elle avait caché ses larmes.

Finirait-elle, un jour, par ne plus pleurer dès qu'un détail, une anecdote ou un souvenir lui ramenait le nom de Marcel à l'esprit ?

Était-ce parce que Charles avait rapidement vieilli, bousculé par le décès de Marcel, que les deux frères s'étaient mis à se ressembler autant ? Peut-être bien.

« N'empêche que l'important, songea Bernadette tout en tournant une page du journal pour faire bonne mesure, c'est ben plusse qu'y' s'entendent ben. Pis on dirait, depuis que Marcel est mort, on dirait qu'Antoine a changé rapport à son frère. »

— Envoye, le jeune, grouille-toi ! lançait justement l'aîné tout en empilant sa vaisselle sale pour la porter à l'évier. On a deux chars à laver avant de prendre une douche pis de s'habiller.

— Si au moins c'étaient des beaux chars de l'année, ronchonna Charles, la bouche encore pleine. Ben non ! On a juste deux vieilles minounes !

— Ben tu sauras, le jeune, qu'y en a qui payent pas mal cher pour avoir des vieilles autos dans leur cortège !

— Je le sais. Ça change rien au fait que…

— Ça change rien au fait que tu te dépêches un peu pis

que tu viens m'aider. Faut que ça brille, ces deux chars-là ! Vieux ou pas. On rit pus, Charles, notre grand-mère pis notre sœur se marient aujourd'hui ! Faut que tout soit parfait !

À ces mots, Charles esquissa un sourire tout en se levant à son tour.

— T'as ben raison !

L'instant d'après, la porte de la cuisine claquait et Bernadette entendit la joyeuse dégringolade des pas de deux jeunes garçons, si vite devenus des hommes et qui étaient ses fils.

Alors, Bernadette referma lentement le journal désormais inutile et elle regarda longuement autour d'elle, comme si elle cherchait quelque chose.

Ou quelqu'un.

Marcel lui manquait. Il lui manquerait toujours.

Dans cette cuisine qu'elle connaissait comme le fond de sa poche, Bernadette savait qu'il y aurait régulièrement un vide à combler, une voix absente qu'elle entendrait parfois résonner au fond de son cœur sous la forme d'un « calvaire » tonitruant et qui, à l'occasion, continuerait pour elle à mettre un terme à certaines discussions.

— Bâtard que le temps a passé vite, murmura-t-elle en retenant quelques larmes. Trop vite. Pis toé, Marcel Lacaille, ajouta-t-elle en haussant la voix tout en fixant le ciel qu'elle apercevait par la fenêtre au-dessus de l'évier, t'avais pas le droit de me laisser tuseule de même. Astheure, tu vas m'aider pour que je passe pas ma journée à brailler comme un veau. C'est ben le moins que tu puisses faire pour les noces de ta fille.

— À qui c'est que tu parles de même, Bernadette ?

Dans le couloir, Bernadette entendit le pas traînant d'Évangéline qui approchait. Alors, cherchant un mouchoir au fond de la poche de son tablier, elle s'essuya rapidement le visage tout en lançant:

— Personne, la belle-mère. Je parle à personne, mentit-elle spontanément, comme elle avait pris l'habitude de le faire depuis quelques mois pour tenter de camoufler ses états d'âme.

Mais ce matin, particulièrement ce matin, Bernadette n'avait pas envie de mentir. Alors, elle se rétracta aussitôt et avoua:

— C'est pas vrai. Je parlais à Marcel. J'y ai demandé de m'aider à passer à travers la journée qui s'en vient.

— Ben y' va avoir de la job, notre Marcel!

Évangéline arrivait dans la cuisine, ses vieux chaussons polissant le prélart défraîchi.

— Moé avec, j'y ai demandé la même affaire… Viarge que chus énervée, moé là! Que c'est qui m'a pris d'aller dire oui à une affaire de même? Tu le sais-tu, toé? Voir que ça a de l'allure, se marier quand on est vieille comme moé. Tout le monde va rire de moé quand j'vas m'amener dans l'allée avec Laura pis Antoine.

— C'est pas vrai, ça!

— Coudon toé… Tu serais-tu en train de me traiter de menteuse? Que c'est qui est pas vrai dans ce que je viens de dire?

— Toute, la belle-mère, toute! Que vous êtes vieille, qu'on va rire de vous…

— N'empêche que j'aurais dû tenir mon boutte, viarge! Un p'tit mariage dans le privé, dans la sacristie, quin! ça aurait faite l'affaire.

— Ben voyons don! On va être juste entre nous autres!
Y aura pas plusse de monde à c'te mariage-là qu'au baptême d'Alice.

— C'est déjà ben en masse, tu sauras! Ben en masse.

— Pensez à votre Roméo!

— Quoi Roméo?

— Pour lui, c'est un premier mariage. C'est important
dans une vie, ça, un premier mariage.

— C'est vrai...

Évangéline resta songeuse un bref moment, fixant la
pointe de ses vieux chaussons, puis elle leva les yeux vers
Bernadette.

— Dans le fond, l'idéal, murmura-t-elle tant pour elle
que pour sa belle-fille, avec une gravité soudaine dans la
voix, ça serait qu'on parte ensemble, quand on est vraiment
en amour. Quand mon Alphonse est mort, je te jure que j'ai
eu envie de mourir moé avec.

— Mais y avait vos garçons.

— Ouais, y avait mes deux fils... Adrien pis Marcel...
C'est à cause d'eux autres si j'ai continué, je pense ben... Pis
la vie a repris sa place. Le temps a recommencé à passer sans
que je m'en aperçoive, une journée après l'autre. Pis un bon
matin, c'est toé qui es arrivée dans ma maison. Même si ça a
pas vraiment paru au début, j'étais contente de pus être
tuseule, tu sauras. Pis les enfants sont nés. Trois beaux
enfants... C'est là que je me suis dit que, dans le fond, ça
avait été une bonne affaire de pas mourir en même temps
que mon Alphonse... Pis astheure, y a la petite Alice!
Faudrait surtout pas l'oublier, elle là!

— C'est sûr qu'on pourra jamais l'oublier. Mais vous, y a
quèqu'un que vous êtes en train d'oublier! C'est votre Roméo.

— Ouais, t'as ben raison : j'ai rencontré Roméo… C'est petête fou de dire ça à mon âge, mais lui avec, je l'aime, comme j'ai aimé mon Alphonse. Pareil ! Si quèqu'un m'avait dit ça dans le temps, que je retomberais en amour pis que je me remarierais, j'y aurais répondu qu'y' avait ben menti… Comme quoi, on sait jamais ce qui nous pend au boutte du nez…

Tout en parlant, les sourcils froncés sur cette longue réflexion, Évangéline hochait vigoureusement la tête.

— Ouais, on sait jamais ce que l'avenir nous réserve.

— Comme vous dites…

Durant un long moment, les deux femmes se dévisagèrent, et c'est toute une vie en commun qui se glissa entre elles le temps d'un soupir chargé de souvenirs, de quelques regrets, d'une foule de petites joies et de quelques grandes tristesses. Puis Évangéline secoua la tête pour chasser les souvenirs et tout en relevant les yeux, elle esquissa son inimitable sourire.

— Astheure, ma belle, que c'est tu dirais de venir m'aider à ôter mes bigoudis ? C'est pour ça que j'étais venue te rejoindre dans la cuisine, pour te demander ton aide. Je le sais pas ce que j'ai à matin, mais j'ai les mains toutes molles pis j'arrête pas de me tirer les cheveux, viarge !

— Pas de trouble, la belle-mère. Ça va me faire plaisir. Pis après, ça va être l'heure de descendre en bas chez Estelle pour mettre nos belles robes. Laura devrait pas tarder pis Francine a promis d'être là pour dix heures pour les ajustements de dernière minute.

— C'est ben que trop vrai ! Ben grouillons-nous, d'abord ! On a pas de temps à perdre.

Bernadette glissa alors un bras sous celui d'Évangéline et

à petits pas, les deux femmes regagnèrent la chambre de la vieille dame. Une chambre qu'elle partagerait avec Roméo dès leur retour d'un court voyage à Québec.

La cérémonie fut à la hauteur des attentes de Bernadette qui, en l'absence de Marcel, sentait tout le poids des responsabilités reposer sur ses épaules même si elle était entourée de ses deux fils. Assise à la gauche d'Antoine, un peu plus loin sur le banc, Donna lui faisait de gentils sourires chaque fois que leurs regards se croisaient.

De l'autre côté de l'allée centrale, il y avait les Gariépy. Sans Arthémise. Sur ce point, Évangéline avait tenu son bout.

— Pas question que j'y voye la face! C'est elle ou ben c'est moé qui va être dans l'église mais sûrement pas nos deux. C'est-tu assez clair?

Encore une fois, Bernadette avait laissé dire, amusée, tout en échangeant un petit clin d'œil avec monsieur Roméo.

S'il fallait qu'un jour Évangéline Lacaille se réconcilie avec Arthémise Gariépy, avec ou sans raison valable, d'ailleurs, ce ne serait plus tout à fait Évangéline, et comme personne n'avait envie de la voir changer…

Bernadette reporta son attention sur la cérémonie qui tirait à sa fin.

Devant elle, à quelques pas au bout de l'allée, il y avait les deux couples en train de s'engager pour le reste de leurs jours.

Il y avait un vieux couple aux épaules voûtées, tassées par l'âge. Un vieux couple arrivé à l'autre bout de la vie mais pas au bout de l'amour.

Tout à côté, fier et droit, il y avait un jeune couple à qui l'avenir tendait encore les bras.

Bernadette fut heureuse pour eux sans les envier. Même si les larmes faisaient encore partie de son quotidien, elle commençait à découvrir et à apprivoiser une certaine forme de solitude qui lui plaisait.

Ne plus devoir rendre de comptes à personne, ne plus avoir à négocier, ne plus se sentir obligée de tout justifier…

Puis il y eut un murmure amusé dans l'église, et Bernadette tourna la tête.

La petite Alice, confiée à Francine pour le temps de la cérémonie, venait d'échapper à l'attention de Steve et elle trottinait dans l'allée.

— Maman !

Bébert fut le premier à réagir et il se précipita vers la petite. Malgré le froncement de sourcils du prêtre, il regagna sa place la tête haute, avec sa fille dans les bras.

Quelques instants plus tard, le *oui* qu'il prononça, clair et décidé, tira une larme à Bernadette. Sa fille Laura avait tiré le gros lot à la loterie de la vie. Même Évangéline avait été obligée de l'admettre !

Puis la messe se poursuivit et ce fut l'heure de la communion. Bernadette se glissa dans la file des gens qui se dirigeaient vers l'avant de l'église même si elle ne pratiquait plus tellement. Pour le mariage de sa fille, il lui semblait important de communier. D'y croire créait en même temps un petit lien avec Marcel.

Quand elle regagna sa place, Bernadette releva la tête et c'est à ce moment-là que son regard tomba sur Adrien qui était assis tout juste derrière elle.

De tout le temps qu'avait duré le mariage, Bernadette n'avait pas pensé à lui. Elle avait trop de choses en tête et dans l'émotion de la cérémonie, c'est Marcel qui lui manquait.

En ce moment, Adrien était penché vers Michelle et il lui chuchotait quelque chose à l'oreille. Depuis qu'elle savait qu'ils resteraient à Montréal, Michelle s'était épanouie comme une fleur que l'on met dans un vase avec de l'eau.

— Ça ne passait pas avec Maureen, lui avait confié Adrien. Michelle avait une humeur sombre, belliqueuse, comme si elle était constamment sur la défensive. Alors, je tente le tout pour le tout et je reste ici. On verra bien ce que ça va donner.

Bernadette n'avait rien répondu parce qu'elle avait senti, si elle voulait être sincère, qu'il n'y avait rien à répondre. Mais pour Michelle, au fil des jours qui avaient suivi, Bernadette avait admis que la décision d'Adrien semblait la bonne.

Pourtant, en ce moment, Michelle avait les sourcils froncés et semblait discuter vivement avec son père même si le tout se déroulait à voix basse.

C'est à ce moment, alors que Bernadette allait se glisser sur son banc, que Michelle leva les yeux vers elle. Quand elle vit que Bernadette la regardait, la jeune fille lui fit un petit sourire un peu triste.

Michelle...

Bernadette l'avait accueillie dans sa vie quand elle n'était qu'une nouveau-née et elle l'avait aimée comme on aime son enfant: de tout son cœur.

Et voilà qu'aujourd'hui, Michelle arrivait à cet âge où une fille a besoin de sa mère, une mère qui dans son cas avait toujours été absente.

Michelle qui vivait son handicap avec plus de difficulté depuis qu'elle était consciente des regards posés sur elle.

Spontanément, avec ce cœur de mère qui était le sien

depuis toujours, Bernadette lui rendit son sourire puis, lui tendant la main, elle murmura :

— Viens t'asseoir près de moé. Quand ce sera le temps de sortir de l'église, on se glissera ensemble dans le cortège. Tu marcheras à côté de moé.

Michelle leva les yeux vers son père, comme si elle cherchait une certaine approbation, puis revint aussitôt à Bernadette.

— Ça te dérange pas ?

— Ben voyons don ! Envoye, viens !

— Merci. J'étais gênée de te le demander...

Michelle se levait déjà pour changer de place.

Bernadette fit signe à Charles de se pousser pour faire un peu d'espace pour Michelle. C'est quand Bernadette fit un pas de côté pour permettre à Michelle de passer qu'Adrien attrapa son regard au passage. Il hocha la tête et articula sans bruit :

— Merci !

Il n'y eut qu'un reflet de sourire sur le visage de Bernadette avant qu'elle baisse les paupières, se retourne et s'assoie auprès de Michelle, comme si de rien n'était. Or, son cœur battait la chamade.

Elle avait eu sa vie tout comme Adrien avait eu la sienne, et il y avait eu entre eux ce moment où tout aurait pu être possible.

Mais la vie avait continué son chemin sans dévier de l'itinéraire prévu.

Aujourd'hui, Bernadette n'était pas prête à s'engager envers qui que ce soit d'autre que sa famille. Il y avait Charles qui aurait encore besoin d'elle pour un certain temps. Il y avait l'épicerie qu'elle portait à bout de bras et

Laura qui y travaillait de plus en plus souvent. Il y avait Antoine aussi, qui, curieusement, était plus proche d'elle depuis qu'il s'était installé à Boston qu'il ne l'avait jamais été. Et puis, il y avait Évangéline qu'elle aimait tendrement, et son Roméo, et la petite Alice…

Et Adrien, lui, avait une merveilleuse fille qui s'appelait Michelle.

À cette pensée, Bernadette glissa spontanément son bras autour des épaules de la jeune fille qui leva vers elle un sourire radieux. Alors, Bernadette comprit que dans sa vie, il y aurait aussi de la place pour une jeune Michelle qui avait grandement besoin d'une maman.

Quand le cortège se forma pour quitter l'église, d'un geste gracieux, Laura et Bébert se glissèrent derrière Évangéline et Roméo, lequel portait fièrement contre sa poitrine le chapeau haut de forme qu'il coifferait dès son arrivée sur le parvis. Évangéline était resplendissante dans sa robe gris perle, et le regard qu'elle levait vers son mari était celui d'une femme amoureuse, tout comme celui de Laura qui couvait Bébert et Alice.

Tenant fermement la main de Michelle qui tremblait un peu, probablement intimidée d'être le point de mire de tant de gens, Bernadette se joignit au cortège et d'un geste, elle fit signe à Adrien de se joindre à elles, devant Charles et Antoine qui suivraient.

Pourquoi pas ?

Adrien était le fils d'Évangéline et l'oncle de Laura, et il l'avait clairement exprimé : après tout ce temps, il avait finalement choisi de vivre dans le petit logement d'une grande maison grise, située au bout d'une rue cul-de-sac que tout le monde s'entêtait à appeler l'« Impasse ».

Adrien avait choisi, pour sa fille et lui, de vivre dans cette maison que tout le monde s'entêterait, longtemps encore, à appeler la maison des Lacaille.

Et Bernadette, nouvelle propriétaire de la maison, venait de décider qu'Adrien et Michelle seraient les bienvenus chez elle.

Après tout, comme l'avait si bien dit Évangéline:

— On sait jamais ce qui nous pend au boutte du nez, viarge! Jamais!

FIN

NOTE DE L'AUTEUR

Je n'aurais pu terminer cette belle et longue aventure sans vous redire merci, à vous, chers lecteurs. Votre fidélité, vos remarques, vos appréciations, et vos reproches aussi, parfois, ont pimenté ces longues heures d'écriture. Merci d'avoir été là.

Si, en 1954, au moment où j'ai fait la connaissance des Lacaille, on m'avait dit que c'est autour de Marcel que tous les personnages finiraient par se rassembler, je ne l'aurais pas cru. À la rigueur, j'aurais pu envisager de les voir autour d'Évangéline ou de Bernadette, ou même de Laura, mais sûrement pas Marcel!

Pourtant…

Comme quoi ce sont les personnages qui ont le dernier mot, toujours!

Ainsi, c'est autour de Marcel, c'est à cause de lui, au salon funéraire, que les trois sœurs Deblois, Charlotte, Émilie et Anne, que Cécile et sa famille, que les Gariépy de deux générations et que tous les Lacaille se sont retrouvés.

Et c'est là que moi, je leur ai fait mes adieux.

Ces personnages vont maintenant sortir de mon quotidien pour céder la place à d'autres. C'est normal, c'est la vie qui est ainsi faite même si je ressens une immense tristesse et un certain vertige à les voir s'en aller les uns après les autres.

Car c'est exactement ce qui est en train de se passer: ils quittent mon bureau en chuchotant entre eux, pressés de retourner chacun à leur vie.

Il y a les enfants, l'épicerie, la procure, le chevalet qui attendent…

Oui, ils s'en vont, tous. Mais je vous jure que jamais ils ne sortiront de mon cœur!